# DYFROEDD
# DYFNION

# DYFROEDD
# DYFNION

Hunangofiant
# John Elfed

gyda Gwyn Griffiths

*I Lisa, Lowri, Mathew a Sean,*
*gan ddiolch iddynt am roi*
*cymaint o bleser i hen ddyn*

Argraffiad cyntaf: 2013

Dymuna'r cyhoeddwyr gydnabod cymorth ariannol
Cyngor Llyfrau Cymru

Llun a chynllun y clawr: Robat Gruffudd

Rhif Llyfr Rhyngwladol: 978 1 84771 675 0

**FSC**

Cyhoeddwyd, rhwymwyd ac argraffwyd yng Nghymru gan
Y Lolfa Cyf., Talybont, Ceredigion SY24 5HE
*gwefan* www.ylolfa.com
*e-bost* ylolfa@ylolfa.com
*ffôn* 01970 832 304
*ffacs* 832 782

# Rhagair

BU'R WYRESAU A'R wyrion yn pwyso arna i yn gyson i roi hanes fy ngyrfa ar bapur, ac o bryd i'w gilydd byddai ambell wleidydd, hefyd, yn fy annog i wneud yr un fath. Ond cyndyn oeddwn i, mae'n rhaid cyfaddef, a hynny am sawl rheswm. Roedd meddwl eistedd i lawr ddydd ar ôl dydd yn mynd trwy'r holl bapurau a gedwais dros y blynyddoedd yn fy nychryn, a mwy na hynny doedd 'na fawr o hanes o bwys i'w adrodd. Yna fe ddaeth Robat Gruffudd gyda'i berswâd arbennig ac felly daeth yr ildio.

'Gwranda', meddai, 'fe drefnaf i rywun ddod atat ti ac fe gei di arddweud popeth wrtho fe, ac fe roith e drefn ar y stori.' Ac felly bu. Bob bore dydd Iau deuai fy hen gyfaill o ddyddiau'r Urdd, Gwyn Griffiths, draw i Dŷ Mawr, Y Coety, ac am deirawr byddem yn hel atgofion a Gwyn yn eu cofnodi. Ymhen yr wythnos byddai wedi rhoi trefn ar y manylion digyswllt o'r dydd Iau cynt ac fe fwriem ymlaen efo'r dasg. Mae'n deg dweud i'r ddau ohonom, wedi'r teirawr gyntaf o hel hanesion, gymryd teirawr arall dros damaid o ginio i roi'r byd yn ei le. Bu'n flwyddyn o fwynhad pur a mawr yw fy nyled i Gwyn, nid yn unig am ei gwmni, ond am ei ddawn arbennig i wneud synnwyr o ddatganiadau a allasai fod yn eithaf od a diberthyn weithiau.

Wrth hel atgofion fel hyn, mi sylweddolais mor hynod o lwcus y bûm o'r cychwyn cyntaf. Rown i'n lwcus i gael gofal a chariad rhieni a osododd sylfaen buchedd imi. Rown i'n lwcus cael brawd a chwaer sy'n dal i fod yn amyneddgar efo fi. A'r lwc fwyaf gefais i oedd cyfarfod Sheila, fy ngwraig; oni bai am ei gofal a'i chefnogaeth hi, dyn a ŵyr sut stori fuasai'r llyfr hwn. Ac mae Sheila a minnau wedi cael dwy ferch, Bethan a Delyth, yr ydym yn ymfalchïo ynddynt.

Efallai mai *Trwy Lwc* ddylai teitl yr hunangofiant yma fod. Bûm mor lwcus yn y cyfleoedd gefais i i ymgymryd â'r gwahanol ddyletswyddau a ddaeth i'm rhan – yn aml, bod yn y man iawn ar yr amser iawn oedd hi. Lwc oedd i'r Lolfa fy ngwahodd i gofnodi f'atgofion a mawr yw fy nyled a'm diolch i'r wasg am waith glân, deniadol a gofalus yn unol â'i harfer, yn arbennig i Robat am yr ysgogiad ac i Alun Jones am olygu gofalus a thrylwyr a chynghorion doeth.

Arwyddair yr Ysgol Sir ym Mlaenau Ffestiniog oedd dyfyniad o *Lyfr y Tri Aderyn* Morgan Llwyd, sef 'Amser dyn yw ei gynhysgaeth, a gwae yr un a'i gwery'n ofer.' Rwy'n mawr obeithio na fu imi dreulio gormod o amser yn ofer.

John Elfed Jones
Tŷ Mawr, Y Coety
Mehefin 2013

# PENNOD 1

# Plentyndod a dedwyddwch Swch

YN DDI-OS MI gefais fagwrfa ddelfrydol a phlentyndod hudolus. Ac os yw profiadau blynyddoedd cynnar yn llunio cymeriad am oes, fu hynny erioed yn fwy gwir nag yn fy achos i. Dylanwadau rhieni, pobl, bro a chymdeithas, a sefydliadau yn ddiweddarach – gadawsant i gyd eu hôl arnaf. Fe'm ganwyd yng Nghaencoed Isaf ar gyrion pentref Maentwrog ar 19 Mawrth 1933, tŷ ar rent ar lan afon Dwyryd, a byth wedi hynny bu afonydd yn rhan o 'mywyd i. Y cof plentyn cyntaf sy gen i yw'r ffynnon wrth Ca'ncoed Isaf lle byddem yn nôl dŵr, gyda grisiau'n mynd i lawr iddi. Roedd Dafydd fy mrawd, sydd dair blynedd yn hŷn na mi, wedi bod yn fy herian, ac mi redais ar ei ôl a'i wthio i lawr y grisiau ar ei ben i'r ffynnon. Tua thair oed oeddwn i bryd hynny. Mae'n dda gen i ddweud ein bod ni'n dal yn ffrindiau da.

Daeth Nhad a Mam, Urien Maelgwn a Mary Jones, i'r ardal o Goed-poeth ym 1926, pan gafodd Nhad swydd yn y gwaith o godi llinellau trydan i gysylltu Pwerdy Maentwrog â'r grid cenedlaethol. Y North Wales Power Company, rhagflaenydd MANWEB (y Merseyside and North Wales Electricity Board) oedd ei gyflogwr ac mae'r pwerdy yn nyffryn Maentwrog yn dal i gynhyrchu trydan hyd heddiw, enghraifft wych o ynni gwyrdd parhaol. Roedd y prosiect yn un enfawr y pryd hwnnw ac i gynhyrchu'r ynni angenrheidiol gogyfer â'r tyrbeini yn y dyffryn y crëwyd Llyn Trawsfynydd, y gronfa ddaeth maes o law yn ffynhonnell ddŵr i reoli tymheredd Atomfa Trawsfynydd.

Mae'n ddiddorol nodi i Bwerdy Maentwrog gynhyrchu mwy o drydan nag a wnaeth yr atomfa erioed – ac mae'n dal i wneud. 'Jones y Pŵarhows' fu Nhad i bawb wedi iddo, maes o law, gael ei ddyrchafu'n rheolwr y pwerdy, a 'Hogyn Jones y Pŵarhows' o'n i. Achosai hynny benbleth, a mymryn o gydymdeimlad gan ambell Sais pan gawn fy nghyflwyno fel yr hyn a swniai fel 'Jones the Poorhouse's son'. Fedra i ddim cofio i neb roi arian yn gysur i mi, chwaith!

Yn rhyfedd iawn, ar ochr fy mam yr oedd y diwydianwyr ac yn hanu o Gernyw, heblaw am fy nhad, wrth gwrs. Mwyngloddiwr oedd ei thaid hi, Capten Robert Northey, a fu'n cloddio ledled Cymru gan gynnwys y gweithiau mwyn yng ngogledd Ceredigion, a mwyngloddiwr, hefyd, oedd ei hen daid, Capten Stephen Harper. Athro ysgol yng Nghorris oedd John Griffith Jones, taid fy nhad, cyn iddo symud i fod yn brifathro yng Nghoed-poeth. Fo fynnodd, yn nannedd gwrthwynebiadau chwyrn rhai o'r teulu, bod ei fab, David John Jones, yn enwi ei ŵyr yn Urien Maelgwn. 'U.M.' oedd o i'w gyd-weithwyr, a 'Gwyn' fyddai Mam yn ei alw. Treuliodd David John – sef fy nhaid o ochr fy nhad – gyfnod yn America adeg y *gold rush* ac yn ôl pob hanes bu'n aelod o'r Texas Rangers. Yn anffodus, ni chefais gyfle i gyfarfod â'r un o'm teidiau; buaswn wedi bod wrth fy modd yn eu holi am eu plentyndod.

Bu'r blynyddoedd cyntaf yn gyfnod o symud o un tŷ i'r llall. Rhentu tŷ yn amlach na dim wnâi'r rhan fwyaf o bobl bryd hynny. Buom yn byw ym mhentref Maentwrog, ym Mhenrhyndeudraeth a Llan Ffestiniog, ac yna, pan oeddwn i tua phum mlwydd oed, dyma ni'n sefydlu'n iawn mewn cwmwd o'r enw Rhyd-sarn, hanner ffordd rhwng Blaenau Ffestiniog a Maentwrog. Yno, yng nghymer afonydd Goedol a Theigl ar ddarn o dir siâp swch aradr, mewn tyddyn o'r enw Swch, y treuliais flynyddoedd dedwydd plentyndod hudolus. Fu yna erioed gartref na bro hyfrytach i fagu plant. Ar rent oedd hwn, hefyd, yn eiddo i ryw Gapten Mathews, er na chwrddais i mohono erioed, ddim hyd y cofia i, beth bynnag.

Mi geisiodd Mam a Nhad newid enw'r lle i Aber-oer, sef enw'r lle, yn ôl rwy'n dallt, y bydden nhw yn arfer mynd i garu yng Nghoed-poeth yn eu hieuenctid. Ond 'Swch' fuodd o a 'John Swch' fûm innau gynted yr es i i'r ysgol yn y Blaenau. Ymhen dim roedd 'John' wedi diflannu, a 'Swch' ydw i i fy ffrindiau o hyd ac mae'n rhoi rhyw bleser od i mi fod yr wyrion a'r wyresau hyd heddiw'n fy ngalw i'n 'Swch'. Faswn i'n taeru bod fy ngor-ŵyr, Gruffydd Aled, hefyd yn fy nghyfarch fel 'Swch'; mae Gruff yn ddwy! Gan imi dderbyn magwrfa mor hyfryd mae'r atgofion yn llifo'n ôl o'r dyddiau hynny. Dros ddeugain mlynedd yn ddiweddarach pan oeddwn yn crwydro'r byd yn annog cwmnïau tramor i ddod i Gymru, deuthum o hyd i gwmni gwneud crysau. Crysau ardderchog oedden nhw hefyd, ac felly mi brynais nifer â'r gair 'Swch' wedi'i bwytho i mewn i'r cyffs. O dro i dro mewn cyfarfod neu ginio bydd rhywun dieithr wrth fy ochr yn sylwi ar hyn ac yn gofyn beth ydi ei ystyr. Egluraf innau beth ydi swch, gan ychwanegu mai hen arwyddair y teulu oedd 'Bydded union dy gŵys'. Hwyl a ffwlbri i gyd, wrth gwrs, ond bydd yn creu cryn argraff, yn enwedig ar y Saeson hygoelus sy'n hoff o'r math yna o beth. A wnes i erioed gyfaddef mai jôc ydi'r cyfan!

Peiriannydd trydanol oedd fy nhad, wedi cychwyn yn brentis gyda Chorfforaeth Wrecsam, a thrwy gymorth ysgol nos mi gasglodd y cymwysterau priodol i sicrhau gyrfa lwyddiannus iddo'i hun. Roedd, hefyd, yn heliwr a physgotwr heb ei ail, a bu'n ddylanwad mawr arna i o safbwynt gyrfa a hamdden. Fo a'm cyflwynodd i beirianyddiaeth, a barodd i mi ddilyn gyrfa roddodd gymaint o bleser imi, a fo hefyd a'm trwythodd ym myd pysgota a hela. Ac ar ben hynny, cefais y lwc o gael fy magu yn Swch, Rhyd-sarn. Mae afonydd Goedol, Teigl a Dwyryd yno wedi rhoi oriau o bleser i mi, ac wedi dysgu'r wers a barodd gyda mi am oes, sef bod mwy i bysgota na dal pysgod. Mi ddywedir bod Confucius yn dweud – ac mi briodolir cynifer o ddywediadau i'r gŵr rhyfedd hwnnw – nad yw diwrnod o bysgota i'w gyfrif yn rhawd bywyd dyn. O gofio'r pleser a gefais drwy 'mywyd ger afon neu lyn gallaf yn hawdd goelio hyn. Rwy'n cofio Nhad yn prynu genwair goed 'Greenheart' i'w rhannu rhwng Dafydd a minnau pan oedden ni'n ifanc iawn. Gwers ddoeth mewn rhannu – un yn cael yr enwair a'r llall â'r rhwyd heddiw ac yna cyfnewid yr offer trannoeth. Roedd Goedol, Teigl a Dwyryd yn llawn brithyll, sewin a samon bryd hynny.

Mi ddaliais fy samon cyntaf â'r enwair honno ym Mhwllyronnen pan oeddwn i tua phum mlwydd a hanner oed. Pysgota pluen am frithyll oeddwn i, ac wrth bysgota brithyll bach afon Dwyryd roedd rhaid taro'n sydyn wedi'r cynnig. Ond pan ddaeth y lefiathan hwn i fyny i wyneb y dŵr i gymryd y bluen mi ddychrynais, ac felly wnes i ddim taro – y peth cywir i'w wneud â samon, er na wyddwn hynny ar y pryd. Ar ddamwain, felly, mi wnes bopeth yn iawn ac wedi andros o frwydr mi gefais i o i'r lan a Dafydd yn rhoi y rhwyd otano. Rwy'n cofio gobeithio bod pobl yn edrych drwy'u ffenestri i 'ngweld i'n cerdded drwy bentref bach Rhyd-sarn yn cario'r samon yn llawn balchder adre i Mam. Tua phedwar pwys oedd o, *grilse* ganol haf, sef samon ifanc yn dychwelyd o'r môr am y tro cyntaf. Ond i mi y diwrnod hwnnw, hwn oedd y pysgodyn mwyaf a fu yn afon Dwyryd erioed.

Mae'n dda gen i ddweud bod pysgota yng ngwaed y plant a'r wyrion a'r wyresau hefyd ac mae'n rhoi pleser arbennig i mi pan fydda i efo nhw ar lan afon. Bu gen i lyn ar rent un adeg, a chwch, a chwt bach taclus, ger Pont-ar-sais, rhwng Caerfyrddin a Llanbedr Pont Steffan. Roeddwn i'n awyddus i'r wyrion a'r wyresau ddysgu pysgota a byddem yn cael dyddiau dedwydd fan honno'n aml. Roedd y diweddar Geraint Rees, cynhyrchydd y rhaglen *Cefn Gwlad* i HTV, a Dai Jones, Llanilar, yn ei chyflwyno, am wneud rhaglen amdana i pan own i efo Dŵr Cymru, ac roeddwn am iddi fod yn rhaglen fyddai'n cynnwys y teulu. Hynny a fu, ac fel rhan ohoni aed i lawr i Bont-ar-sais i bysgota. Roedd Lisa, a hithau bryd hynny yn wyth oed, yn medru taflu pluen cystal ag unrhyw un. Yn ffodus roedd y camera arni wrth iddi bysgota pan fachodd frithyll tua phedwar pwys. Roedden ni wedi gadael y rhwyd yn y cwt, ond dyma Dai'n cynnig mynd i'w nôl – ac roedd hynny hefyd ar y camera. Rhuthrodd am y cwt, baglu wrth fynd tros y gamfa a syrthio yn ei hyd. Yn y cyfamser, daliodd Lisa i chwarae'r pysgodyn yn broffesiynol nes i Dai ddychwelyd â'r rhwyd ac mi lwyddon ni i'w gael yn ddiogel o'r dŵr. O'r merched mae Delyth, y ferch ieuengaf, yn pysgota, ond nid oes gan Bethan, yr hynaf, gymaint â hynny o ddiddordeb: golff yw ei diddordeb hi. O'r genhedlaeth nesaf, wedyn, mae Lisa'n dda, Mathew yn eithaf ond mae Sean yr ŵyr ifanca'n bysgotwr ardderchog. Bydd y ddau ohonom yn mynd i ffwrdd gyda'n gilydd yn flynyddol i bysgota samon. Hyd yn hyn, tydi'n hwyres arall, Lowri, ddim wedi dechrau, ac er ei bod bellach yn 21, tydi hynny ddim yn rhy hwyr.

Ond i ddychwelyd at ddyddiau plentyndod. Fi oedd y plentyn canol – Dafydd, fy mrawd, dair blynedd yn hŷn, a Carol, fy chwaer, dair blynedd yn iau na mi. Mae'n debyg ei bod hi'n naturiol i'r hynaf o'r plant ofalu am y rhai iau, ac felly roedd hi efo Dafydd. Roedd ei ofal dros Carol a minnau yn siŵr o fod yn faich arno gan mai dau o ddiawliaid bach oeddem ni o bryd i'w gilydd, ond chlywais i mohono fo erioed yn cwyno. Efallai oherwydd iddo fod â chyfrifoldeb am Carol a minnau y trodd Dafydd i fod rhywfaint yn fwy gofalus ymhob ystyr na mi; neu efallai oherwydd ei fod yn naturiol yn dipyn doethach na mi. Eto, weithiau, fel plant ym mhobman, gallem fod ychydig yn anghyfrifol. Ger Swch, yng nghanol afon Goedol, roedd 'na ynys, tua chanllath o hyd, a'r lle godidocaf am hwyl. Fan'no roedd môr-ladron yn cuddio ac yn fan'no y cafodd y teulu Robinson o'r Swistir eu hynysu.

Rwy'n cofio Dafydd a minnau yn penderfynu y buasa cwch yn gaffaeliad, ond ble a sut i ddod o hyd i un? Beth bynnag, mi ddaethom o hyd i rywbeth nid annhebyg i gwch – hen fath sinc, un o'r rheini fyddai pobl yn ei ddefnyddio i ymolchi o flaen y tân ers talwm. Yn anffodus roedd 'na dwll bach yn ei waelod ond drwy ddefnyddio darn o gynfas a phyg, ac wedi toddi'r pyg, llwyddwyd i lenwi'r twll. Rhoddwyd y bath ar yr afon a doedd o ddim yn gollwng, ond y cwestiwn oedd a ellid rhoi person ynddo heb iddo suddo? Cafwyd trafodaeth ddwys a phenderfynwyd mai doeth fyddai cynnal arbrawf. Carol oedd yr ifancaf a'r ysgafnaf ohonom a rhoddwyd hi yn y 'cwch'. Y peth nesaf, roedd y cwch yn hwylio i lawr gyda'r lli a Dafydd a minnau mewn panics. Trwy lwc, roedd rhywun yn pysgota ymhellach i lawr yr afon ac mi dynnodd o'r bath â Charol ynddo'n gwenu'n braf i'r lan. Mi gawson ni gythgam o hŵs am hynny.

Fel y disgwyliech, a ninnau'n byw yn y wlad, fy mhleser mawr i a Dafydd oedd byd natur. Byddem yn casglu wyau adar, gloÿnnod byw a gwyfynod. Yn wir, roedd 'na gystadlaethau yn Eisteddfod yr Urdd bryd hynny am y casgliad gorau o wyau adar a gloÿnnod. Un tro daeth Dafydd a minnau o hyd i nyth colomen wyllt mewn coeden fasarn fawr ac, wrth gwrs, roedd Carol yn fusnes i gyd eisiau ei weld hefyd. Aeth Dafydd a minnau i drafferth mawr i'w llusgo hi i fyny'r goeden a'i gosod i eistedd yn ddiogel a thaclus rhwng dwy gangen go solat. Panics wedyn. Un peth oedd ei chael hi i fyny'r goeden, peth arall oedd ei chael hi i lawr. Felly fe'i gadawsom ni hi yno a mynd i bysgota. Roedd Nhad yn y gwaith a bu raid i Mam gael Mr Vaughan, a oedd yn byw yn y pentref, i ddod ag ystol i'w chael hi i ddiogelwch. Mwy o helynt eto.

Dwi'n eithaf cenfigennus o'r darpariaethau sydd ar gael yn ein cymunedau ni heddiw i ddysgu plant i nofio. Yn wir, mae gan nifer o ysgolion eu pyllau nofio eu hunain. Yn Llyn Sgowts, rhyw lyn go fawr yn afon Teigl, y dysgem ni nofio a chael llond trol o hwyl – efallai fwy o hwyl nag y caiff plant heddiw wrth ddysgu nofio.

Teulu arall efo plant yn y pentref oedd teulu Pritchard Tŷ Newydd – a'r plant Arwyn, Gwilym a Glenys tua'r un oed â Dafydd, Carol a minnau. I'r môr aeth Arwyn, a saer yw Gwilym â'i fusnes llewyrchus ei hun. Roedd yna blant hefyd yn Nhŷ

Bont – Bob, Benj, Jane a Sara – oedd yn hŷn na mi ac yn nes at oed Dafydd. Yna mi ddaeth yr ifaciwîs gan ddyblu nifer plant Rhyd-sarn, ac o fewn dim o beth roedden nhw hefyd yn Gymry Cymraeg glân. Mi arhosodd rhai wedi'r rhyfel ac rwy'n cofio un, Jean French, a aeth wedyn yn blismonas i Landudno, a'i bod hi'n llwyr ddwyieithog.

Roedden ni'n byw'n frasach a llawer iachach, dybiwn i, nag mae cymdeithas heddiw. Roedd Nhad yn arddwr da ac yn tyfu llysiau o bob math. Mae dylanwad y blynyddoedd hynny wedi aros gen i o hyd a chaf ryw bleser rhyfeddol yn trin yr ardd lysiau sy mewn cornel gysgodol braf o ardd Tŷ Mawr, ein cartref yn y Coety, ger Pen-y-bont ar Ogwr. Does dim mwy blasus na thatws newydd yn syth o'r pridd, a phys, ffa a moron ffres, a bresych a rocet, ac mae 'na foddhad o'u gweld yn tyfu, hefyd. Yn Swch roedd gynnon ni berllan eirin fawr a byddem yn gwerthu'r eirin am geiniog a dimai'r pwys, neu geiniog y pwys i'r sawl fyddai'n dod i'w hel nhw'u hunain. Hefyd, yn flynyddol, roedd gynnon ni res o datws ar fferm Llechrwd ac ar ôl capel ar fora Sul mi fyddai Nhad, Dafydd a minna'n mynd i nôl pwys o fenyn fferm oddi yno, ac mi alla i ei weld o rŵan â'r dafnau dŵr yn pefrio fel chwys arno fo. Roedd 'na ddigon o bysgod yn yr afon – samon, brithyll a sewin – ac roedd petris, cwningod, sgyfarnogod a chwyaid gwyllt i'w saethu yn y dyffryn. Roedd gan Nhad 'twelf bôr' a reiffl .22 ar gyfer y rheini ac mi gafodd Dafydd a finna ein hyfforddi sut i drin gwn yn ddiogel yn gynnar iawn. Pan fyddai Tŷ Newydd yn lladd mochyn mi fyddai yno gig mân ar gael, a phledran i chwarae pêl-droed, ac mi fyddai holl blant Rhyd-sarn – tua dwsin ohonom ni – yn cicio honno'n ddi-stop am ddiwrnod cyfan.

Wrth gwrs, roedden ni'n potsio hefyd – Nhad, Dafydd a minna yn 'sgota dwylo' am frithyll yn Ceunant Ffatri, ger Llechrwd, ac mae'n rhaid i mi gyfaddef bod ambell samon yn cael ei gaffio o'r afon o bryd i'w gilydd. Mi wyddwn i'r pryd hwnnw lle roedd 'na bysgodyn yn debygol o fod ymhob darn, ac o dan pob ceulan, o'r afon. Pysgota a saethu oedd fy niddordebau mawr i. Pan oeddwn i tua deuddeg oed es i fyny'r Moelwyn Bach gyda .22 Nhad. Roedd geifr gwyllt ar y mynydd, ac maen nhw'n dal i fod yno am a wn i, ond ar y diwrnod hwnnw rown i'n meddwl mai fi oedd y Great White Hunter a welais ym mhictiwrs y Forum yn y Blaenau ac mi saethais un yn gelain. Daeth euogrwydd a phanics drosta i a wyddwn i ddim beth i'w wneud. Mi heglas i adra'n llechwraidd, rhoi'r gwn i gadw'n ofalus a mynd â rhaw i fyny'r mynydd a chladdu'r afr heb ddweud yr un gair wrth neb hyd heddiw.

Fy uchelgais i oedd efelychu un o fy arwyr, Now'r Allt, un o'r pysgotwyr gorau fu yn Nyffryn Maentwrog a'r potsiar gora fu yn yr ardal erioed. Mi fydda Now yn maglu samon â thamaid o *catgut* neu weiren wedi'i glymu wrth ddarn o bren a chwlwm rhedeg ar y pen, ac mi gadwai nifer o'r rheini wedi'u cuddio ar hyd yr afon. O wneud hynny fydda fo byth yn cael ei ddal yn cario offer potsio. Garddwrn cul sy gan samon – sef y darn rhwng y gynffon a chorff y pysgodyn – a chyda'r fagl yn dynn am yr arddwrn mi fyddai'r pysgodyn yn cael ei ddal yn ddiogel i'w godi o'r afon gan Now ar ei daith. Mae'n hollol anghyfreithlon, wrth gwrs. Ond potsio am fwyd yn hytrach na gwneud arian roedden ni. Ni werthais samon i neb erioed. Yn ystod y rhyfel, pan oedd Nhad yn yr Home Guard, roedd yna'r fath beth â *thunder flashes* i'w cael i greu awyrgylch o ryfel yn yr ymarferion, ac o luchio un o'r rheini i'r afon mi fyddai'r ffrwydrad yn taro'r pysgod yn anymwybodol a'r rheini wedyn yn codi i wyneb y dŵr yn hollol iach – a dyna helfa arall!

O reidrwydd, roedd 'na drefn i fywyd yn Swch yn ystod blynyddoedd y rhyfel. Gyda Nhad yn gweithio yn y pwerdy ym Maentwrog a Mam yn athrawes roedd gynnon ni'r plant bob un ei gyfrifoldeb a'i ddyletswydd: Dafydd fyddai'n gofalu am yr ieir, Carol yn helpu Mam efo'r gwaith tŷ, a 'nyletswydd innau oedd gofalu am y gwenyn. Pan oedd dogni adeg rhyfel mi gaech chwaneg o siwgwr os oeddach chi'n cadw gwenyn a chynhyrchu mêl. Tri chwch oedd gen i ac roedd Mr Edwards, rheolwr bysys Crosville yn y Blaenau, yn cadw tri chwch ar ein tir ni, hefyd. Y fo ddysgodd y grefft o gadw gwenyn i mi ac roedd mêl Swch yn eithaf enwog yn y plwy. Mi fyddaf yn aml yn meddwl am allu rhyfeddol gwenynen i greu cymdeithas gymhleth ond effeithiol – tipyn gwell na'r ddynoliaeth, dybia i.

Bu Mam yn y Coleg Normal, Bangor, i'w pharatoi i fod yn athrawes. Cyn hynny, bu'n forwyn gyda gofal am y plant ym Mhlasnewydd, Môn, ac wedyn ym mhlas Crogen, ger y Bala. Gan fod y dynion ifanc yn gorfod mynd i'r lluoedd arfog roedd galw am wasanaeth merched yn athrawon a bu'n athrawes yn Ysgol Gynradd Gellilydan am gyfnod. Golygai hyn gerdded rhwng pedair a phum milltir bob dydd ac ymhob tywydd ar hyd y ffordd drol i fyny'r rhiw o Dal-y-bont, ger Swch, drwy goedwig Gellidywyll i'r Gellilydan. O feddwl am y peth, roedd hi'n rhyfeddol o ffit a chlywais i erioed mohoni'n cwyno. Yn ddiweddarach bu'n dysgu yn Llan Ffestiniog a chael bws bryd hynny o Dal-y-bont ac roedd hynny'n llawer llai o faich. Roedd car gan Nhad, Morris Minor, rhif JN2531, ond ar y *chocks* yn y sgubor y bu hwnnw drwy gydol y rhyfel am nad oedd modd cael petrol, a mynd i'w waith ar y beic wnâi Dad. Hoffter mawr fy mam oedd barddoniaeth a bu'n ddylanwad mawr yn trosglwyddo ei chariad at lên a barddoniaeth, y Gymraeg a'r Saesneg, i minnau. Mam a'm mwydodd mewn barddoniaeth, sy'n parhau i fod o gysur mawr i mi. Pan fyddai hi'n methu cysgu arferai fynd drwy'r wyddor a cheisio meddwl am enw bardd fyddai'n cychwyn â phob llythyren yr wyddor. Ac os byddai'n parhau i fethu cysgu byddai'n ceisio meddwl wedyn am gerddi â theitlau'n cychwyn â phob llythyren. Roedd hi'n ddigon o ryfeddod.

Bûm yn lwcus, hefyd, yn y brawd mawr sydd gen i, ac rwy'n hynod falch ohono. Roedd Dafydd yn ymddiddori mwy mewn llyfrau ac amaethyddiaeth a byddai â'i ben mewn llyfr bob cyfle gâi tra own i'n ysu am fynd allan i bysgota. Does ryfedd yn y byd iddo ddatblygu'n un o arbenigwyr mwyaf Cymru ar hen lyfrau. Flynyddoedd yn ddiweddarach sefydlodd Siop yr Hen Bost, siop lyfrau ail-law ardderchog ym Mlaenau Ffestiniog, ac ennill parch llyfrgarwyr drwy Gymru gyfan a thu hwnt – ac mae'n llwyr haeddu'r parch hwnnw. Mae'n amlwg i mi fod y cariad at lyfrau'n rhedeg yn y teulu oherwydd Elin, merch ieuengaf Dafydd ac Eleri ei wraig, sy'n awr yn berchen Siop Lyfrau'r Hen Bost. Merch hynaf Dafydd ac Eleri yw Sian Northey, awdures a bardd sy'n adnabyddus iawn yng nghylchoedd llên Cymru. Bu gan Ddafydd am gyfnod awydd creu gyrfa yn y byd amaethyddol ac am flwyddyn bu'n was bach ar fferm Ty'ndomen, ger Tregaron. Maen nhw'n ddisgynyddion y Swagman a dreuliodd ddeugain mlynedd yn crwydro Awstralia a chadw dyddiadur manwl o'i deithiau a'i brofiadau. Darganfuwyd y dyddiadur bron ganrif yn ddiweddarach gan y llawfeddyg William Evans a'i gyhoeddi'n gyfrol – yn Awstralia yn gyntaf, lle cafodd werthiant sylweddol, a lle bu'n llyfr gosod yn yr ysgolion. Cadwodd Dafydd a minnau gysylltiad â'r teulu, gan gynnwys Miss Frances Evans a fu'n athrawes Gwyddor Tŷ yn Ysgol Uwchradd Tregaron a dynes weithgar yn ymwneud â phrosiectau diwylliannol yn y dref. Ond i Goleg Faraday yn Llundain yr aeth Dafydd yn y diwedd gan raddio mewn peirianneg drydanol, ac fel peiriannydd siartredig efo MANWEB y bu gydol ei fywyd nes ymddeol. Y fo, yn ddi-os, yw'r un mwyaf diwylliedig ohonom ni'r plant.

Pan aethon ni i fyw gyntaf i Swch doedd dim dŵr yn y tŷ ac mi greodd Nhad system o bwmpio dŵr i fyny o afon Teigl. Felly gorchwyl boreol Dafydd a minnau yn ein tro oedd pwmpio digon o ddŵr gogyfer â gofynion y dydd. Wedi hynny, mi greodd gronfa fach yng nghoed y Goedol a byddai'r cyflenwad dŵr yn llifo i'r tŷ drwy gyfrwng disgyrchiant. Nhad hefyd ddaeth â thrydan i'r tŷ, a sawl tŷ arall yn y cyffiniau. Roedd yn beiriannydd penigamp ac enillodd sawl gwobr am adeiladu weiarles efo'i falfiau di-ri. Doedd hi ddim rhyfedd fod Dafydd a finnau, hefyd, yn creu setiau radio efo grisial a 'blew cath'. Ydi plant heddiw, efo'r holl offer electronig sydd ar gael, yn cael yr un boddhad ag a gawsom ni o greu rhywbeth a hwnnw'n gweithio, dwedwch?

Dylanwad cynnar arall ar fy mywyd oedd 'Capal Bach' y Methodistiaid Calfinaidd, Rhyd-sarn. Un bach oedd o, 'sgoldy' i ddefnyddio gair rhannau eraill o Gymru, a lle i tua hanner cant o aelodau – llawn digon i gwmwd o ddyrnaid o dai. Yn naturiol, doedd dim gweinidog gynnon ni, heblaw am weinidog y fam-eglwys yn Llan Ffestiniog fyddai'n gwasanaethu mewn cyfarfodydd mawr. Ond byddai dyn o'r enw William Jones – hen chwarelwr a oedd erbyn hynny'n gweithio ar y ffordd – yn cerdded y pedair milltir i lawr o Lan Ffestiniog bob Sul i gynnal gwasanaeth yn y 'Capal Bach'. Fo, hefyd, ddeuai i gynnal y Band o' Hôp yno efo ni'r plant bob nos Iau. Rwy'n ei gofio'n dda yn defnyddio'r *modulator* i ddysgu'r sol-ffa i ni, ac yna'n flaengar iawn bryd hynny, goelia i, yn ein dysgu ni i ganu'r chwisl dun a'n hannog i fynd ymlaen i ganu'r organ geg. Rwy'n ymfalchïo y medra i roi tonc go dda ar y ddau offeryn bach diymhongar yna o hyd er difyrrwch aelodau iau'r teulu. I William Jones y bo'r diolch, ac mae'n debyg bod 'na, bryd hynny, William Jones yn gwneud yr un peth ym mhob ardal o Gymru.

Bu dylanwadau eraill a'm gwnaeth yr hyn ydwyf. Cofiaf y teulu Inge oedd yn berchen Plas Tan-y-bwlch a'r rhan helaethaf o bentref a dyffryn Maentwrog. Arferai Mrs Inge farchogaeth ei cheffyl ar ei *side-saddle* drwy'r pentref. Gwasaidd a thaeog oedd yr unig ffordd i ddisgrifio ymddygiad rhai o'r pentrefwyr; y dynion yn cyffwrdd eu capiau a'r gwragedd yn hanner moesymgrymu. Yn ddi-os, cafodd hynny ddylanwad arna i, nid 'mod i'n ymwybodol o'r peth ar y pryd. Pam dylai unrhyw un fod yn daeog yng nghwmni unrhyw un arall? Ond mae'r Cymry wedi bod yn ordaeog dros ganrifoedd – yn wir, ers Deddf Uno 1536.

Doedd Mrs Inge na'i theulu ddim o reidrwydd yn bobl ddrwg. Dyna natur cymdeithas bryd hynny a doedd neb yn eu herio. Roedden nhw'n deulu o Eglwyswyr pybyr a dalodd am gynnal a chadw a harddu Eglwys Maentwrog dros genedlaethau – ac mae hi'n eglwys werth ei gweld. Yr eglwys, trwy haelioni'r teulu Inge, fyddai'n cynnal yr ysgol yn y pentref a'r prifathro bryd hynny – Sais uniaith a fu yno am ugain mlynedd. Yn amlwg, mi olygai'r eglwys lawer i berchnogion Plas Tan-y-bwlch, cymaint yn wir fel bu raid i'r capel Wesle gael ei adeiladu yn y fath fodd fel yr ymddangosai fel petai'n dŷ annedd. Cafodd y ddau gapel arall, y Methodistiaid Calfinaidd a'r Annibynwyr, eu hadeiladu allan o olwg trigolion y plas. Enghraifft arall o enwadaeth eithafol. Ac mi ydw i o'r farn i enwadaeth fod yn felltith ar grefydd Cymru dros y canrifoedd, ac mae'n parhau i fod. Pam na fedrwn ni fod yn eciwmenaidd? Un Duw sydd 'na, wedi'r cyfan.

Rhyfedd meddwl i aelodau Eglwys Maentwrog greu cronfa ym 1962 i godi cofadail i Mrs Inge. Yng Ngorffennaf yr un flwyddyn bu arwerthiant yn y plas ac mae gan Sheila, fy ngwraig, a minnau ambell grair a brynwyd yno. Daeth teyrnasiad y plas i ben a gwerthwyd yr holl stad ym 1963. Heddiw mae Plas Tan-y-bwlch yn cael ei weinyddu gan Barc Cenedlaethol Eryri ac yn ganolfan ardderchog i bob math o weithgareddau a chyrsiau. Trech gwlad nag arglwydd!

Cefais gyfnod hapus iawn yn Ysgol Gynradd y Bechgyn Maenofferen, Blaenau Ffestiniog. Bryd hynny roedd ysgolion y bechgyn a'r merched ar wahân a blynyddoedd wedyn, pan euthum i'r Awyrlu, bu i'r ffaith i mi fynychu 'Maenofferen Boys School' greu cryn argraff ar yr uwch-swyddogion wrth iddynt feddwl mai ysgol fonedd oedd hi. A'r un modd, wedi hynny, y treuliais flynyddoedd difyr a gwerthfawr yn Ysgol Sir Blaenau Ffestiniog – neu'n hytrach, 'Blaenau Ffestiniog County School' fel y'i gelwid.

J. S. Jones, 'Jack Sam' i ni, oedd prifathro Maenofferen; cerddor dawnus ac arweinydd cymanfaoedd canu a chythgam o bysgotwr da. Byddai'n dod yn fynych i Swch i bysgota ac roedd o a Nhad yn dipyn o ffrindiau. Roedd gen i lawer iawn o barch ato fo a bu'n ddylanwad mawr arna i – dyn roedd gynnon ni'r plant ryw barchedig ofn ohono. Ar y cyfan, roedd yn ddyn mwyn a dymunol ac anaml iawn y codai ei lais yn fygythiol. Eto, doedd o ddim yn brin o ddefnyddio'r gansen a hynny'n bur filain ar adegau. Roedd hi'n ysgol dda a gofal yr athrawon yn ardderchog, felly mawr yw fy nyled iddynt. A hithau'n adeg rhyfel byddem yn cerdded, bob un â'i fasg nwy, i lawr i neuadd Capel Bowydd am ginio. Lobscows oedd ar y fwydlen bron bob dydd, er y byddai'r pwdin yn amrywio, weithiau byddai semolina a jam coch, dro arall tapioca (neu jeli llyffant) a jam coch ac, yn achlysurol iawn, reis a jam coch. Doedd fawr o amrywiaeth, ond roedd o'n faethlon. Flynyddoedd wedyn y darganfûm fod lobscows yn saig ryngwladol a bod y gair a'r pryd yn bod yn yr Almaen a'r Iseldiroedd. Dwi'n tybio bod ein hymddygiad yn yr ysgol yn bur dda – er y byddem ar amser chwarae yn ymuno'n gangs ac weithiau'n lluchio cerrig at ein gilydd. Does gen i ddim cof o neb yn cael ei frifo na gwneud dim byd gwirion iawn. Mae'r hen air 'tebyg at ei debyg' wedi bod ac yn dal i fod yn nodwedd o bob cymdeithas.

Erbyn i mi fynd i Ysgol Sir Blaenau Ffestiniog roedden ni yn teithio ar y bws o Ryd-sarn i Flaenau Ffestiniog. Jim Morris oedd gyrrwr y bws, un a ddaeth wedyn yn arweinydd Undeb y Gweithwyr Trafnidiaeth a Chyffredinol (y TGWU) yng Nghymru. Flynyddoedd wedyn, pan oeddwn i'n Is-Ysgrifennydd dros Ddiwydiant yn y Swyddfa Gymreig ac yn teithio'r byd i geisio denu cwmnïau i sefydlu ffatrïoedd yng Nghymru, byddwn bob amser yn mynnu mynd â chynrychiolydd o un o'r undebau gyda mi. Wedi'r cyfan, mi allwn i siarad am y sefyllfa wleidyddol a'r economi ac yn y blaen – ond dim ond undebwr fedrai siarad ag awdurdod am natur ac agwedd y gweithlu. Un tro, ar ymweliad â chwmni yn Sbaen a oedd yn gwneud offer drilio am olew yn y môr, Jim ddaeth gyda mi ac yntau'n fy atgoffa 'mod i'n gythgam o hogyn drwg ar y bws!

Mr Reynolds oedd prifathro'r Ysgol Sir – 'Siarc' i ni'r plant – a Saesneg yn ddieithriad oedd yr iaith. Roedd Deddf 1536 yn dal i fodoli yng Nghymru lle na chaech swydd o awdurdod os nad oeddech yn siarad Saesneg, a hynny'n cael ei arfer yn eithafol. Mewn cyfarfod yn Aberystwyth flynyddoedd wedi i mi adael yr ysgol y deuthum i wybod ei fod yn medru Cymraeg glân gloyw. Roedd enwau'r tai yn yr ysgol, serch hynny, yn Gymraeg – Moelwyn, Manod a Migneint – ac yn nhŷ Migneint roeddwn i. Roedd yna, hefyd, athrawon fyddai'n defnyddio'r Gymraeg yn eu gwersi. Roedd yna athrawes Mathemateg annwyl a hynod o ddel o'r enw Lili Thomas – roedd hi'n dod o Gastellnewydd Emlyn ac o bosib wedi dod i Flaenau Ffestiniog yn syth o'r coleg. Gan 'mod i'n eithaf da mewn mathemateg roedd hi'n ddylanwad mawr arna i. Bu'n ddarlithydd yng Ngholeg y Drindod, Caerfyrddin, ac yna yn Adran Addysg Coleg y Brifysgol, Aberystwyth. Annie Roberts – 'Annie Fish' i'r plant – oedd ein hathrawes Gymraeg yn yr Ysgol Sir, a hi ddyfnhaodd y cariad hwnnw at farddoniaeth Gymraeg a feithrinwyd ynof gyntaf gan Mam. Iddyn nhw mae'r diolch imi ddysgu mwynhau'r cynganeddion ac, yn ddiweddarach, dan gyfarwyddyd Rhys Dafis, i lunio ambell englyn fy hun o dro i dro. Cofiaf yn dda fel y byddai Annie Fish yn chwerthin gyda ni am ein direidi yn parodïo cerddi fel llinellau ar 'Abaddŷ Tintern' gan Alun.

> Pa sawl bron a oerodd yma?
> Pa sawl llygad ga'dd ei gloi?
> Pa sawl un sydd yn y gladdfa
> Wedi stiffio a methu troi? ('A'r cof o honynt wedi ffoi')

Un arall fyddai'n ein dysgu'n rhannol drwy gyfrwng y Gymraeg oedd yr athro Ffiseg, John Hughes Jones, dyn addfwyn a physgotwr ardderchog arall. Ac mae rhywun yn cofio am Mr Hawse, yr athro Gwaith Coed a Metel, a fu'n ddylanwad arnaf oherwydd fy hoffter o beirianyddiaeth. Er na fedrai siarad Cymraeg, roedd ganddo hiwmor heintus. Fel y disgwyliech, roedd gynnon ni'r plant ffugenw iddo – beth arall ond 'Ceff'!

Mae athrawon da yn ddi-os yn dylanwadu'n fawr ar blant; mi bery'r dylanwad yna gydol oes ac mae 'na gyfrifoldeb aruthrol ar eu hysgwyddau. Pan oeddwn yn Ddirprwy Gyfarwyddwr Rheoli Aliwminiwm Môn yn saithdegau'r ganrif ddiwethaf un o'm cyd-gyfarwyddwyr oedd yr Arglwydd Wilfred Brown – diwydiannwr arloesol a gafodd ddylanwad mawr arna i. Yn un o'i lyfrau mae'n ceisio diffinio sut i fesur cyfrifoldeb. I symleiddio'i ddamcaniaeth, mae'n dadlau bod cyfrifoldeb yn wrthgyfrannol ddibynnol ar yr amser sydd gan yr unigolyn i benderfynu beth i'w wneud ac yn gyfrannol ddibynnol ar yr amser y pery effaith y penderfyniad. Er enghraifft, prin yw'r amser sydd gan lawfeddyg i benderfynu beth i'w wneud mewn achos o ddamwain. Mae ei gyfrifoldeb yn fawr oherwydd hynny. Os llwydda'r llawdriniaeth a'r truan fu yn y ddamwain yn byw am flynyddoedd, mae canlyniad ac effaith yr hyn a wnaeth yn fawr iawn. Ystyrier, felly, athro neu athrawes. Mae digon o amser ganddo fo, neu hi, i benderfynu beth i'w wneud yn y dosbarth. Cyfrifoldeb cymharol fach, felly, yn y cyswllt hwnnw. Ond mae effaith y penderfyniad yn para am genedlaethau – cyfrifoldeb aruthrol o fawr. Mae'n ofid darllen a chlywed heddiw fod safonau addysg yng Nghymru wedi dirywio cymaint. Gormod o newid diangen, efallai, neu ormod o ymyrraeth gan wleidyddion na wyddant fawr ddim am addysg? Fy argraff i yw bod athrawon mor ymroddgar ag erioed ond bod y gyfundrefn yn negyddu eu hymroddiad a bod y gwaith papur diddiwedd yn tagu eu hymdrechion glew.

Roedd mabolgampau'n apelio'n fawr ataf yn yr ysgol ac ym 1947 cynrychiolais Sir Feirionnydd ym Mabolgampau Ysgolion Cymru ym Mhontypridd gan ddod yn drydydd yn y naid hir a phedwerydd yn y naid uchel. Pum troedfedd a dwy fodfedd oeddwn i bryd hynny ac roeddwn i'n neidio pum troedfedd a phedair modfedd – dwy fodfedd yn uwch na fy nhaldra fy hun. Prin y gallaf neidio tair troedfedd heddiw. A dweud y gwir, dydw i fawr talach rŵan nag oeddwn i bryd hynny, ond fu hynny erioed yn ofid i mi. Fel y dywedodd

Lloyd George ers talwm, yng Nghymru rydan ni'n mesur pobl o'u hysgwyddau i fyny. Beth bynnag, rwy'n cofio teithio i Bontypridd mewn fflyd o dacsis, ac un ohonyn nhw'n torri i lawr ar y ffordd. Hwn oedd y tro cyntaf i mi fentro i dde Cymru ac roedd o i'w weld yn bell o bob man. Un o ddisgyblion Ysgol Sir Blaenau Ffestiniog oedd gyda mi yn nhîm y sir, er ei fod rai blynyddoedd yn hŷn, oedd Edwin (Gawr) Roberts o fferm Dôl-moch. Roedd Edwin yn chwe throedfedd a chwe modfedd – bryd hynny. Aeth rhagddo i raddio mewn peirianneg sifil a mynd i'r Awyrlu, gan orffen ei yrfa'n *Group Captain*. Hogyn annwyl iawn, ond yn y cylch bocsio roedd yn golbiwr go iawn. Fo oedd pencampwr pwysau trwm Prifysgol Cymru pan oedd o yn y coleg. Ymddeolodd i fyw yn Llanbedr, Dyffryn Ardudwy.

Ni ellir ysgaru ysgol oddi wrth ardal mewn cymuned o'r fath. Arferwn dreulio cyfnod o wyliau'r haf yn was bach ar fferm Dôl-moch, cartref Edwin. Roedd ei dad, Mr Roberts, yn gwneud un peth rwy'n ei ystyried yn arbennig o arloesol a chall – caniatáu hanner awr o orffwys i'r gweision ar ôl cinio. Fel arfer aem allan at y das wair. Weithiau byddem yn manteisio ar y cyfle i hepian, ond gan amlaf byddem yn sgwrsio ac adrodd hanesion a thrafod pysgota. Roedd yna ddau was llawn amser ar y fferm, dau frawd o'r enw Tomi a Wil, ac roedd Tomi'n bysgotwr pluen sych campus.

Mae gen i barch enfawr at ffermwyr. Flynyddoedd lawer wedyn cefais wahoddiad i fod yn aelod o Bwyd o Brydain, corff a sefydlwyd a'i ariannu gan y Llywodraeth yn ganolog yn Llundain i godi safon bwydydd a gynhyrchir ym Mhrydain. Roedd gan y corff gyfrifoldeb i ddyfeisio cynlluniau marchnata a chwilio am farchnadoedd newydd i gynnyrch fferm. Bryd hynny y deuthum i wir adnabod a gwerthfawrogi ymroddiad ffermwyr. Ffordd o fyw, nid joban, yw ffermio, yn arbennig yng Nghymru. Fel y dywedodd un ffermwr wrthyf un tro, 'Os nad wyt ti'n gweithio ar Ddydd Nadolig, dwyt ti ddim yn ffermio!' Rhaid i ffermwr llefrith odro ddwywaith bob dydd, Sul, gŵyl a gwaith. Ac nid yn unig y ffermwr ei hun sy'n gweithio ar y fferm ond ei wraig, hefyd, ac yn amlach na dim y plant. Sôn am ffermwyr Cymru ydw i rŵan; tebyg nad yw hi felly ar ffermydd grawn enfawr de-ddwyrain Lloegr. Mae gen i gof clir o'r agoriad llygad ges i o weld sut roedd y diwydiant wyau'n cael ei drefnu, a dwi'n cofio sut y bu inni drafod efo ffermwyr tatws Sir Benfro y dull o storio tatws cynnar heb iddyn nhw ddirywio. Sut y gallasen nhw sicrhau y prisiau gorau am eu cynnyrch? Oherwydd bod yr holl datws yn dod ar y farchnad yr un pryd, ac wedi derbyn prisiau uchel yn ystod yr wythnos neu'r pythefnos gyntaf, byddai'r prisiau'n syrthio i'r gwaelodion. Ein swyddogaeth ni oedd ceisio darganfod ffyrdd mwy effeithiol o gynhyrchu bwyd, ceisio sicrhau bod cydbwysedd o ran y cyfnod y deuai'r cynnyrch ar y farchnad – nid fel y byddai hi gyda thatws newydd Sir Benfro! Hefyd, ymchwilio a thrafod i weld pa farchnadoedd eraill oedd yn bosib ac y gellid eu datblygu, i geisio cadw'r mewnforion mor isel â phosib. Ein gwendid ni oedd na fedrem fesur pa mor effeithiol oeddem ni fel corff. Oedd yr hyn a wnaem yn werth y drafferth? Mae ffermwyr yn ddyfeisgar ac yn barod iawn i arbrofi – *entrepreuneurs* go iawn. Erbyn heddiw mae cig oen Cymru'n cael ei farchnata'n hynod o broffesiynol ac effeithiol. Agwedd arall ar fywydau amaethwyr yw eu gofal o gefn gwlad. Mae pobl y trefi'n rhyfeddu at harddwch cefn gwlad. Fuasai cefn gwlad ddim yn hardd oni bai am waith y ffermwyr, ac mae dyled cymdeithas yn fawr iddyn nhw. Bellach rwy'n meddwl bod pobl a llywodraethau wedi dod i gydnabod bod cadwraeth a ffermio'n mynd law yn llaw.

Heb fod ymhell o fferm Dôl-moch saif Plas Dôl-moch, a chyda dyfodiad trydan fy nhad fu'n ei weirio ac o ganlyniad bu'r perchennog, Mrs Finlay, yn garedig iawn wrthon ni – cafodd Dafydd, fy mrawd, a minnau yr hawl ganddi i bysgota afon Dwyryd tra byddem ni ar dir y byw. Mi fydda i'n dal i wneud o dro i dro. Mi brynwyd y plas gan y Bwrdd Cynhyrchu Trydan pan oedd pwerdai Blaenau a Thrawsfynydd yn cael eu hadeiladu ond erbyn heddiw mae'r plas yn ganolfan awyr agored i awdurdod addysg Coventry.

Bryd hynny roedd tair sinema ym Mlaenau Ffestiniog – y Forum, y Park a'r Empire – a bûm yn gefnogwr ffyddlon i bob un. Cerdded i fyny y pedair milltir o Ryd-sarn drwy'r Ceunant Sych i'r Blaenau. Hanner ffordd i fyny ger Cymerau mae Ffynnon Doctor, lle caem ddracht o ddŵr i'n helpu ar ein taith. Mae'r ffynnon yn dal yno, mwy na thebyg, er sgwn i faint o bobl yr ardal a ŵyr amdani heddiw. Yna, pecyn o tsips, potelaid o Vimto a'r pictiwrs. A phe bydden ni'n hepgor y tsips a'r Vimto byddai hi'n bosib mynd ar ras o un sinema i'r llall a gweld dwy ffilm ar yr un noson! *First house* yn y Forum a *second house* yn y Park neu'r Empire – y cwbl fyddem ni'n ei golli fyddai'r rhag-hysbysebion. Rwy'n meddwl y medra i honni 'mod i'n dipyn o *film buff* o hyd – o hen ffilmiau, o leiaf!

Un o 'nghyfoedion yn Ysgol Sir Blaenau Ffestiniog oedd y diweddar Eddie Rea, Eidalwr o dras a Chymro ardderchog fu'n weithgar gyda'r Eisteddfod Genedlaethol ac yn aelod yr un mor weithgar o Fwrdd yr Iaith pan oeddwn i'n Gadeirydd. Un diwrnod roedd Eddie wrth ei ddesg yn y dosbarth yn yr ysgol, a thrannoeth doedd o ddim. Wyddai neb i ble'r aeth, ac yna dri mis yn ddiweddarach roedd yn ôl wrth ei ddesg yn union fel na phetai dim wedi digwydd. O dipyn i beth cawsom yr hanes ganddo. Roedd o wedi rhedeg i ffwrdd o gartref a mynd i Lerpwl a chael gwaith fel *deck boy* ar un o'r llongau mawr ac mi gafodd anturiaethau rhyfeddol. Hwyliodd i'r Dwyrain Pell ac ar y fordaith yn ôl roedd y llong yr oedd arni'n cario Moslemiaid i Meca. Yn anffodus bu haint ar y llong a bu farw nifer o'r teithwyr. Ar fordaith arall llofruddiwyd y prif beiriannydd ac o ganlyniad cafwyd yr holl hylabalŵ oedd yn nodweddu peth felly. Wedi'r tri mis anturus hwnnw penderfynodd Eddie ddychwelyd i'r ysgol ac aeth rhagddo i'r brifysgol gan ddod maes o law yn Rheolwr Gyfarwyddwr Ondwella ym Mhrydain â'r brif ffatri ym Mhont-y-clun. Bu

Martha, ei wraig, a Sheila, fy ngwraig innau, yn y coleg gyda'i gilydd a byddem yn flynyddol yn mynd ar wyliau gyda'n gilydd, a byddwn yn ei gyfri yn un o'm ffrindiau gorau. Roedd Eddie'n gwneud popeth o ddifrif – dim *half measures*. Pan oedd yn ddeg a thrigain oed ar ddathliad pen-blwydd ei briodas, cerddodd bob cam o'i gartref yn y Groes-faen i Landudno, lle roedd wedi gofyn i Martha ei briodi. Bu farw'n llawer rhy gynnar yn 74 oed.

Tu cefn i Swch roedd y Moelwyn Bach, mynydd arbennig o hardd – harddach, goelia i, na'r Moelwyn Mawr, a'i apêl yn fwy oherwydd hynny. Mi wyddwn am bob llwybr, a rhai nad oeddent yn llwybrau o gwbl, i gyrraedd ei gopa a gwirioni ar y golygfeydd godidog a ymestynnai i lawr Dyffryn Maentwrog at y foryd ym Mhenrhyndeudraeth a'r môr ym Mhorthmadog. Roedd yr ysfa anturus i fynydda a dringo creigiau wedi gafael yn gynnar yn Dafydd a minnau. Roeddem yn ddringwyr o'r cychwyn ac yn dysgu'n hunain i ddringo gan ddefnyddio rhaffau. Byddem yn sefyll ar frig Clogwyn Jac Dos, 100 troedfedd yn syth i lawr, gan bwyso dros ymyl y dibyn a gadael i'r gwynt ein cadw rhag syrthio. Petai'r gwynt yn gostegu am eiliad buasai'n ddiwedd arnom, ond mae plant a phobl ifanc yn gwneud pethau dwl. Beth bynnag am funudau gwirion o'r fath, bu'r hyn a ddysgais gyda Dafydd o fudd flynyddoedd wedyn pan dreuliais chwe mis yn Hyfforddwr Dringo Creigiau yn yr ysgol Outward Bound yn Aberdyfi.

Tra byddai Dafydd, a minnau i raddau, yn dilyn yr un diddordebau, roedd Carol ein chwaer fach – y galluocaf o'r tri ohonom o bell ffordd – yn hapus iawn yng nghwmni ei ffrindiau ysgol, yn gwneud, mi dybiwn i, yr hyn mae merched yn ei wneud ac yn chwarae hoci i dîm yr ysgol. Roedd hi a finnau i fyny i bob math o driciau tra oeddem yn blant, er mawr ofid i'n gofalwr, Dafydd, er na chlywais i erioed mohono'n cwyno. Aeth Carol i Brifysgol Lerpwl i astudio meddygaeth ac ymhen blwyddyn neu ddwy 'rôl graddio mi ymgartrefodd yn Bermuda ac yno mae hi a'i gŵr, George, yn mwynhau bywyd hynod hedonaidd ers dros hanner canrif. Eto, petaech yn sgwrsio efo hi fyddech chi ddim yn meddwl iddi erioed adael ardal Stiniog, gystled ei Chymraeg, a bydd yn troi tuag at Gymru bob haf. Pan fo'r Eisteddfod Genedlaethol yn y Gogledd mae Carol yno ac yn mwynhau aduniad Ysgol y Moelwyn, fel y gelwir yr hen County School heddiw. Mae'n dda cael meddyg yn y teulu a braf i ninnau yw cael ymweld â Carol a'i theulu o bryd i'w gilydd a mwynhau traethau pinc Bermuda.

Pan oeddwn i'n bedair ar ddeg oed cafodd fy nhad ei ddyrchafu'n bennaeth Pwerdy Maentwrog ac roedd tŷ yn mynd gyda'r swydd. Hogyn Jones y Pŵarhows oeddwn i'n fynych er mai Brynderw oedd enw'r tŷ! Ond Swch a Rhyd-sarn oedd y dylanwadau parhaol. Pysgota, hela, dringo'r creigiau a threulio'r hafau ar ffermydd Dôl-moch a Felenrhyd Fawr. Fedrwn i ddim bod yn llonydd nac yn segur a bydd Sheila, fy ngwraig, yn tystio nad oes dim wedi newid.

Coffa da, hefyd, am gyfeillion y cyfnod hwnnw, y cyfeillion bore oes fu mor bwysig yn fy hanes. Rhywrai i rannu cyfrinachau ac i ddibynnu arnynt ac i chwarae efo nhw. Mae'r atgofion o'r hwyl yn Swch mor fyw heddiw â phetasai hi'n ddim ond ddoe. Pawb â'i ffugenw – 'Bingo', 'Stiw', 'Cembych', 'Korki', 'Ken Bodiw', 'Gwffi', ac un arall nad oedd ffugenw iddo, Tedi Christian, a fu farw'n llawer rhy ifanc.

# Gadael cartref a hwyl coleg

GYDA'R DIWYDIANT TRYDAN wedi'i wladoli cychwynnodd yr Awdurdod Trydan Prydeinig gynllun arloesol ym 1949 – prentisio myfyrwyr. Y drefn oedd treulio chwe mis mewn coleg technegol a chwe mis allan yn y gweithle ar gwrs a fyddai'n arwain at Ddiploma Genedlaethol Uwch (HND) a chyfle wedyn i fynd ymlaen i Brifysgol. Ymhlith yr 13 cyntaf ym Mhrydain i'w derbyn i fynd ar y cwrs roedd Philip Davies ('P' oedd ei lysenw), Ken Thomas, Bodiwan ('Ken Bodiw') a finnau, y tri ohonom o Ysgol Sir Blaenau Ffestiniog. Ym 1949 trodd y tri ohonom ein golygon tua Choleg Technegol Sir Ddinbych, Wrecsam, ac ymuno â deg arall o Gymru a Lloegr. Wedi chwe mis o ddysgu ffurfiol byddem yn cael ein hanfon allan i weithio, rhai i bwerdai, eraill i waith dosbarthu'r trydan, y llinellau cyswllt â'r grid cenedlaethol, a'r is-orsafoedd. Yn y coleg roedd Philip a finnau'n lletya gyda Georgina a Iorrie Jones yn Ruabon Road, Wrecsam – cartref oddi cartref yn ddi-os. Bu Georgina yn nyrs a Iorrie'n lampmon yng nglofa'r Hafod a'r ddau'n hynod garedig a chroesawgar.

Yn ystod ein cyfnod ar brofiad gwaith byddem yn cael naw ceiniog yr awr – naw o hen geiniogau, sy'n werth mymryn llai na phedair ceiniog ein hoes ni. Am wythnos o waith caem 33 swllt a byddai Nhad yn anfon chweugain (10 swllt, 50 ceiniog yn yr oes hon) yr wythnos oherwydd roedd y 33 swllt ddeuswllt yn fyr o'r 35 swllt roedd ei angen i dalu am y llety. Ond roedd cael wyth swllt i'w wario yn ymddangos yn ffortiwn bryd hynny. Yn sicr, roedd o'n ddigon i fodloni fy hoffter o ffilmiau. Pan oeddem ni yn y coleg, byddai'r grant o Gyngor Sir Feirionnydd yn ddigon i dalu costau'r llety a ffioedd y coleg. Rwy'n bendant o'r farn bod trefniant o'r fath gymaint gwell na phrentisiaeth yn unig neu goleg yn unig.

Wedi dwy flynedd symudodd Georgina a Iorrie i fyw yn Rhosllannerchrugog ac mi es i gyda nhw, a chael dwy flynedd o brofi bywyd, diwylliant ac iaith unigryw'r Rhos. Lletya yn Cemetery Road, mynd i'r Stiwt – lle pictiwrs oedd o bryd hynny – ac i'r caffi drws nesaf lle roedd digon o ganu ar nos Sadwrn, yna Aelwyd Ponciau ar nos Iau a'r Capel Mawr ar y Sul. Tipyn o newid o'r Capal Bach yn Rhyd-sarn. Un o drigolion y Ponciau oedd T. W. Jones – 'Twm Bil' i bobl ffraeth Rhos a'r Ponciau. Roedd bryd hynny'n Swyddog Personél MANWEB ac etholwyd ef yn fuan wedyn yn Aelod Seneddol Llafur Sir Feirionnydd a'i ddyrchafu i Dŷ'r Arglwyddi, yn Arglwydd Maelor, ym 1966. Mae gan Rhos ei hiaith ei hun gan ddefnyddio geiriau fel 'odi' am fwrw eira a geiriau fel 'ede' a 'llardie' am rywbeth digon sâl. Rwy'n cofio Sais o'r enw Cotton yn chwarae pêl-droed i dîm y Ponciau ac yn cael gêm ddigon di-sut a rhywun o'r dorf yn gweiddi arno, 'Cotton, ti'n ede!' Cyfnod a fwynheais yn fawr iawn oedd hwnnw ac mae gennyf atgofion melys o fyw yn 'Rhos Uffern'.

Cefais fy ethol yn Llywydd Myfyrwyr Coleg Technegol Sir Ddinbych pan oeddwn i ar fy nhrydedd flwyddyn, ac wedyn, yn y bedwaredd flwyddyn yn y coleg, y profiad unigryw o lywyddu am ddwy flynedd y gwnes ei fwynhau a chael llawer o fudd a hwyl wrth wneud.

Roedd Coleg Cartrefle, Wrecsam, yn goleg i ferched yn unig bryd hynny. Rêl 'Stalag Luft', gyda ffens weiar o gwmpas y lle, a gwae unrhyw ferch fyddai'n cyrraedd yn ôl wedi deg o'r gloch y nos. Mi fyddem yn cyfarfod merched Cartrefle mewn dawnsfeydd yn Neuadd yr Eglwys yn Wrecsam ac un digon blêr oeddwn i (ac yn dal i fod) am ddawnsio ond rhaid oedd sicrhau merch ddel ar gyfer y ddawns olaf i'w danfon yn ôl i'r coleg. I fechgyn yn astudio peirianneg a chyfle i gael gafael ar bleiars, doedd ffens weiar fawr o her, a champ fach iawn oedd torri twll ynddi i adael y merched i mewn yn hwyr a'i gau'n daclus ar eu holau fel na fyddai neb ddim callach. Yn achlysurol byddai Coleg Cartrefle'n cynnal dawns hefyd a byddai bechgyn y Coleg Technegol yn cael gwahoddiad. Dyletswydd Llywydd Myfyrwyr y Coleg Technegol oedd arwain Prifathrawes Cartrefle, Maggie Morgan, yn y ddawns gyntaf – a finnau'n ddawnsiwr di-glem neu beidio, ni allwn osgoi'r fraint honno!

Dau o'm ffrindiau pennaf yn y coleg oedd Alwyn Parry a Stephen Stephens, Alwyn o Ben-y-groes a Steve o Ddyffryn Ardudwy, ac mi gawsom hwyl di-ben-draw yno. 'Rôl gorffen yn y coleg aeth y ddau ar eu hunion i Ganada ac, er y pwyso mawr arnaf i fynd efo nhw, gwrthod wnes i. A ydw i'n difaru? Na, allwn i ddim gadael Cymru bryd hynny na chwedyn. Daeth Alwyn yn un o benaethiaid Asiantaeth Atomig Canada ac mi sefydlodd Steve ei gwmni llewyrchus ei hun yno. Mae atgofion melys iawn o'u cwmni yn dal gen i er yr holl flynyddoedd – y ddau'n hogiau gwerth chweil a braint cael eu cyfri'n ffrindiau.

Roedd rhai ohonom yn teimlo bod y Coleg Technegol yn brin iawn ei Gymraeg a phenderfynodd Alwyn, Steve a minnau sefydlu Cymdeithas Gymraeg. Cymdeithas ddigon anffurfiol i drafod a mwynhau panad a sgwrsio oedd hi, ac yn y man cafwyd cynrychiolaeth o Gartrefle i ymuno â ni. Un Nadolig cyflwynon ni bantomeim Cymraeg wedi'i seilio ar stori Sinderela – y sgript i gyd mewn mydr ac odl – a'i berfformio yn Neuadd y Dref, a honno dan ei sang. Mi gofiaf ddarnau lawer o'r sgript hyd heddiw.

Gyfeillion mwyn gwrandewch yn llon
Ar ddrama gerdd y noson hon,
Mae'r cwmni hwn o 'Ros-y-Spam'
Am adrodd stori am – Y Ferch Fach Sinderela!

29

Deuai nifer o'r myfyrwyr o Sir Ddinbych a dwyrain Meirionnydd, rhai yno'n bedair ar ddeg oed i orffen eu haddysg, ac eraill tua deg ar hugain yn mynychu'r dosbarthiadau nos. Gan fod yna drawstoriad da o fyfyrwyr, mi gyfoethogon nhw'n bywydau ni'n ddi-ddadl. Bellach mae'r coleg wedi tyfu a ffynnu ac yn awr yn Brifysgol Glyndŵr. Yn ystod y misoedd allan yn y gweithle byddem yn mynd i bwerdai mewn mannau fel Runcorn, Queensferry a Phwerdy Clarence Dock, Lerpwl. Ymysg y rheini fyddai gyda mi yn llawer o'r mannau hyn roedd P, Ken Bodiw ac Eddie John Davies o'r Trallwng – a aeth ar ôl gorffen yn y coleg i Galiffornia a gwneud ei ffortiwn. Roedd y lletyau yn rhai o'r lleoedd hyn yn aml yn wael iawn heb unman i ymlacio 'rôl diwrnod o waith.

Rwy'n cofio'r pedwar ohonom ni'n cerdded ar hyd ochr y gamlas – yn Runcorn os dwi'n cofio'n iawn – yn difyrru'n hunain yn saethu llygod Ffrengig ag *air pistol*; doedd fawr ddim arall i'w wneud heblaw mynd i'r pictiwrs. Roedd gan bob un ohonom feic, a oedd yn angenrheidiol i fynd o'r digs i'r gwaith, ac rwy'n cofio inni feicio droeon o Runcorn i'r Rhyl i dreulio diwrnod ar lan y môr. Roedd gweithio yn Clarence Dock yn Lerpwl dipyn yn well, ac un tro mi gymerodd Ken Bodiw a minnau fflat ar rent – enw posh am un stafell i gysgu, byw a choginio ar stof fechan, a stafell ymolchi gymunedol ar wahân. Ond roedden ni'n meddwl ein bod ni'n rêl hogia ac yn mwynhau tipyn mwy o ryddid. Heblaw hynny roedd sawl Aelwyd yr Urdd yn Lerpwl a'r Clwb Cymraeg yn Upper Parliament Street. Er y difrod amlwg a wnaed adeg y rhyfel, roedd yna gymdeithas bryd hynny yn Lerpwl a oedd cystal â bod yng Nghymru. Yng ngholeg gwyddor tŷ yr F. L. Calder College of Domestic Science, roedd nifer o ferched o Gymru yn fyfyrwyr. Byddai Ken a minnau yn aml yn cael gwahoddiad i'r coleg gan rai o'r merched y byddem yn eu cyfarfod yn yr Aelwyd i brofi'r teisennau a'r danteithion eraill a gynhyrchid gan y genod. Roedd bywyd yn braf.

Braf hefyd fu cael y cyfle i wneud cynifer o gyfeillion da yn y cyfnod hwnnw – Ken Bodiw, Alwyn, Steve, P, Gwyndaf ac Eddie – cyfeillion ar adeg hynod o bwysig ym mhrifiant rhywun. Dyna'r adeg pan fo rhywun yn rhoi'r gorau i bethau plentynnaidd a dechrau wynebu'r her o fod yn oedolyn. Mi fûm i'n hynod o lwcus yn y ffrindiau a gefais i bryd hynny – mor hawdd yw cael ffrindiau lle byddai eu dylanwad yn arwain rhywun i gyfeiriadau amheus.

Wedi cael diploma HND, cafodd rhai ohonom gynnig mynd i Brifysgol i barhau ar y cynllun i raddedigion dan hyfforddiant, a dewisodd Ken Bodiw a minnau fynd i Brifysgol Heriot-Watt yng Nghaeredin. Roeddwn i am ymchwilio a dadansoddi natur ffaeleddau mewn cyflenwadau trydan pan ddigwyddai toriad yn y grid cenedlaethol. Roedd cwmni peirianneg drydanol enwog Bruce Peebles yng Nghaeredin lle y cawn beth hyfforddiant ymarferol. Yr Athro M. G. Say oedd Athro Peirianneg Drydanol Heriot-Watt a fo, yn ddios, oedd yr awdurdod pennaf yn y maes, ac roeddwn felly am weithio tano am fy ngradd MSc. Chefais i erioed y radd honno. Mi ffraeais â'r Athro Say ac, yn fyrbwyll a dwl, mi ymadewais â Phrifysgol Heriot-Watt.

Bu Ken a minnau'n lletya yn Leith, ardal dda, ac er nad oedd yno gymdeithas Gymraeg, roedd yna gymdeithas ryngwladol fywiog a chawsom ddigon o hwyl. Roeddwn wedi chwarae ychydig o rygbi i Wrecsam ac ymunais â Chlwb Rygbi Kenmore, oedd â maes ar gyrion Murrayfield. Cedwais gardiau post a dderbyniais gan y clwb yn fy hysbysu imi gael fy newis i chwarae i'r tîm cyntaf, ac yn gofyn imi ddod i Murrayfield erbyn amser penodedig, yn ofalus. Roedd Mathew a Sean, fy wyrion, yn datgan parch a syndod pan welsant y cardiau'n gofyn imi ymgynnull yn y maes enwog hwnnw. Roedd Ken a finnau wrth ein boddau'n mynd i gerdded ym mynyddoedd y Trossachs yn swydd Perth, ac ar un penwythnos aeth y ddau ohonom a dwy ferch o'r coleg i gerdded yn yr ardal hyfryd hon. Dydd Sul oedd hi ac roedd dylanwad y Capal Bach yn drwm arna i o hyd, felly pan welsom gapel bach, naill ai ger Comrie neu Crieff, dwi'm yn cofio'n iawn, rhaid oedd mynd i'r gwasanaeth. Yn anffodus, gofynnwyd i'r merched, yn gwrtais ond yn gadarn, i adael am nad oedden nhw'n gwisgo hetiau. Mae'n debyg mai capel Seceders oedd o ac, wrth gwrs, gadawodd Ken a minnau hefyd – a dyna'r unig dro imi erioed gael fy nhroi allan o gapel!

Bu gen i foto-beic, ond roedd fy rhieni wedi mynnu 'mod i'n cael gwared arno erbyn hyn am mai peth anghyfrifol a pheryglus fyddai gyrru arno o Gymru i Gaeredin. Wrth gwrs, roedd honno'n ddiwrnod o daith ar fysys a thrêns a gorfod newid sawl tro, a byddai Nhad yn dod i 'nghyfarfod yn Lerpwl. Oherwydd hynny, anaml iawn y byddwn yn teithio adref, ac mi ddois i werthfawrogi harddwch cefn gwlad yr Alban. Bydd Sheila a minnau'n mynd yno'n flynyddol. Beth bynnag, daeth fy nghwrs i ben yn sydyn wedi blwyddyn oherwydd y ffrae gefais i gyda'r Athro Say. Er mwyn creu model o'r grid cenedlaethol ar gyfer ein profion, roedd angen *coils* bach ac roedd yr Athro yn mynnu ein bod ni'n eu gwneud nhw ein hunain. Dywedais wrtho nad oeddwn i wedi dod yr holl ffordd i Gaeredin i wneud *coils* pan fedrwn fynd i siop Radio Shack a'u prynu am geiniog neu ddwy. Cawsom dipyn o ffrae a gwrthodais yn bendant a dyna'i diwedd hi. Ydw i'n difaru na wnes i orffen fy ngradd uwch? Ydw a nac ydw, ac fel y gallwch ddychmygu, roedd fy nhad yn gandryll. Eto, bu un digwyddiad diddorol flynyddoedd wedyn a minnau'n Ddirprwy Bennaeth Pwerdai Canolbarth Cymru. Gwnes gais i gael fy nerbyn yn beiriannydd trydanol siartredig a chefais fy ngalw i gyfweliad gan yr Institution of Electrical Engineers yn Llundain. Pwy oedd yn cadeirio'r panel ond fy hen gyfaill yr Athro Say. Gwrthodwyd fy nghais a gofyn imi ailgyflwyno fy nghais mewn blwyddyn. Mi wnes, ond pan wahoddwyd fi i gyfweliad arall, gwrthodais gan ddweud fy mod wedi ymddangos ger eu bron y flwyddyn cynt a dweud popeth oedd gen i i'w ddweud bryd hynny. Er gwaethaf y mympwy gwirion hwnnw, cefais fy nerbyn heb fynd i'r cyfweliad ac mi rydw i wedi bod yn beiriannydd siartredig am yn agos i hanner can mlynedd bellach.

# PENNOD 3

# Yr Awyrlu –
# a mymryn o lwc

WEDI YMADAEL Â Chaeredin, gwnes gais i fynd ar gwrs ym Mhrifysgol Lerpwl, tebyg i'r un ym Mhrifysgol Heriot-Watt a adewais mor sydyn. Ddaeth dim o hynny gan imi gael fy ngalw i wneud fy ngwasanaeth milwrol, y Gwasanaeth Cenedlaethol a fu'n gyfnod o ddylanwad mawr ar gynifer o bobl ifanc. Erbyn hyn roeddwn yn ddwy ar hugain oed a chefais fy ngalw i Wrecsam i gofrestru. Cyrhaeddais y gwersyll, yn un o tua chant o fechgyn ifanc, a chael ein cyfarch gan ryw Sarjant, rhywbeth fel hyn: 'You will hundergo a High Q test which will involve answering a 'undred questions in 'alf 'n hour and then sit quietly for 'alf 'n hour while Corporal Jones will mark them.' Roedd y cwestiynau i gyd ar ffurf atebion amlddewis â blwch i roi marc yn yr un y tybiech oedd yn gywir – cwestiynau fel: 'Beth yw foltedd y trydan sy'n dod i mewn i'ch tŷ chi? 132,000 folt, 12 folt, neu 240 folt?' Deuthum i'r casgliad ynteu fod y Corporal Jones yn athrylith neu ei fod yn defnyddio rhyw fath o *template* â thyllau ynddo lle byddai'r blwch â'r ateb cywir yn ymddangos. Ar sail y dadansoddiad elfennol yna penderfynais roi croes ym mhob blwch. Ymhen hanner awr union wedi iddynt gasglu'n hatebion daeth y cyhoeddiad: 'We 'ave a bloody genius amongst us who's got every answer right. Who is John Elfed Jones?' 'Me, sir,' atebais innau. 'Don't call me "sir". You will be going on the Officers' Training Course!' Doedden nhw ddim hyd yn oed wedi edrych ar fy mhapur. Cyfeirir at y digwyddiad gan un fu'n bennaeth arnaf flynyddoedd wedyn, Arglwydd Crucywel (Nicholas Edwards, cyn-Ysgrifennydd Gwladol Cymru), yn ei hunangofiant *Westminster, Wales and Water*. Disgrifia hyn yn enghraifft ardderchog o *initiative* yn dwyn ffrwyth ar ei ganfed, er nad dyna fwriad y rhai a luniodd y prawf. Cefais fy rhoi ymlaen am gomisiwn ac ymddangos gerbron Bwrdd Dethol y Swyddfa Ryfel. Treuliais benwythnos yn ymdopi â phrofion deallusrwydd fel sut i groesi afon drwy ddefnyddio dwy gasgen a styllen a thrafodaethau am newyddion cyffredinol y dyddiau hynny. Yna cefais orchymyn i fynd i Padgate, cael fy iwnifform a thorri 'ngwallt a'm cyflyru i ystyried beth oedd bod yn yr Awyrlu'n ei olygu. Y trefniant oedd fy mod i aros yno cyn mynd ymlaen i Jurby, Ynys Manaw, canolfan hyfforddi *officer cadets* ar gyfer comisiwn byr yn yr Awyrlu.

Wrth ddisgwyl mynd i Jurby cefais fy anfon ar daith fwyaf tyngedfennol fy mywyd. Roedd yn haf hynod o sych yn Padgate ym 1955 ac mi anfonwyd pawb adref am fod prinder dŵr yn y gwersyll. (Dŵr eto'n cael ei ddylanwad!) Roeddwn yn sefyll yng ngorsaf Cyffordd Llandudno yn aros am y trên i fynd i'r Blaenau pan welais y ferch harddaf a welswn yn fy mywyd. Roeddwn i wedi'i gweld yng ngwersyll yr Urdd, Pantyfedwen, yn y Borth, ac wedi bod yn siarad efo hi yn un o'r Eisteddfodau. Mi adwaenais y gwallt euraid, rhwng lliw rhedyn ac aur, yn syth a rhaid oedd mynd ati i sgwrsio. Wyddwn i ddim beth fyddai'n mynd trwy'i meddwl o weld rhywun yn lifrai'r Awyrlu yn dod draw ati. Roedd hi a ffrind iddi wedi bod ar ben yr Wyddfa ac ar wyliau yn Llandudno. Ces wybod ble roedden nhw'n aros ac mi drefnwyd imi alw i'w gweld trannoeth. Euthum ar fy ffordd i Frynderw a 'nghalon yn canu. Ond yn fy aros yno roedd teligram yn gorchymyn imi fynd yn syth i Lerpwl i ddal llong i Ynys Manaw – a dyna golli cyfle i fynd allan gyda'r ferch ddel ryfeddol yma. Sgrifennais lythyr o ymddiheuriad na allwn fod yno drannoeth a'i anfon iddi i'r gwesty – gan wneud yn siŵr i mi gynnwys fy nghyfeiriad yn RAF Jurby.

A chwarae teg iddi, mi anfonodd lythyr yn diolch imi am yr ymddiheuriad, ac anfonais innau lythyr yn ôl yn diolch iddi am ddiolch i mi am fy llythyr ac am dderbyn fy ymddiheuriad. Felly y cychwynnodd y garwriaeth gyda Sheila, fy nghymar oes a'm ffrind gorau. Yn rhyfedd iawn, roedd hi yng ngholeg Cartrefle pan oeddwn i yn y Coleg Technegol ond wnaethon ni ddim cyfarfod bryd hynny.

Draw yn Jurby ymunais â chriw o bobl ifanc llawn egni a brwdfrydedd ar gwrs corfforol caled a minnau'n mwynhau pob munud ohono. Ein *squadron commander* oedd John Bowen Lewis, enw sy'n awgrymu mai Cymro oedd o, ond ag acen siwdo-Rydychen sy'n nodwedd o'r bobl hyn. Cefais fy ngalw i'r naill ochr ganddo un tro ac awgrymodd y dylswn feithrin acen fwy Seisnig. Atebais na chredwn fod hynny'n gydnaws â mi o gwbl ond wedi tipyn o ddadl dywedais 'I'll think about it!' Feddyliais i ddim mwy am y peth, dim ond parhau i arfer fy acen Gymreiciaf bosib wrth siarad â'i ddirprwy, Flight Lieutenant Barnard, a hwnnw'n cynhyrfu i gyd. Ryw dro wedi hynny roeddwn wedi cael niwed yn chwarae rygbi ac wedi cael fy esgusodi rhag gwneud yr ymarferion arferol. Roeddwn yn eistedd wrth fwrdd yn y stafell gyffredinol yn sgrifennu llythyr, yn Gymraeg wrth gwrs, pan glywais rywun yn dod i mewn. Throis i ddim i edrych nes gweld y *squadron commander* yn sefyll wrth fy ymyl. Codais ar fy nhraed gan ymddiheuro am beidio â chodi fel oedd yn arferol yn nhrefn pethau. 'Ah, the bloody Welsh again,' meddai. 'Why do you write in Welsh?' Yn fyrbwyll a difeddwl mi atebais: 'So that people who look over my shoulder are unlikely to be able to read it.' 'Huh!' meddai, ac allan ag o. Wn i ddim ai Cymro oedd o, ond beth bynnag, mi gefais yr adroddiad gorau posib ganddo ar ddiwedd y cwrs yn Jurby – geiriau fel 'dyn penderfynol sydd bob amser yn gwneud yr hyn mae o'n barnu sy'n gywir...' Ar ôl tri mis, a fwynheais yn fawr, mi ges y comisiwn. Pilot Officer John Elfed Jones 2763625 o'n i bellach.

Roedd yna un profiad y mwynheais i'n arbennig ar Ynys

Manaw. O dro i dro byddem yn cael ein gollwng yn driawd mewn mannau anghysbell o'r ynys, gyda hanner coron rhyngom rhag ofn i rywbeth annisgwyl ddigwydd a bod angen galw am gymorth. Pwrpas yr ymarfer, a elwid yn 'dianc ac osgoi', oedd dychwelyd i'r gwersyll heb gael ein dal. Yn ystod yr ymarfer byddai heddlu'r ynys, heddlu'r Awyrlu, swyddogion y gwersyll yn ogystal â'r cyhoedd a wyddai am yr ymarfer yn cadw llygad amdanom. Roeddwn i wrth fy modd efo'r ymarferiadau hyn ac yn cael hwyl arni bob tro. Mi fyddwn i'n dwyn tatws a wyau o'r ffermydd ac yn pysgota dwylo, cyn eu glanhau a'u coginio. A dweud y gwir roedden ni'n byw'n fras. Fedrai'r ddau oedd efo fi o Lundain ddim coelio mor hawdd oedd byw ar y wlad. Un tro, roedden ni'n llercian yn agos i dafarn mewn ardal wledig pan ddaeth dyn ar gefn moto-beic â dwy ysgol ar y seidcar i'r maes parcio. Golchwr ffenestri, dybiwn i. Tynnodd ei gôt wen a'i gadael ar y seidcar a mewn ag o am beint a brechdan, mae'n debyg. Allan â ni o'n cuddfan, tynnu'r ysgolion oddi ar y seidcar a chyda mi'n gwisgo'r gôt wen gyrrais y ddau arall yn ôl i'r gwersyll. Llwyddiant yn ôl gofynion yr ymarfer.

Wedi cael y comisiwn, cefais fy anfon ar gwrs i Goleg Technegol yr Awyrlu yn Debden, ger Saffron Walden yn ne-ddwyrain Lloegr, cwrs o fis, cyn cael gwybod i ble y byddem yn cael ein hanfon wedyn. Roedd tua dwsin ohonom ar y cwrs, criw ardderchog o fechgyn – pob un ond un. Ac roedd hwnnw'n hen fombast o foi na wnâi ddim byd efo'r gweddill ohonom drwy gydol y cyfnod y buom yno. Y noson cyn inni gael gwybod i ble y byddem yn mynd drannoeth, roedden ni i gyd yn y *mess*, pawb ond y bombast, a phenderfynwyd cael tipyn o hwyl yn tynnu'i goes. Roedd o yn ei stafell ei hun, a dewiswyd fi i'w ffonio. Gan gymryd arnaf mai fi oedd y *Group Captain* ac yn fy acen siwdo-Rydychen orau dywedais mai dim ond un *posting* tramor fyddai ac mai fo oedd wedi'i gael ac y byddai'n cael ei anfon i ynys Cyprus. Gyda'r wawr trannoeth i ffwrdd ag o i Gaergrawnt ac i Gieves & Hawkes, y teilwriaid milwrol, ac archebu iwnifform tywydd twym. Dychwelodd i'r coleg a darganfod iddo gael ei anfon i ogledd yr Alban! Flynyddoedd wedyn, a minnau'n Ddirprwy Gyfarwyddwr Rheoli Aliwminiwm Môn, a oedd yn rhan o Gorfforaeth Rio Tinto Zinc, bu raid imi fynd i bencadlys y Gorfforaeth yn Llundain i roi adroddiad i Fwrdd RTZ. Pwy oedd yno'n gwrando arna i, yn un o Gyfarwyddwyr Bwrdd RTZ, ond y bombast y chwaraeais y tric arno. Y cwbl ddywedodd o oedd, 'I remember you!' Hyd y gwn, wnaeth o ddim niwed i 'ngyrfa i.

Beth bynnag, fy anfon ges i, erbyn hyn yn Flying Officer J. E. Jones 2763625, i 3614 Fighter Control Unit, a Sgwadron 614 Sir Forgannwg, Awyrlu Llandaf, Caerdydd. Yn Nhrelái oedden ni, mewn gwirionedd, ond gan fod yna RAF Ely yn Swydd Caergrawnt, Llandaf oedd yr enw a roddwyd ar y sgwadron. Roedd ei arwyddair, gyda llaw, yn Gymraeg – *Chwiliwn yr Awyr*. Criw bychan iawn oedden ni, Squadron Leader Devey – 'God willing', fel byddem ni'n ei alw (DV = *Deo Volente*). Ei ddirprwy, yr *adjutant*, oedd Donald Bish, dyn annwyl iawn a aeth yn offeiriad yn Eglwys Loegr wedi hynny. Bu'n garedig iawn i mi. Brawd iddo, gyda llaw, oedd y chwaraewr a'r hyfforddwr rygbi arloesol Roy Bish, uwch-ddarlithydd yn Adran Addysg Gorfforol Coleg Hyfforddi Dinas Caerdydd. Fi oedd Swyddog Technegol yr Uned. Dim ond ni'n tri oedd yno'n barhaol ond byddai eraill o'r Royal Auxiliary Air Force yn ymuno â ni ar benwythnosau.

Roedd Squadron Leader Devey, bendith arno, yn mynnu bod ei swyddogion i gyd yn medru hedfan a chefais fy anfon i'r Fali, Ynys Môn, i Ysgol Hyfforddi Rhif 4 – No. 4 Flying Training School. Yng Nghaerdydd byddai rhywun yn mynd i fyny mewn awyren yn ddyddiol i tsiecio'r tywydd ac wedi imi basio'r cwrs yn y Fali byddwn innau'n hedfan, yn amlach na dim, gyda Don Bish, neu weithiau ar fy mhen fy hun. Byddem yn aml yn hedfan draw i'r gorllewin gan chwifio adenydd yr awyren wrth fynd tros Wersyll yr Urdd, Llangrannog. Gwyddai aelodau'r staff, yn enwedig Ifan Isaac, yn iawn mai fi oedd yn mynd heibio.

Bu'n agos iawn i'r sgwadron orfod gweithredu mewn cyfnod o wrthdaro pan aeth yn rhyfel rhwng Prydain a'r Aifft ym 1956. Roedd y Cyrnol Gamal Abdel Nasser wedi cythruddo Prydain drwy wladoli Camlas Suez ymysg pethau eraill. Roedd ein hawyrennau wedi'u pacio ac ar long yn y Barri yn barod i'w cludo i ynys Cyprus i ymosod ar yr Aifft. Diolch i ymyrraeth y Cenhedloedd Unedig daeth y rhyfel i ben yn fuan, er mawr niwed i ddelwedd Prydain yn y byd a'i pherthynas ag amryw wledydd, ac yn eu plith Unol Daleithiau'r America.

Yn fuan wedi helynt Suez bu toriadau yng nghyllid yr Awyrlu a daeth diwedd ar Sgwadron 614 a 3614 Llandaf. Gan nad oedd gen i ddim byd i'w wneud llwyddais i berswadio'r Awyrlu i roi secondiad imi i ysgol Outward Bound Aberdyfi. Mae yna hen ddihareb Tsieineaidd, 'Os na fedri hedfan, dring!' – ac fe'i cymerais yn llythrennol! Bûm yno am chwe mis, a chael mwynhad arbennig. Cefais weithio gyda phobl ifanc hyd at ugain oed o bob haen o gymdeithas ac o bob rhan o Brydain a phob cefndir. Roedd yna rai o ysgolion bonedd, eraill o borstals, a byddai awdurdodau addysg Cymru bryd hynny'n anfon disgyblion yno. Byddai pob disgybl yno am fis ar y tro a does gen i ddim amheuaeth nad oeddent yn adnabod eu hunain gymaint yn well ar ôl y profiad. Bu Dafydd, fy mrawd, yno pan oedd yn yr ysgol fel un a enwebwyd gan Gyngor Sir Feirionnydd ac mae ganddo atgofion melys o'r profiad. Y nod oedd eu dysgu i ymgodymu â sialens a chael profiadau fyddai o fudd iddyn nhw i ddatrys problemau bywyd. O dan arweiniad y pennaeth, Capten Freddie Fuller, roedd y profiadau'n eang a'r ddisgyblaeth yn llym. Ond hyn sy'n ddiddorol: y disgyblion eu hunain fyddai'n penderfynu beth oedd y gosb pe torrid rheolau. Doedden ni fel staff ddim yn rhan o'r broses honno, dim ond eistedd yno a gwrando. Ymysg yr hyn na chaniateid oedd smocio, yfed a rhegi. Rwy'n cofio achlysur pan oedd bachgen un nos Sadwrn wedi cael ei weld yn smocio yn y pictiwrs yn Nhywyn. Cafodd ei lusgo gerbron y 'llys' a'i orchymyn i bacio'i fagiau a mynd adref yn syth. Roedd gweld y Sgowsar bach caled yn ei ddagrau yn ormod inni'r tro hwnnw, a dyna'r unig dro medra i gofio i ni fel staff ymyrryd a dweud bod y bachgen wedi cael digon o gosb a'i fod yn amlwg yn edifeiriol iawn am yr hyn wnaeth o.

Roeddwn i wrth fy modd yn hyfforddi yno – dringo, ac abseilio lawr Craig yr Adar yng ngwaelod Dyffryn Dysynni. Wrth abseilio, y llaw dde sy'n bwysig (i rywun sy'n arfer y llaw dde fel y llaw flaenaf) – honno sy'n dal y rhaff ac yn rheoli'r cyflymdra wrth ddod i lawr y graig. Y cyfan mae'r llaw chwith yn ei wneud yw rheoli mymryn ar gyfeiriad y ffordd i lawr. Byddai gynnon ni raff ddiogelwch wrth bob un – diolch i'r drefn. Er mwyn dangos mai'r llaw dde sy'n bwysig, byddwn weithiau'n gweiddi – 'Gollyngwch y llaw chwith!' Y syndod oedd sawl un na fyddai'n gwybod pa law oedd y llaw chwith, ac yn gollwng gafael y llaw dde. Arbedwyd sawl un gan y rhaff ddiogelwch. Roeddwn i'n rhyfeddol o ffit y dyddiau hynny. Byddwn yn cerdded o leiaf ugain milltir bob dydd, weithiau yn mynd â grŵp am daith dridiau i gaban pren heb fod ymhell o Geinws, yna ymlaen trwy Gorris i Aberangell ac yn ôl i Aberdyfi. Byddai'r bechgyn yn ymateb yn wych i'r ddisgyblaeth, gan deimlo rhyw falchder yn yr hyn roedden nhw'n ei gyflawni. Er y bydden nhw wedi ymlâdd wrth gyrraedd yn ôl i'r ganolfan yn Aberdyfi, mi fyddwn yn eu casglu nhw at ei gilydd ac yna byddai pawb yn martsio i mewn i'r gwersyll gyda'i gilydd â'u pennau'n uchel. Ar y dydd Sadwrn olaf byddai'n rhaid i bob un fynd i ben Cader Idris a hynny o fewn amser penodedig. Roedd yn rhaid gwneud yn siŵr fod pob un yn mynd trwy'r *check points* cywir a finnau'n gorfod aros nes bod yr olaf wedi mynd trwy bob pwynt cyn rhedeg o'u blaenau i'w cyfrif drwy'r nesaf. Fel y dywedais, roeddwn i'n ffit, er yn yr achos hwn doedd dim rhaid imi gario dim byd ar fy nghefn – tra byddai ganddyn nhw bac go drwm ar eu cefnau.

Mi gefais un profiad arbennig o gyffrous yno. Daeth

galwad i'r Capten Fuller un diwrnod oddi wrth John Tudor, Cynghorydd ardal Tal-y-llyn, Cadeirydd Parc Cenedlaethol Eryri a gŵr amlwg mewn llywodraeth leol yng Ngwynedd. Roedd ei hoff gi wedi syrthio dros ochr ogleddol Cader Idris ac wedi glanio ar silff ar y graig ac yn methu dod oddi yno. Roedd y frigâd dân wedi rhoi cynnig ar ei achub ac wedi methu. Gan fod y ci bellach wedi bod ar y graig am yn agos i bythefnos roedd yr RSPCA yn argymell ei saethu. Cysylltodd John Tudor â'r ysgol mewn un ymgais olaf i'w achub a gofynnodd Capten Fuller i mi a oedd gen i unrhyw awgrym. Atebais fy mod i'n barod i roi cynnig arni a bod dau fachgen ar y cwrs wedi amlygu doniau dringo arbennig yn ystod eu cyfnod yn yr ysgol. Anfonais un bachgen i ben y clogwyn a chanddo raff i'w gollwng i lawr, a dringais innau a'r bachgen arall i fyny o'r gwaelod. Rwy'n cofio cyrraedd y silff a'r ci'n ysgwyd ei gynffon, mor falch o'n gweld, ond gan iddo fod heb fwyd cyhyd roedd o'n druenus o denau. Gollyngodd y bachgen ar ben y clogwyn y rhaff i lawr a rhoddwyd y ci mewn *haversack* ac mi haliwyd y ci ynddi'n araf a gofalus i ddiogelwch. Roedd John Tudor, yn naturiol, wrth ei fodd a mynnodd fynd â'r tri ohonom adre am bryd da o fwyd. Cafodd Capten Fuller yntau ei blesio'n arw hefyd.

Ar ôl gadael yr Awyrlu ac Aberdyfi roeddwn wedi ailgydio yn fy ngyrfa wreiddiol ac yn gweithio ym Mhwerdy Tir John yn Abertawe. Un noson clywais gnoc ar y drws ac wedi'i agor gofynnodd y dyn a safai yno ai fi oedd Flying Officer J. E. Jones. Atebais mai dyna oeddwn i ryw flwyddyn cyn hynny. 'Rydyn ni wedi bod yn chwilio amdanoch chi ers blwyddyn,' meddai'r dyn. 'Dewch i mewn,' atebais innau, gan ddechrau ofni nad oeddwn wedi talu fy *mess bill* olaf. Er mawr syndod imi, dywedodd fod yr RSPCA am gyflwyno medal imi am achub ci John Tudor ar Gader Idris. Mewn seremoni yn Neuadd Ymarfer y Lluoedd Arfog yng Nghastell-nedd cyflwynwyd y fedal a'r lle dan ei sang. Dyma'r Maer yn gorganmol fy ngweithred gan ychwanegu, 'But what else would you expect from a Battle of Britain pilot!' Lawer gwaith wedi hynny, ac yntau bellach yn amlwg ym myd llywodraeth leol, byddai John Tudor yn fy atgoffa imi achub y ci gorau a fu ganddo erioed – ci wnaeth ennill gwobrau mewn ymrysonfeydd cŵn defaid lai na blwyddyn wedi'r antur ar Gader Idris. Honno oedd yr unig fedal enillais i erioed.

# O bwerdy i bwerdy
# – ac i Sweden

FY NGWAITH YN Adran Dechnegol y Bwrdd Cynhyrchu Trydan Canolog yn Nhir John, Abertawe, oedd dadansoddi ffaeleddau yn y system – pethau a ddigwyddai er na ddylent ddigwydd. Tîm bach oedden ni, yn gweithio dan Merfyn Howells, Cymro Cymraeg pybyr o Grucywel, peiriannydd ardderchog a'r dyn tecaf ei agwedd at fywyd i mi ei gyfarfod erioed. Braint fu cydweithio efo fo. Roedd Sheila a minnau'n byw mewn bwthyn ym Mryn-coch, ger Castell-nedd, tŷ ar rent o'r enw Castell Neli, enw sy'n awgrymu iddo fod yn dafarn ar un amser. Mae'r bwthyn bach yn dal yno a chyn ddeled ag erioed. Yno yr es i fyw gyda'r ferch dlysa erioed – Sheila. Un arall o'r priodasau hynny lle bu'r Urdd yn gyfrifol am ddod â'r ddau ynghyd.

Roedden ni wedi bod yn canlyn am ddwy flynedd ac mewn cilfan uwchben y Rhigos y gofynnais iddi 'mhriodi i. A diolch i'r Nefoedd, mi gytunodd. Hi sydd wedi cadw fy nhraed ar y ddaear dros y blynyddoedd a hi, hefyd, fu'n gefn imi ym mhopeth rwy i wedi trio'i wneud yn ystod fy mywyd. Yng Nghapel y Bedyddwyr, Bethania, Castell-nedd roedd y briodas ar ddydd olaf Gorffennaf 1957. Un o'r ardal yna, fwy neu lai, yw Sheila, yn enedigol o Ynys-y-gwas, Cwmafan, ac wedi byw yn Nhreorci, Rhydaman a Llandrindod. Athro ysgol oedd ei thad, D. T. Rosser, a bu'n bennaeth Adran Ddaearyddiaeth Ysgol Ramadeg Dyffryn Aman ac yn ddarlithydd wedi hynny mewn coleg hyfforddi athrawon byr-dymor yn Llandrindod, cyn ei benodi'n bennaeth Ysgol Llangatwg. Dafydd, fy mrawd, oedd y gwas priodas a'r Parch. Inwood Jenkins oedd y gweinidog a'n priododd. Doedd 'na fawr o sbloet mewn priodasau bryd hynny a chafwyd cinio ar ôl y gwasanaeth yn y Castle Hotel yng Nghastell-nedd efo criw cymharol fach o'r teulu a ffrindiau agos yn cyd-ddathlu. Aethom ar ein mis mêl i Gernyw mewn hen gar Ford 8 a brynais gan fy ewythr Alec, car a wnaed cyn y rhyfel. Bryd hynny, cyn dyddiau'r ddwy bont Hafren, byddai'n rhaid teithio drwy Gaerloyw, i lawr i Gaerfaddon, yna i Taunton ac wedyn i New Quay. Yna'n ôl am yr ail wythnos o'r mis mêl i Wersyll Llangrannog a chael defnydd Caban y Nyrs – y caban mwyaf os cofia i'n iawn – a hwnnw'n llawn o falŵns a phob math o addurniadau chwaethus a rhai amheus roedd Ifan Isaac a'r 'swogs' wedi'u gosod yno. Fel y gallwch ddychmygu, roedd yna lawer o dynnu coes yr wythnos honno.

Cefais fy anfon, wedyn, am gyfnod i weithio ar gomisiynu pwerdy newydd Bae Caerfyrddin. Pan gâi pwerdai ac is-orsafoedd newydd eu hadeiladu cawn i, fel aelod o dîm bach, fy anfon i wneud profion i sicrhau bod y cyfan yn gweithio yn ôl y cynllun. Roeddwn yn hynod o hapus yn y swydd ac yn mwynhau'r cyfrifoldeb. Roedd Sheila yn athrawes yng Nghastell-nedd ac roedd bywyd yn hynod braf. Ymunodd y ddau ohonom â Chôr Pont-rhyd-y-fen dan arweiniad Alwyn Samuel. Roedd gan Alwyn barti noson lawen hynod boblogaidd hefyd a bu'r parti yn cynnal nosweithiau o Sir Benfro i Sir Fynwy. Does dim dwywaith i Bont-rhyd-y-fen fod yn ynys o ddiwylliant Cymraeg am genedlaethau a mawr oedd y pleser a gafodd Sheila a minnau yno.

Fy uchelgais oedd cael swydd a fyddai'n talu cyflog o £1,000 y flwyddyn, ac mi wireddwyd hynny pan gefais fy mhenodi'n Ddirprwy Reolwr Prosiect Dyfrdrydan y Rheidol a chychwyn gweithio yno yn Ebrill 1959. Y cyflog oedd £1,090 y flwyddyn, lwfans car a'r Bwrdd Cynhyrchu Trydan yn darparu tŷ pren o Ganada i ni ym Mhonterwyd. Roedd gwydr dwbl ar y ffenestri, rhywbeth anghyffredin iawn bryd hynny, a stof llosgi coed.

Yno roedden ni pan anwyd Bethan Wyn, ein plentyn cyntaf, er mai yn Ysbyty Bronglais, Aberystwyth, y ganed hi. Mae Bethan bellach yn ddirprwy bennaeth Ysgol St Florence yn Sir Benfro ac yno mae hi a'i gŵr, David, a'u dau blentyn – Lisa, ein hwyres gyntaf, a Mathew, ein hŵyr cyntaf – yn byw.

Roedd bod yn rhan o'r cynllun cyffrous, i mi fel peiriannydd, yn brofiad i'w fwynhau. Rheolwr y prosiect oedd Bill Rees-Davies (fu wedyn yn beiriannydd tref Aberystwyth) – fi'n gyfrifol am yr ochr drydanol a Don Wainwright o Swydd Efrog yn gyfrifol am yr ochr fecanyddol. Cefais y cyfle i ddysgu llawer mewn awyrgylch hapus oedd yn gydnaws â'm natur a'm diddordebau. Deuthum yn gyfeillgar â Jim a John James, dau frawd, a'r olaf i fyw yn ffermdy Nant-y-moch cyn adeiladu'r argae a boddi'r cwm, y ffermdy a'r capel bach. Roedd hi'n ofynnol inni ddarparu cartref newydd i'r ddau frawd ac mi gofia i fynd i fyny gydag Eric Roberts, Swyddog Stadau y Bwrdd Cynhyrchu Trydan Canolog, i weld y ddau a gofyn iddyn nhw ble'r hoffen nhw fyw. 'Rhowch ddiwrnod neu ddau i ni feddwl,' oedd yr ateb. Yr ateb, pan ddaeth, oedd tŷ milltir neu ddwy ymhellach i fyny'r cwm. Adeiladwyd tŷ a ffordd ar eu cyfer yn ôl eu dymuniad ond fuon nhw ddim yn byw yno ac mae'r tŷ heddiw'n wag.

Symud wnaeth y ddau i lawr i bentref Capel Dewi gan ymddeol o'u bywyd yn ffermwyr. Perchnogwyd y tŷ a'r ffordd gan y Brigadier-General Lewis Pugh Evans, Gelli Angharad. Roedd y ddau hen frawd yn ddynion gwybodus a diwylliedig ac yn mwynhau sgwrs am y byd a'i bethau. Bryd hynny roedd hanes y Dalai Lama'n dianc o Tibet yn y newyddion ac rwy'n cofio Jim yn dilyn hanes ei daith gyda diddordeb mawr. Cofiaf yn dda y gwasanaeth olaf yn y capel, y cyrff yn cael eu codi o'r fynwent a'u hailgladdu a thŷ Nant-y-moch yn cael ei chwalu. Y stori a ledaenai ar y pryd oedd fod pen John o siâp arbennig a thybid ei fod yn nodweddiadol o gyfnod cyn dyfodiad yr Iberiaid i Gymru ac iddo werthu ei benglog i brifysgol yn Lloegr (ar gael wedi iddo farw!) – ond iddo'i brynu'n ôl wedyn a'i werthu eto i goleg yng Nghymru. Gofynnais iddo a oedd y stori'n wir ond y cyfan a ddywedodd wrtha i oedd 'Dere i'm angladd i i ti gael gweld maint fy arch, 'y machgen i!' Mi fûm yn ei angladd a'r cwbl fedra i ddweud yw bod maint yr arch yr un fath â phob arch arall a welais i.

Roedd Ponterwyd yn lle hynod braf i fyw ynddo, er ei fod yn gôt fawr oerach nag Aberystwyth. Daeth Sheila a minnau'n rhan o'r gymuned a gwnaethom lawer o gyfeillion, yn eu plith Geraint Howells, yr AS Rhyddfrydol wedi hynny, a Gwilym Thomas, prifathro Ysgol Syr John Rhys – 'Rheffyn' oedd ei lysenw yng Ngwersyll Llangrannog. Ganed Syr John Rhŷs, a ddaeth yn Athro Celteg Coleg yr Iesu, Rhydychen, mewn bwthyn digon di-nod rhwng Nant-y-moch a Phonterwyd. Roedd y capel, wrth gwrs, yn bwysig i ni ac yn y capel y cynhelid Eisteddfod Flynyddol Ponterwyd – ac un arbennig o dda oedd hi. Roedd y gymuned yn un groesawgar efo swyddfa bost, dwy garej a gwesty'r George Borrow, lle roedd Bessie Withers yn llywodraethu a lle roedd 'na bryd o fwyd arbennig o dda i'w gael. Perchennog un o'r garejys oedd David Gallimore, fyddai'n cystadlu mewn ralïau ceir. Bûm yn cyd-yrru gydag o deirgwaith yn ralïau'r RAC – gan lwyddo i orffen unwaith a mynd oddi ar y ffordd ddwywaith! Dau o ffrindiau gorau Sheila a minnau oedd Owen Edwards a Shân Emlyn, oedd yn byw yn Aberystwyth, a chaem y pleser o'u cwmni'n gyson. Roedd Owen wrth ei fodd yn dod i bysgota efo mi a rhoi'r byd yn ei le, a byddai'r ddau ohonom yn cyd-yrru mewn ralïau ceir lleol o bryd i'w gilydd. Yn wir, mae gen i gwpan a enillodd y ddau ohonom yn y Rali Fawr ym 1960.

Am y gwaith dyfrdrydan, roedd hwnnw heb ei gychwyn a'r cronfeydd heb eu creu pan aethom ni i fyw i Bonterwyd. Y cynllun, yn syml, oedd fod y dŵr yn y rhan gyntaf o'r cynllun yn llifo o gronfa Nant-y-moch drwy dwnnel i gronfa Dinas – twnnel oedd yn ddigon mawr i yrru bws trwyddo. Gwyddelod oedd y nafis fu'n tyllu'r twnnel a does neb tebyg iddynt am wneud y gwaith caled; yn wir, maent yn enwog yn fyd-eang fel twnelwyr. Gyda'r nos wedyn byddai ymladd ac yfed mawr yn y gwersylloedd a drefnwyd ar eu cyfer, ond roedd yna blismon yn Goginan yn feistr corn arnyn nhw. Ar ôl i'r dŵr droi tyrbeini Dinas byddai'n cael ei ailgronni yng nghronfa Dinas ac yna ymlaen drwy dwnnel arall a siafft i lawr i Bwerdy Cwm Rheidol yng ngwaelod y cwm a throi'r tyrbeini yno cyn ffurfio cronfa Cwm Rheidol. Cynhyrchir trydan yno, hefyd, gan ddefnyddio'r un dŵr am y trydydd tro. Yn yr argae a godwyd i greu cronfa Cwm Rheidol mae 'na lifft – a weithredai ar yr un egwyddor â llifddorau camlesi – i godi'r eogiaid adeg claddu i fyny'r afon a heibio'r tyrbeini. Yr ochr ucha i'r gronfa, ger Rhaeadr y Rheidol, mae ysgol iddyn nhw, fel grisiau i sicrhau y gallant fynd yn uwch i fyny eto i gladdu. Mae afon Rheidol, heddiw, yn cael ei chyfri'n un o afonydd gorau Cymru am sewin ac eogiaid, yn wahanol iawn i'r hyn ydoedd hi adeg y mwyngloddio yn yr ardal.

Pan ddaeth y prosiect i ben, ceisais fy symud eto, y tro hwn ym 1961 i Drawsfynydd, fy hen gynefin, i fod yn rhan o'r tîm â'r gwaith o adeiladu'r atomfa. Roedd tŷ wedi'i godi ar ein cyfer gan y Bwrdd Cynhyrchu Trydan yn Nhalsarnau, tŷ fu'n eiddo i'r fyddin Americanaidd yn wreiddiol, ond heb fod agos cystal â'r un ym Mhonterwyd. Roedd y muriau fel cardfwrdd ac roedd gaeaf 1961 yn un caled a ninnau'n llosgi glo a choed nes bod y tes yn crynu uwchben y tŷ ac adar y greadigaeth yn casglu ar y to fflat i fwynhau'r cynhesrwydd. Yno, ym Mehefin 1962, roedden ni pan anwyd Delyth Haf, ein hail ferch. Rwy'n cofio rhuthro efo Sheila yn y car tua thri o'r gloch y bore i Fangor i'r hen Ysbyty Môn ac Arfon a mam Sheila yn gofalu am Bethan. Mae gweld babi newydd ar ei eni yn cael argraff ryfeddol ar bob un, dybia i – gwyrth yn ddiau yw genedigaeth plentyn. Fe'u symudwyd wedyn i Fryn Beryl, ger Pwllheli, ac yn ôl ac ymlaen o Dalsarnau i Fryn Beryl fuodd hi am ddyddiau wedi hynny. Heddiw, mae mam a'i baban yn gadael yr ysbyty o fewn diwrnod i'r enedigaeth. Bryd hynny cedwid nhw yn yr ysbyty am wythnos neu ddwy. Mae Delyth yn ddarlithydd yn y gymuned yn yr Ysgol Plentyndod Cynnar a weinyddir gan Brifysgol Cymru y Drindod Dewi Sant dan drefniant y Coleg Cymraeg Cenedlaethol.

Yma eto, cefais gyfnod o waith diddorol a heriol – a phrosiect llawer mwy cymhleth nag un Cwm Rheidol. Bellach daeth oes yr atomfa i ben ond mae Cwm Rheidol yn dal i gynhyrchu, er ei fod yn awr yn eiddo cwmni o Norwy. Roedd 40 y cant o ynni Norwy yn y chwedegau yn cael ei gynhyrchu drwy ddyfrdrydan ac mae hynny'n wir yn Awstria hefyd. Yn fy marn i, does dim dewis i ni fel mae pethau ar hyn o bryd ond ehangu'r defnydd o ynni niwcliar. Oes, mae 'na le i felinau gwynt ond mae'n rhaid bod yn ofalus ble i'w rhoi a ble i beidio â'u gosod ac wrth geisio datrys un broblem amgylcheddol rhaid bod yn ofalus rhag creu un arall. Ac os ydym am osgoi cynhyrchu'r nwyon andwyol rhaid troi ein golygon fwyfwy at egni cerrynt y môr a dyfrdrydan gyda'r pwyslais ar ddatblygu gorsafoedd bach na fyddant yn anharddu cefn gwlad fel y gwnaiff melinau gwynt mewn sawl man. Yn fwy na hynny, heb y cymorthdaliadau o'r pwrs cyhoeddus nid yw melinau gwynt yn gynaladwy a'r ffaith ydi na ellir dibynnu arnynt i gynhyrchu trydan pan fo'r angen amdano fwyaf. Fel pobl, mae angen llefydd tawel i ymlacio arnon ni ac os na fyddwn yn ofalus mi fydd y rheini wedi'u hanrheithio. Mae digon o bosibiliadau i harneisio egni'r môr o gwmpas arfordir Cymru – a'r un modd cynlluniau dyfrdrydan gyda'r pwyslais ar orsafoedd bach i ddarparu trydan i gymunedau lleol a gwerthu'r gweddill i'r grid cenedlaethol. Mae Asiantaeth yr Amgylchedd wedi rhoi arweiniad yn hyn o beth a chlustnodi degau o fannau lle gellid datblygu gorsafoedd bach heb amharu ar yr amgylchedd gweledol na harddwch ein broydd. Dylid datblygu rhain mewn mannau sy'n gyfleus i'r grid cenedlaethol heb yr angen am y peilonau hyll sy'n ymestyn ar draws gwlad gan anharddu'r wlad yn fwy fyth. Siawns na welwn adfer y math yma o gynhyrchu trydan fel ag y bu mewn sawl man yng Nghymru flynyddoedd yn ôl.

Problem ynni niwcliar yw'r dadgomisiynu a sut i drin y gwastraff sy'n parhau'n beryglus am ganrif a hanner. Yn ddi-os, mae'r byd gorllewinol yn afrad iawn o'u hynni ac mae'n rhaid datrys y broblem mewn ffyrdd eraill. Mi fuaswn i'n dadlau mai un peth mae'n rhaid ei wneud yw sicrhau bod pob adeilad yn cael ei wresogi yn y modd mwyaf effeithiol posib ac â'r insiwleiddio gorau sydd ar gael. Mae pob un ohonom yn llawer rhy wastraffus yn ein defnydd o drydan yn ein tai. Ac rydym yn tueddu i fod yn ddihitio yn y defnydd a wnawn o ddŵr poeth. Bu pethau'n rhy hawdd ac yn rhy rad i ni am yn rhy hir ac allwn ni ddim parhau yn yr un modd yn y dyfodol. Rhaid i bethau newid os yw'r byd yma i barhau.

Yn Nhrawsfynydd bûm yn cydweithio â bachgen fu yn y coleg efo mi, peiriannydd a cherddor galluog a dyn egsentrig dros ben – y diweddar Norman Hill. Roedd ganddo fferm yn Sir Fôn a byddai'n teithio i'r gwaith oddi yno bob dydd. Byddem yn gweithio oriau hir, hyd at ddeuddeng awr a mwy y dydd, ac ar ddiwedd diwrnod caled o waith byddai Norman yn ein perswadio i ddod gydag o i Eglwys Trawsfynydd i wrando arno'n canu'r organ. Mae'n rhaid dweud y byddai hynny'n donic ar ddiwedd dydd. Y gwir yw, roedd Norman yn athrylith. Yn ddiweddarach, wrth weithio efo mi yn Aliwminiwm Môn, mi sylweddolodd fod maes magnetig sylweddol sy'n nodweddu creu aliwminiwm tawdd yn gallu creu sganiau meddygol o'r math sy'n gyffredin bellach: trefniant lle gellir gweld llun ar sgrîn o'r tu mewn i gorff person. Dyna'r dechnoleg a ddefnyddir gan y peiriant sganio MRI a geir yn ysbytai Cymru heddiw. Gofynnodd am fy nghaniatâd bryd hynny i barhau â'r arbrofion i'r posibiliadau ac fe'i cafodd ar unwaith. Wedi dweud hynny, mae'n ofid mawr i mi na phwysais arno i barhau â'r gwaith a'r weledigaeth a oedd ganddo i fynd â'r gwaith ymhellach. Cyfle wedi'i golli a Norman bellach mewn lle na all na maes magnetig na sganar ei helpu.

Cwestiwn fu'n fy mhoeni dros y blynyddoedd yw faint o fudd mewn gwirionedd fu Atomfa Trawsfynydd i'r gymdeithas yng Ngwynedd, pwnc mae angen ei bwyso a'i fesur yn ofalus. Dychwelais i fy hen ardal a chanfod bod y mwyafrif o 'nghyfoedion ysgol wedi ymadael â'r ardal ac yn gweithio ymhell i ffwrdd, yn athrawon neu beirianwyr, a minnau'n dychwelyd yn ddieithryn i'm hardal fy hun. Dydan ni ddim yn rhoi digon o ystyriaeth i'r cymwysterau fydd eu hangen arnom ymhen pum, deg a phymtheg mlynedd. Dydan ni ddim yn darparu'r addysg briodol angenrheidiol ar gyfer ein pobl ifanc ac mae mewnfudwyr yn dod i lenwi'r swyddi allweddol hyn. Mi ddylsai'r CBI (Cydffederasiwn Diwydiant Prydain), yr undebau llafur, y colegau, Llywodraeth y Cynulliad a chyrff eraill ddod ynghyd i benderfynu pa fath o arbenigedd ac arbenigwyr sydd eu hangen at y dyfodol. Does gynnon ni ddim trefn na gweledigaeth. Dydy'r ysgolion ddim yn paratoi ar gyfer anghenion y gweithle ac yn rhy aml mae'r colegau'n anwybyddu gofynion diwydiant a masnach. Mae angen creu cynllun cyflogaeth i benderfynu pa fath o arbenigedd sydd ei angen arnon ni yng Nghymru.

Yn Iwerddon mi wnaethon nhw newid y cwricwlwm addysg, edrych i'r dyfodol a phenderfynu pa fath o ddiwydiannau roedden nhw eu hangen a mynd i America ac i'r Dwyrain Pell i'w denu. Roedd y Llywodraeth ganolog a'r cynghorau lleol wedi cydweithio i sicrhau bod ganddyn nhw weithlu wedi'i hyfforddi'n briodol ar gyfer y cwmnïau hynny. Yng Nghymru mae pobl ddŵad yn dod i mewn – nid yn unig ym maes diwydiant a masnach ond diwylliant, hefyd – a'r hyn sy'n digwydd yn aml yw eu bod yn dod â'u timau gyda nhw. Gwnânt hyn yn anymwybodol mae'n siŵr, a thebyg y buaswn innau'n gwneud yr un peth â nhw. Ond mae'n andwyol. Mae angen meddygon arnon ni ac rydyn ni'n eu mewnforio nhw – rhai ohonyn nhw heb fedru siarad Saesneg dealladwy heb sôn am Gymraeg. Mae hyn i gyd yn ofid mawr i mi. Siawns na allwn ni wneud yn well i sicrhau'r adnodd dynol gogyfer â'r gofyn o fewn Cymru.

Tua'r adeg honno y sylweddolais mai sipsi proffesiynol o'n

i, yn symud o un prosiect i'r nesaf. Gyda'r teulu bellach yn cynnwys pedwar ohonom, daeth Sheila a minnau i'r casgliad mai callach fyddai i mi edrych am swydd sefydlog. Felly, pan hysbysebwyd swydd Rheolwr Pwerdai Canolbarth Cymru rhoddais gais amdani. Chefais i ddim o'r swydd ond cynigiwyd swydd Dirprwy Reolwr y Pwerdai i mi ac fe'i derbyniais heb betruso eiliad. Ym 1963 felly, symudon ni'n ôl i Geredigion. Roedd Pwerdai Canolbarth Cymru wedi'u canoli yng Nghwm Rheidol, ac yn cynnwys Cynllun Dyfrdrydan y Rheidol, pwerdy diesel Aberystwyth, wrth Bont Trefechan, dau bwerdy ym Machynlleth, un diesel a'r llall yn ddyfrdrydan bach, un diesel yn Nhywyn ac un dyfrdrydan yn Nolgellau. Dyna beth oedd milltir sgwâr broffesiynol na ellid dymuno ei gwell.

Bill Slater oedd y pennaeth a gwnaeth y sefyllfa'n glir. Fo fyddai'r *front man* a 'ngwaith innau oedd creu ac yna cadw y drefn o redeg y systemau mor effeithiol ag oedd yn bosib. Mwynheais fy hun gymaint, gallwn fod wedi aros yn y swydd am weddill fy ngyrfa. Wedi gosod y systemau yn eu lle a sicrhau bod popeth yn gweithio, yr hyn oedd gen i i'w wneud wedyn oedd gofalu bod popeth yn rhedeg yn esmwyth a bod y trefniant cynnal a chadw'n gweithio'n effeithiol. Swydd ardderchog a chriw o weithwyr rhagorol a braf, ymhob un o'r pwerdai.

Rwy'n cofio'n dda ymweld ag un o'r pwerdai ym Machynlleth am y tro cyntaf, criw direidus a Chymry Cymraeg bob un. Croeso mawr ac mi gynigiwyd panad, a hwnnw'n dod mewn myg mawr. Ymhen ychydig sylweddolais fod fy nhrywsus yn gwlychu a bod y coffi'n diferu allan o'r myg. Roedd y cnafon wedi drilio twll bychan, taclus, yng ngwaelod y myg, llenwi'r twll â sebon ac wrth i wres y coffi doddi'r sebon roedd y coffi'n diferu allan. Chwerthin mawr ar ôl canfod 'mod i'n medru cymryd jôc. Y criw'n dod allan i ffarwelio â mi wedyn, a mewn â mi i'r car. Ond wnâi'r car ddim symud! Roedden nhw wedi jacio cefn y car i fyny y mymryn lleiaf oddi ar y ddaear a rhoi bricsen dan yr echel. Daethom yn ffrindiau mawr, yn gweithio fel tîm heb drafferth yn y byd. Dysgais nad oes, ac na ddylai fod, unrhyw wahaniaeth rhwng gweithwyr pa swydd bynnag sydd ganddynt. Tra bod pawb yn gwneud eu gwaith hyd eitha'u gallu maen nhw cystal â'i gilydd yn fy ngolwg i. Gwelais ormod o rai ar ôl eu penodi i swydd uchel yn tybied eu bod yn well na phawb arall.

Roedd hi'n ofynnol i ni brynu tŷ am y tro cyntaf ac wedi chwilio'r ardal o gwmpas Aberystwyth penderfynwyd ar dŷ yn Llan-non, i'r de o'r dref. Y cwestiwn mawr oedd sut i dalu amdano. Bûm yn aelod o Gymdeithas Bysgota Aberystwyth a'r Cylch wrth weithio ar brosiect adeiladu cynllun y Rheidol a deuthum yn gyfeillgar â rheolwr Banc y Midland. Felly dyma alw i ofyn am ei gyngor. 'Prynu tŷ? Y peth calla wnei di byth. Faint wyt ti'n mo'yn?' medda fo, a minnau'n dweud fod y tŷ'n costio £2,700 a bod gynnon ni – fel y gwyddai'n iawn – ryw £400 wedi'i gelcio. 'Gwell i ti gael benthyciad o £2,600,' mynta fo. 'Mi fydd Sheila isie carped a chyrtens a phethe fel'ny.' 'Ond 'dwyt ti ddim wedi gweld y tŷ,' meddwn innau. 'Os yw e'n ddigon da i ti, mae hynny'n ddigon da i fi,' atebodd. Arwyddwyd y cytundeb a benthyciwyd yr arian imi yn y man a'r lle. Roedd bancio a phrynu tŷ yn dra gwahanol bryd hynny. Felly y daethom ni i fyw i Dŷ Peris yn Llan-non. Dyma un o bentrefi hyfrytaf Ceredigion – dau gapel ac eglwys, dwy dafarn, pobydd, cigydd, swyddfa bost a llyfrgell lle byddai pobl yn mynd bob dydd i ddarllen y papur a'r cyfan mewn un stryd ar lan y môr yng nghanol pobl hyfryd Sir Aberteifi. Yn brifathro'r ysgol roedd fy hen gyfaill o ddyddiau Gwersyll Llangrannog a Phonterwyd, Gwilym Thomas, oedd bellach wedi symud o fod yn brifathro Ysgol Syr John Rhys i Lan-non. Buan iawn y daethom yn rhan o gymdeithas gartrefol y pentref. Mae'r storïau am y Cardis a'u tueddiadau o fod yn berchen pocedi dwfn a breichiau byr yn ddiarhebol, ond yn fy mhrofiad i maent yn hael a chroesawgar.

Roedd trefniant bryd hynny i swyddogion y Bwrdd Cynhyrchu Trydan Canolog dreulio cyfnod mewn gwlad dramor i weld sut roedd awdurdodau cynhyrchu trydan yn gweithio mewn gwledydd eraill, fel bod y diwydiant a'r unigolion yn elwa o'r profiad. Ymysg y dewis roedd yr Unol Daleithiau, Japan, Ffrainc, Yr Almaen a Sweden. Roedd hi'n ofynnol bod gan y sawl a gâi ei ddewis rywfaint o iaith y wlad y byddai'n ymweld â hi. Yr Unol Daleithiau oedd y dewis poblogaidd gan nad oedd unrhyw anhawster ieithyddol. Roedd nifer go lew am fynd i Ffrainc, gan fod rhyw grap ar yr iaith gan amryw, ac felly hefyd yr Almaen. Dwi ddim yn meddwl i neb wneud cais i fynd i Japan. Penderfynais roi cynnig ar Sweden gan dybio y buasai'r gystadleuaeth am gael mynd yn fach ac y byddai gen i siawns go dda o gael fy nerbyn i fynd yno. Gweithiais yn ofalus ar fy nghais, gan esbonio'n drwyadl sut y buaswn i'n bersonol a'r Bwrdd Cynhyrchu Trydan fel corff yn elwa o fy ymweliad. Heb amheuaeth, roedd yn gais trylwyr ac yn y man cefais wahoddiad i gyfweliad yn Llundain gerbron aelodau o'r Cyngor Trydan. Roedd tua dwsin yn bresennol, dynion bob un, a bûm yn trafod fy nghais yn fanwl gyda'r Cadeirydd. Roedd pethau'n mynd yn dda, yn dda iawn, ac yn y man trodd y Cadeirydd at weddill yr aelodau gan awgrymu eu bod yn siŵr yn cytuno bod fy ngwaith ymchwil yn rhagorol. Yna meddai: 'Yr ydych yn ymwybodol fod rhaid wrth rywfaint o wybodaeth o'r iaith Swedeg ac yr ydych wedi nodi pwysigrwydd hynny yn eich cais. Mae ein Cyfarwyddwr Hyfforddi ac Addysg yn bresennol ac mi gewch sgwrs fach rŵan yn Swedeg gydag o.' Roeddwn i wedi bwriadu trio dysgu peth o'r iaith ond heb fynd ati a'r gwir oedd na wyddwn i ddim gair ohoni felly teimlwn fy hun yn dechrau chwysu a chochi. Cefais eiliadau o banics. Y peth nesaf a glywais oedd y dyn yn fy nghyfarch yn Gymraeg – a Chymraeg Sir Feirionnydd! 'Gwranda'r diawl bach, rwy'n ama a fedru di ddweud gair yn yr iaith rydan ni fod i siarad ynddi a chan nad oes neb ar y Bwrdd yma'n medru'r iaith honno na'n iaith ni'n dau, mi gawn ni sgwrs fach yn ein hiaith ni ein hunain. A phaid â swnio'n rhy rugl,' meddai. Roedd y sioc yn gymaint fel nad oedd angen i mi gogio'r atal dweud. Ymhen ychydig trodd y Cadeirydd at y Cyfarwyddwr Hyfforddi. 'Rwy'n tybio eich bod yn medru cyfathrebu'n iawn?' 'Yn berffaith,' atebodd hwnnw, oedd yn wir bob gair wrth gwrs. Wrth i mi ymadael daeth allan ar fy ôl a gwnaeth i mi addo y gwnawn ymdrech i ddysgu Swedeg tra byddwn i yn y wlad. David Williams oedd ei enw, yn enedigol o Ddolgellau, ond welais i byth mohono wedyn.

Ym 1966 euthum i Sweden a chedwais fy addewid drwy wneud pob ymdrech i ddysgu'r iaith, a threfnu gwers awr i mi fy hun y peth cyntaf bob bore. Enw fy athro oedd Bjorn Isberg – enw a olygai, o'i gyfieithu, arth y mynydd iâ, neu *polar bear*. Rhyfedd o beth yw enwau. Peth rhyfedd, hefyd, yw'r modd mae pobl yn ymateb i chi pan ddangoswch barch i'w hiaith. Awn allan i grwydro yn fynych gan ofyn i bobl: 'Ursäkta, var är snabbköpet, vänligen?' (Esgusodwch fi, ble mae'r archfarchnad, os gwelwch yn dda?) Gan na fyddwn yn deall yr ateb fel arfer byddwn yn gorfod gofyn iddyn nhw siarad yn araf. Ond roedd y ffaith imi ddangos awydd i ddeall ac ymddiddori yn eu hiaith yn aml iawn yn arwain at wahoddiad i'w cartrefi. Roedden nhw'n union fel ni'r Cymry, yn ymfalchïo bod pobl am ddysgu eu hiaith. Mi lwyddais i'w dysgu yn bur dda, ac ugain mlynedd yn ddiweddarach cefais wahoddiad gan fachgen ifanc o Sweden, Anders Hedlund, i fod yn Gadeirydd International Greetings Plc, cwmni a sefydlodd yn Ystrad Mynach ac sydd bellach wedi ehangu dros y byd.

Yn Sweden yr oeddwn dan ofal y Kungliga Vattenfallstyrelsen, Bwrdd y Rhaeadr Brenhinol, corfforaeth wladoledig cynhyrchu trydan Sweden. Treuliais gyfnod gwerthfawr yno, yn cychwyn yn y de cyn symud i'r gogledd uchaf gan aros yn Porjus, tu hwnt i gylch yr Arctig. Rwy'n hoffi meddwl i fy ymweliad fod o fudd i'r gorfforaeth, hefyd, heblaw'r pleser a gefais o grwydro gwlad arall. Mabwysiadwyd un o'r systemau gweithio a welswn yno gan Bwerdy Maentwrog yn ddiweddarach ac fe'i defnyddir yno o hyd. Cefais y cyfle i ddychwelyd i Sweden droeon, weithiau i brynu offer peirianyddol ar gyfer prosiectau eraill. Mi fyddwn yn tynnu coes y trigolion drwy gwyno ei bod hi'n dywyll drwy gydol y gaeaf ac eich bod yn cael eich bwyta'n fyw gan wybed yn yr haf. Eu hateb nhw fyddai nad oedd dim gwybed yn y gaeaf a'i bod hi'n olau am bedair awr ar hugain bob dydd yn yr haf. Pobl y gwydr hanner llawn. Dyma wlad y Sami â'u gwisgoedd lliwgar, y bobl grwydrol sy'n rhydd i deithio tu hwnt i gylch yr Arctig ar draws Norwy, Sweden, y Ffindir a phenrhyn Kola yn Rwsia.

Tua diwedd fy nghyfnod yn Sweden, daeth Sheila trosodd gyda Bethan, oedd yn saith oed, a Delyth yn bedair, i aros gyda mi am ychydig a llogais fwthyn haf ar ein cyfer i'r de o Stockholm. *Sommer Stuga* (tŷ haf) neu *Fritishus* (tŷ amser hamdden) ydy'r enwau a roddir ar dai haf yn Sweden ac enwau addas ydyn nhw oherwydd mae'r brodorion yn hoff o dreulio'u hamser hamdden yn y wlad. Ni fedrai perchnogion y bwthyn air o Saesneg ac roedd y plant yn rhyfeddu 'mod i wedi dysgu digon o'r iaith i gyfathrebu gyda nhw. Cawsom wahoddiad i de yn eu cartref a'r bwrdd yn llwythog o wahanol gacennau. Roedd Bethan a Delyth, fel y gallasech feddwl, yn rhyfeddu wrth weld cymaint o ddanteithion. Rhoddais siars iddyn nhw ei bod hi'n arferiad bod yn rhaid i'r rhai a wahoddwyd brofi o leiaf un gacen o bob math – neu buasem yn pechu. Buan iawn y dysgodd Bethan a Delyth ddweud 'Tack' (diolch) a hyd yn oed 'Tack så mycket' (diolch yn fawr) ac roedd hynny'n plesio'n cyfeillion newydd yn fawr iawn. Bu'r cyfnod efo'r teulu yn Sweden yn gyfnod o ymlacio a hamddena, gorweddian ar draethau braf heb nemor neb arall i'w gweld. Roedd y pedwar ohonom ni wedi rhyfeddu at yr Amgueddfa Werin arbennig yn Skansen fu gymaint o ddylanwad ar Iorwerth Peate, a'r ysbrydoliaeth iddo sefydlu Sain Ffagan. Hwn oedd y gwyliau tramor cyntaf i ni ei gael fel teulu ac mi fydd Sheila a minnau'n aml yn edrych ar y lluniau a dynnwyd ar ein taith o amgylch de Sweden.

Ond ym 1969 daeth yn amser imi symud unwaith eto.

Cefais ymweliad gan Ddirprwy Bennaeth Rhanbarthol y Bwrdd Cynhyrchu Trydan, Jim Evans, a'i neges oedd, 'Yli, rwyt ti'n gwastraffu d'amsar yma, rydw i am i ti fynd i Bwerdy Cei Connah am flwyddyn neu ddwy.' Roedd yn amlwg am ehangu fy mhrofiad drwy fy anfon i bwerdy a gynhyrchai drydan trwy losgi glo, ac felly bu. Er yn drist, mi werthwyd Tŷ Peris yn ddidrafferth heb fynd drwy unrhyw asiantaeth dai. Anfonais fanylion a disgrifiad gonest ohono i sefydliadau lle gweithiai pobl oedd yn debygol o fod yn chwilio am dŷ – y Brifysgol, y Llyfrgell Genedlaethol, yr Heddlu, y Cyngor Sir a Choleg y Llyfrgellwyr – ac ymhen dim fe'i prynwyd gan Gofrestrydd Coleg y Llyfrgellwyr. Ddwy flynedd yn ôl roedd Lowri a Sean, plant Delyth, wedi perswadio Sheila a minnau i fynd ar daith o gwmpas Cymru i ddangos iddyn nhw y mannau hynny oedd yn bwysig i ni. Mae'n dda dweud mai Cymry Cymraeg a chanddynt deulu ifanc sy'n byw yn Nhŷ Peris heddiw.

# PENNOD 5

# Gormod o Gymro
# a heglu am Fôn

GADAWSOM GEREDIGION GAN wybod y byddem â hiraeth gwirioneddol am Lan-non a mynd i fyw i'r Wyddgrug. Yno i Ysgol Glanrafon aeth Bethan a Delyth. Nid dyma gyfnod hapusaf ein bywydau, er bod y gwaith yn arbennig o ddiddorol. Daeth tad a mam Sheila i fyw atom, a mam Sheila'n dihoeni a marw o gancr o flaen ein llygaid. Roedd hyn yn brofiad affwysol o drist. Roeddwn yn ymwybodol fy mod, er nad oeddwn ond 36 oed, yn nesáu at fod yn bennaeth ar fy mhwerdy fy hun – dyna, mae'n debyg, yw un o'r swyddi a rydd fwy o fwynhad i beiriannydd na'r un arall. Mae pennaeth pwerdy yn arglwydd ar ei stad. Ac roedd hi'n amlwg mai dyna oedd ar y trothwy. Roeddem yn gyfeillion personol i Jim Evans a'i wraig a phan ddaeth gwahoddiad i Sheila a minnau fynd atyn nhw am swper un noson mi wyddwn fod rhywbeth ar dro. 'Dyma ni ar y ffordd eto,' meddwn i wrth Sheila. Rwy'n cofio'r noson yn iawn, 24 Gorffennaf 1969, y dydd y dychwelodd yr Americanwyr o'r lleuad.

Wedi swper, dyma Jim yn awgrymu y dylai'r merched encilio i stafell arall am ein bod ni'n dau am drafod busnes. Dyma fo'n dechrau canmol fy ngwaith, eu bod nhw'n disgwyl pethau mawr gen i, a dyma fo'n rhestru'r pwerdai fyddai angen pennaeth yn fuan. Roedd yn cynnig dewis o dri i mi – Ince A ger Ellesmere Port a Fiddler's Ferry rhwng Widnes a Warrington. Fedra i ddim cofio enw'r llall. 'Trueni nad oes yna ddim byd yng Nghymru,' meddwn innau. 'O, chei di byth bwerdy yng Nghymru,' meddai. 'Rwyt ti'n ormod o Gymro wrth ymwneud ag eisteddfodau a mudiadau cenedlaethol. Mae dy yrfa'n datblygu'n ardderchog, ond petai rhyw anghydfod diwydiannol, gallai dy ymlyniad wrth weithgareddau o'r fath achosi problemau.' Mi wylltiais i'n gacwn. 'Dach chi ddim yn fy nallt i o gwbwl. Os mai dyna'ch barn chi ohono i, mi fydda i'n ymddiswyddo fory.' Galwais ar Sheila a dweud 'Ty'd, dan ni'n mynd adra rŵan!' Doedd hithau ddim yn deall beth oedd wedi digwydd.

Roedd fy nhad yn gandryll pan glywodd o, ond aeth y tri mis o notis i mewn trannoeth – gweithredu'n fyrbwyll eto! Mae'r copi o'r llythyr gen i o hyd. Fedrwn i ddim deall bod gan gorff fel y Bwrdd Cynhyrchu Trydan gyn lleied o ddirnadaeth ohonof i a'r hyn roeddwn i'n sefyll trosto. Chwarae teg, roedd Sheila yn gefnogol, fel mae hi wedi bod drwy'r holl flynyddoedd, er dwi'n siŵr ei bod wedi poeni am ein dyfodol efo dwy ferch i'w cynnal.

Dechreuais gynnig am swyddi ac o fewn deufis cefais gynnig un gan gwmni Rio Tinto Zinc, yn Rheolwr Peirianyddol ar y gwaith o adeiladu Aliwminiwm Môn, ger Caergybi; gellwch fentro, mi dderbyniais y cynnig ar f'union. Bu cychwyn ar y gwaith yng Nghwm Rheidol ym 1959 yn dro mawr yn fy mywyd ac yn awr, ddeng mlynedd yn ddiweddarach, dyma fi ar drothwy cyfnod pwysig arall yn fy mywyd a ninnau fel teulu yn gorfod ymgartrefu mewn ardal ddieithr arall, ond o leiaf roedd hi yng Nghymru. Roedd tri chwmni yn cydweithio ar y prosiect hwn – RTZ, Kaiser Aluminum & Chemical Corporation o Oakland, Califfornia, a chwmni ceblau BICC. Prosiect cyffrous felly. Y fi oedd yn cynrychioli RTZ ar faterion peirianyddol ac yn cydweithio'n agos â rheolwr peirianyddol Kaiser, a oedd yn gyfrifol am adeiladu'r smeltar ac yn darparu'r dechnoleg. Ar yr un pryd ag roedd y gwaith adeiladu'n mynd rhagddo, roedd yn rhaid i'r cwmni greu strwythur i redeg y gwaith. Er tegwch, roedd y cwmni'n awyddus i gyflogi hynny fedrent o bobl Môn ac mae'n deg dweud i hynny ddigwydd. Fel rhan o'u hyfforddiant, anfonwyd gweithwyr o Fôn allan i Ghana, lle roedd gan Kaiser waith tebyg i'r hyn oedd yn yr arfaeth ar gyfer Môn. Bûm i fy hun allan yno droeon gyda nhw. Yr hyn a'm synnodd oedd ei bod yn gymharol hawdd dysgu sgiliau newydd i weithwyr, dim ond sicrhau'r dull pwrpasol o wneud hynny, ac mi drefnwyd hynny yn effeithiol gan Lyn Ebsworth, Rheolwr Personél y cwmni newydd. Cymro Cymraeg o gyrion Rhydaman oedd Lyn â phrofiad helaeth ganddo yn Asiantaeth Atomig Prydain Fawr. Beth odia fawr, roedd tad Sheila wedi bod yn ei ddysgu yn Ysgol Dyffryn Aman. Sdim dwywaith, mae Cymru'n wlad fach! Cwmni o Aberafan, Andrew Scott Cyf., fu'n gyfrifol am y gwaith sifil a Chyfarwyddwr Rheoli'r cwmni oedd Cymro Cymraeg o'r enw Geraint James, a daethom ni a'n teuluoedd yn ffrindiau agos dros y blynyddoedd. Fi gafodd y gorchwyl trist o dalu'r deyrnged olaf iddo rai blynyddoedd yn ôl.

Mewn dwy flynedd llwyddwyd, drwy weithio oriau hir, i adeiladu'r gwaith ac addysgu staff i'w redeg. Mi wnaed hynny mewn ardal heb fawr o draddodiad diwydiannol. Daeth pwerdy niwcliar Wylfa i fodolaeth ychydig cyn Aliwminiwm Môn, ond yr unig draddodiad o waith diwydiannol mawr ar yr ynys oedd porthladd Caergybi a'r trenau. Eto, llwyddwyd i sefydlu gwaith enfawr ac addysgu'r gweithlu a chreu cymuned gartrefol o weithwyr effeithlon. Mi fu, wrth gwrs, ddiwydiant mawr ar yr ynys yn y bedwaredd ganrif ar bymtheg, sef gwaith copr Mynydd Parys a ddaeth i ben cyn 1900. Eto, mae yna gysylltiad diddorol rhwng RTZ a Mynydd Parys sy'n werth cyfeirio ato. Ar un adeg, Mynydd Parys ac Abertawe fyddai'n rheoli pris copr ledled y byd, ac mae afon Goch yn llifo i'r môr yn Amlwch, sef hen borthladd y gwaith copr. Pan edwinodd y mwyngloddio am gopr ym Môn, y gwaith a'i disodlodd oedd un yn Sbaen, lle roedd yna afon goch arall – Rio Tinto. A'r cwmni Rio Tinto hwnnw oedd egin y cwmni Rio Tinto Zinc ddaeth i Fôn ym 1969. Heddiw, mae yna gwmni sy'n cloddio am arian ar safle Mynydd Parys ac, fel dwi'n deall, yn llwyddo'n eithaf da.

Roedd gan Aliwminiwm Môn agwedd a pholisi cwbl wahanol i'r Bwrdd Cynhyrchu Trydan, gan ein bod ni'n awyddus dros ben mai Cymry fyddai'n rhedeg y gwaith. Eric Stephens, Cymro di-Gymraeg, oedd y Pennaeth; David Lloyd Hughes (brawd Cledwyn Hughes, Arglwydd Cledwyn o Benrhos wedi hynny) oedd y Rheolwr Gweinyddol, Des Eadie, Cymro di-Gymraeg, oedd y Rheolwr Cyllid; Lyn Ebsworth, y cyfeiriais ato eisoes, oedd y Rheolwr Personél, a minnau. Hefyd, roedd dau Sais, John Adams a Don Hamilton, oedd yn hoff iawn o Gymru, yn ddringwr brwd ac a ddaeth yn Rheolwr Gyfarwyddwr y cwmni maes o law. Roedd yn dîm ardderchog â phawb yn cyd-dynnu'n ddidrafferth, ac er bod y gwaith yn drwm cawsom, hefyd, lawer o hwyl. Roedd yn orchest fawr, adeiladu a sefydlu gwaith a hyfforddi mil o weithwyr i'w redeg mewn cwta ddwy flynedd. Heblaw yr hyfforddiant a'r profiad a drefnwyd yn Ghana o bryd i'w gilydd, byddem yn trefnu cyrsiau yng ngwesty'r Royal Goat ym Meddgelert. AA, yn sefyll am Anglesey Aluminium, oedd ar y stafell ymgynnull ac wedi cinio un noson, a ninnau wedi ailymgynnull yn y stafell efo bar ein hunain, mi es allan am rywbeth neu'i gilydd a dyma ymwelydd o ddynes yn dweud, 'I do admire Alcoholics Anonymous!' Ychydig a wyddai. Mi ddylsai rhywun sgrifennu hanes sefydlu Aliwminiwm Môn oherwydd crëwyd patrwm o sut y gellid dod â gwaith i mewn a hyfforddi gweithlu ardderchog ac effeithiol mewn byr amser.

Rwy'n cofio meddwl am y math o weithwyr roedd ei angen arnon ni yn yr adran beirianyddol – crefftwyr peirianyddol yn ddi-os, a does neb gwell i'w cael na rhai wedi'u hyfforddi yn y chwarel, ffitars oedd yn ffitars go-iawn. Doedd 'na ddim B&Q i'w gael ac mi wnâi ffitars chwarel unrhyw beth oedd ei angen. Es i fyny i Flaenau Ffestiniog a gosod fy siop gyflogi yn y Queen's. Medrwn gynnig cyflog da, tipyn uwch na'r hyn oedd ar gael yn ardal y Blaenau, tŷ cyngor ar rent rhesymol ym

Môn, £500 ar gyfer carpedi a chyrtans a'r holl gostau symud – dyna oedd ar gynnig. Daeth llu draw am sgwrs a hel atgofion ac mi brynais ddau, dri, os nad mwy o beintiau iddyn nhw i gyd. Ond roedd digon at eu gofynion nhw ar y dôl, mae'n debyg, gyda'r wraig yn gweithio yn Woolworth a rhent y tŷ yn nesaf peth i ddim. Un yn unig, o Faentwrog, y llwyddais i'w ddenu i Fôn. Trist oedd gweld diflaniad yr ethig gwaith ac yn anffodus dyna'r stori mewn sawl man yng Nghymru lle na fu i hyd at dair cenhedlaeth erioed weithio. Ond daeth nifer dda i fyny o'r De, bechgyn a chanddyn nhw brofiad o weithio yn y gweithfeydd dur, a buan iawn roedden nhw wedi ymgartrefu'n hapus ar yr ynys. Daeth un, maes o law, yn faer Caergybi. Awyrgylch Gymraeg a Chymreig a ddatblygodd yn y gweithle – ac er ei bod yn gymdeithas gosmopolitan, Cymraeg oedd iaith rhan helaeth o'r gweithlu.

Cafwyd problemau technegol dychrynllyd ar y dechrau. Rwy'n cofio cael galwad ffôn fod y lle ar dân a'r aliwminiwm tawdd yn llifo. Roedd nifer o Americanwyr trosodd ar y pryd a llwyddwyd i ddiffodd y tân drwy dywallt tunelli o bowdwr aliwminiwm ocsid ar y tân a'r metalau oedd yn toddi gan eu hamddifadu o ocsigen. Bu'r gost o ddiffodd y tân ac ailadeiladu yn anferthol ac mi ddaethon ni i sylweddoli nad oedd y dechnoleg heb ei beiau, ond llwyddwyd i oresgyn y problemau a bu'r gwaith yn fodd cynnal tair cenhedlaeth o bobl Môn.

Ymhen amser, cefais fy nyrchafu'n Ddirprwy Gyfarwyddwr Rheoli Aliwminiwm Môn, ac yn atebol i Fwrdd Rio Tinto Zinc. Cadeirydd RTZ oedd Syr Mark Turner, pysgotwr brwd fel finnau a llawer min nos pan fyddai Syr Mark ym Môn, bu'r ddau ohonom yn pysgota ar Lyn Llygeirian – lle gwirioneddol wych i lwyr ymlacio. Aelod arall o'r Bwrdd oedd yr Arglwydd Eddie Shackleton a fu'n Gadeirydd uned yn archwilio economi'r Malfinas. Roedd yn fab i'r enwog Syr Ernest Shackleton, archwiliwr yr Antarctig. Aelod arall oedd yr Arglwydd Wilfred Brown y cyfeiriais ato eisoes, awdur y gyfrol *Exploration in Management* a gweithiau eraill a fu'n gymaint o ddylanwad arnaf. Yr argraff a gefais oedd fod y tri'n aelodau pybyr o'r Blaid Lafur – bu Eddie Shackleton yn Aelod Seneddol Llafur wedi'r rhyfel. Don Hamilton, y Rheolwr Gyfarwyddwr, a Des Eadie, y Cyfarwyddwr Ariannol, a minnau oedd aelodau gweithredol y Bwrdd ac yn y cyfnod hwn dysgais lawer am sut i reoli bwrdd o gyfarwyddwyr, profiad a fu'n fuddiol iawn imi wedi hynny yn Gadeirydd Dŵr Cymru.

Yn ystod fy nghyfnod yn gweithio i Aliwminiwm Môn, buom yn byw ym Mhont-rhyd-y-bont – neu 'Pontrhypont' i'r bobl leol – ar Ynys Cybi. I ddechrau, i Ysgol Gynradd Rhoscolyn yr âi'r merched ac wedyn i Ysgol Uwchradd Caergybi, yr ysgol gyfun gyntaf yng Nghymru a Lloegr. Roedd y cyfnod prifio yn gyfnod pwysig i Bethan a Delyth, yn enwedig o gofio iddyn nhw symud o un ysgol i'r llall bob dwy flynedd cyn hynny, ond fel plant Sir Fôn maen nhw'n eu hystyried eu hunain, fel y gallasech feddwl. Mae gan drigolion Môn eu hiaith unigryw eu hunain. Mi fyddai pobl yn gofyn i mi byth a hefyd, 'Sut ma'r hogiau?' A minnau'n ateb nad oedd hogiau gynnon ni, dim ond dwy ferch. Ond 'hogiau' ydi bechgyn a genod i bobl Môn. Ac mae rhyw fath o synnwyr yn y peth – onid 'hogiau' yw lluosog 'hogan' a 'hogyn'? Mi fyddan nhw wedyn yn sôn am hogyn wedi mynd i'r môr. 'Mae o wedi mynd yn fani washman, wsti.' Mi ddeuthum i ddeall maes o law mai 'Man o' Warsman' oedd 'mani washman' a bod yr hogyn yn y Royal Navy, a hwnnw'n lluosogi'n daclus i 'mani washmyn'! 'Morwr' oedd rhywun oedd yn y llynges fasnach a fysa nhw byth yn dweud eu bod nhw'n mynd i Lerpwl ond i 'Nerpwl' – sef yr hen enw Netherpool, er yn fwy cywir yr enw am Ellesmere Port.

Ym Mhontrhypont mae 'na fewnfor go fawr, ac ar hwnnw roedd gen i gwch hwylio bach. Byddai Bethan a Delyth a minna yn cael hwyl di-ben-draw yn ei hwylio ar y mewnfor. Gwrthod wnâi Sheila, does ganddi fawr i'w ddweud wrth ddŵr, ond mi suddodd y *Cwîn Meri* a finna ar ei bwrdd a'r merched yn eu dyblau ar y lan gan imi fod yn ddigon call i fynd â nhw i'r lan pan ddechreuodd y cwch gymryd dŵr.

Er ei bod hi'n gyfnod o waith prysur, cefais sawl profiad digon doniol yn yr ardal. Roedd glanfa arbennig gan Aliwminiwm Môn yng Nghaergybi ac mi fyddai deunydd crai aliwminiwm – powdwr gwyn yr aliwminiwm ocsid – yn cael ei gario ar system o feltiau drwy dwnnel o'r porthladd i'r gwaith. Dadlwythid y powdwr o'r llongau gan sugnwyr enfawr. Pan gychwynnwyd ar hyn doedd y trenau ddim yn rhedeg i Gaergybi, yn dilyn tân Pont Britannia ym 1970, a phobl yn dechrau dod i arfer â chyfnod mwy tawel yn y dref. Gan fod y powdwr yn cael ei sugno gan beiriant tebyg i *vacuum cleaner* enfawr ddydd a nos, roedd 'na dipyn o sŵn fel y gallech feddwl a rhai pobl yn naturiol yn cwyno. Cafwyd gwahoddiad, oedd yn debycach i orchymyn, i roi cyflwyniad i'r cyngor lleol a bûm yn cyflwyno ein hachos iddynt gan egluro bod trefniant ar waith i leihau'r sŵn. Rhoddwyd cynigion gerbron – fod y Cyngor yn caniatáu inni barhau i sugno'r powdwr ddydd a nos, neu ein bod yn cael gorchymyn i beidio â sugno yn ystod y nos. Pan ddaeth yn bleidlais, sylwais ar gynghorydd wrth fy ymyl yn codi ei law dros ein hatal, ac yna'n codi ei law eto i bleidleisio dros ganiatáu inni barhau â'r gwaith. O ychydig cawsom ganiatâd i barhau i sugno ddydd a nos ond i ni fwrw 'mlaen ar frys i dawelu'r sŵn. Wrth fynd allan cefais air â'r cynghorydd oedd wedi pleidleisio dros ac yn erbyn y cynnig a holi pam y gwnaeth hynny. 'Fydda i byth yn licio pechu'n erbyn neb, wchi!' oedd ei ateb.

Deuthum yn ffrindiau ac yn edmygwr mawr o'r diweddar Cledwyn Hughes, Aelod Seneddol yr ynys. Dyna ŵr a wnaeth ddiwrnod mawr o waith dros Gymru a bu wrthi'n ddiflino hyd ddiwedd ei oes. Arferwn fynd yn gyson i bencadlys RTZ yn Llundain ar fore Llun a chawn gwmni Cledwyn Hughes yr holl ffordd i Lundain. Mi ddysgais lawer yng nghwmni'r dyn hynaws hwn. Ym Mangor byddai'r cogydd yn dod ar y trên a chaem frecwast braf gyda'n gilydd a chyfle i sgwrsio a rhoi'r byd yn ei le. Un bore, a ninnau newydd adael Bangor, daeth y gard atom yn ymddiheurol iawn a dweud wrth Cledwyn, oedd yn fawr iawn ei barch gan bawb, fod y cogydd heb ddod ar y trên ac na fyddai brecwast y bore hwnnw. 'Ydi'r bwyd yna?' holodd Cledwyn. 'Ydi,' atebodd y gard. 'O, mi wnaiff John goginio brecwast iawn i ni,' meddai Cledwyn. Doedd dim posib gwrthod a hynny fu, ond yn anffodus treiddiodd yr aroglau drwy ran o'r trên ac eraill yn holi am fwyd ond gwrthodais yn bendant wneud brecwast i neb ond Cledwyn a minnau. Arferai Cledwyn sôn yn aml a chael hwyl fawr am y digwyddiad hwnnw gan ddweud petawn yn cael fy niswyddo mi wnawn *chef* digon da! Ym 1974 dyma ni'n symud fel teulu i fyw i Drearddur, drws nesaf ond tri i Cledwyn. Safai Glasfryn ar fan gogoneddus â golygfa odidog dros y môr a thraeth claerwyn hanner canllath o'r drws ffrynt. Arferai Sheila a Jean, gwraig Cledwyn, fynd â'r cŵn am dro gyda'i gilydd aml i fore a dwi ddim yn amau y byddai'r ddwy yn cymharu pa mor aml y byddai eu gwŷr oddi cartref. Roedd o'n lle braf, ac yn ystod y gwyliau byddai plant yr ardal yn ymgasglu yn ein tŷ ni i gael lemonêd a oedd wastad ar gael yng Nglasfryn – llawer ohonyn nhw'n blant pobl ar wyliau, am a wn i.

Gweithio oriau hir oedd y drefn i sicrhau bod y smeltar yn gweithio. O bryd i'w gilydd byddai'n ofynnol i mi fynd i'r Almaen, Seland Newydd neu Ghana lle roedd smeltars tebyg, neu i Galiffornia lle roedd pencadlys Kaiser Aluminum & Chemical Corporation. O edrych yn ôl, dwi'n difaru na chefais fwy o amser i dreulio gyda'r plant pan oedden nhw'n tyfu. I Sheila mae'r clod iddyn nhw dyfu'n ferched ardderchog. Y gwir yw, roedden ni'n byw mewn cymdeithas bur anarferol. Roedd llu o Americanwyr o gwmpas yng nghyfnod sefydlu'r gwaith i sicrhau bod y dechnoleg yn gweithio, ac roedden nhw wrth eu boddau'n trefnu partïon. Tua 1972, yn y partïon hynny, y clywson ni gyntaf am *cheesecake*, oedd yn boblogaidd iawn gan yr Americanwyr. Mae'n gas gen i'r gacen yna hyd heddiw.

Rhyfedd fel y gall rhywun wneud ffrindiau da â phobl drwy gysylltiadau gwaith. Deuthum yn gyfaill personol, a'n teuluoedd yn ffrindiau agos, i Ron Rhody, Is-Lywydd Corfforaethol Kaiser Aluminum & Chemical Corporation a'r gŵr â chyfrifoldeb am gysylltiadau cyhoeddus a hysbysebu'r cwmni. Daeth wedi hynny yn Is-Lywydd Gweithredol y Bank of America Corporation â chyfrifoldeb am gyfathrebu corfforaethol a materion allanol. Mwynheai ymweld â Chymru a byddai'n mynnu galw ei hun yn Rhodri pan fyddai gyda ni. Daethom yn gyfeillion agos a bu Kim, ei ferch hynaf, yn aros gyda ni yn Sir Fôn a threuliodd Bethan amser gyda'i deulu o yng Nghaliffornia.

Pan ddeuai i Gymru byddwn yn mynd ag o o gwmpas y wlad ac yn aml i Gaerdydd i weld gêm rygbi, ac roedd hynny'n rhoi pleser mawr iddo. Byddwn bob amser yn trio mynd ag o ar hyd ffyrdd gwahanol fel ei fod o'n cael cyfle i weld Cymru gyfan. Newyddiadurwr oedd o wrth ei alwedigaeth a bu'n ohebydd chwaraeon, yn ddarlledwr a gohebydd gwleidyddol cyn symud i fyd cysylltiadau cyhoeddus. Roedd hefyd yn awdur llyfrau, gan gynnwys cyfrol ar y gelfyddyd a'r grefft o sgrifennu ar gyfer cysylltiadau cyhoeddus. Yn sicr, ni châi lonydd gan reddf y newyddiadurwr i lunio stori. Roedd o dras Gwyddelig a mynnodd fy mod yn mynd ag o i weld safle gwersyll Fron-goch, Y Bala, lle carcharwyd bron ddwy fil o Wyddelod am gyfnod ym 1916, yn eu plith Michael Collins ac Arthur Griffith. Bu'n safle hen ddistyllfa chwisgi, hefyd, ac mae gen i gof bod gan feddyg yn Llan Ffestiniog stoc dda o'r chwisgi hwnnw a'i fod yn ei ddefnyddio yn y moddion y byddai'n ei gymysgu. Ond ta waeth am hynny. Sgrifennodd Ron erthygl am ein taith y diwrnod hwnnw, dros y Migneint – a gamenwyd ganddo yn Midnight Mountain – a'i chyhoeddi yn y cylchgrawn *Time* gyda llun ohono'n sefyll o flaen Castell Caernarfon, wedi'i dynnu gen i, ar y clawr.

Rhoddodd wahoddiad imi un tro i ymweld â'r dref lle'i ganed, Frankfort, tref fechan mewn tro yn afon Kentucky yng nghanol tiroedd enwog y Bluegrass. Aeth â mi i gyfarfod ei fam ac yna dywedodd ei fod wedi trefnu i mi gyfarfod Llywodraethwr y Dalaith, Julian Carroll. Roeddwn wedi disgwyl mynd i mewn, ysgwyd llaw, cael gair neu ddau ac yna allan â mi. Ond na, roedd gan y Democrat, Carroll, ddiddordeb mawr yng Nghymru a buom wrthi am amser go dda yn cymharu Cymru â thalaith Kentucky, sydd hefyd yn ardal o byllau glo a thiroedd amaethyddol. Yna, wedi tua hanner awr o sgwrsio dyma fo'n dweud y buasai'n dymuno imi wneud ffafr ag o. 'Certainly, sir,' meddwn innau, yn rhyw hanner ofni ei fod am fy ngwahodd i gymryd *franchise* am Kentucky Fried Chicken yn Sir Fôn! 'I would like you to be a Kentucky Colonel,' meddai, sef yr anrhydedd mwyaf y medrai'r Commonwealth of Kentucky ei gynnig i mi. Derbyniais, ac mae gen i dystysgrif i brofi hynny, a'r iwnifform yn rhywle – het fawr a thei llinyn â bathodyn y gymdeithas lle'n arferol y ceir y cwlwm. Cymdeithas elusennol yw'r Kentucky Colonels bellach, ond petai rhywun yn ymosod ar Kentucky disgwylid imi gasglu byddin ynghyd i amddiffyn y dalaith. Diolch byth, ni chafwyd unrhyw drafferthion yno mor belled. Beth bynnag, y noson honno, ar ôl cael fy nyrchafu'n Gyrnol Kentucky, aed â mi i glwb gwledig a chael fy nghyfarch yn barchus gan bob un – 'Evening, Colonel.' Yr argraff mae llawer yn ei chael am Americanwyr yw eu bod yn uchel eu cloch ac yn ymffrostgar, ac mae'n siŵr bod 'na ormod felly, ond mae 'na foneddigion arbennig yno, hefyd, ac rydw i wedi cael y fraint o gyfarfod nifer helaeth o'r rhain. Yn ddi-os, mae Ron Rhody yn un dwi'n ei chyfri'n fraint o fod yn ei adnabod.

Bûm yno, hefyd, ar gyfer yr enwog Kentucky Derby. Mae'n arferiad cynnal cinio'r cyrnols ar y noson cyn y ras fawr, ac mi gefais wahoddiad i'r cinio ynghyd â rhyw dri chant arall. Cofiaf i ni fwyta rhyw gig arbennig o flasus a gofynnais i'r person oedd yn eistedd nesaf ata i beth oedd o. 'Scurl,' oedd yr ateb. 'A pha fath o beth yw *scurl*?' meddwn innau. 'Well, it's sort of red, small with a bushy tail,' meddai. Roeddwn wedi bod yn bwyta gwiwer! Y ddiod oedd rhywbeth a elwid yn *mint julep* – sef, *bourbon*, siwgwr, dŵr a deilen o fintys yn addurn. Diod â thipyn o gic iddi, mae'n rhaid dweud. Caf wahoddiad bob blwyddyn, ond dyna'r unig dro imi fod yn y cinio. Wedi'r cinio aethom i ymweld â stablau stalwyn Claiborne Farm, Paris, Kentucky, lle roedd dau geffyl arbennig o enwog – Nijinsky a Secretariat – yn mwynhau ymddeoliad braf a'u hunig orchwyl oedd cenhedlu, a hynny am $1,000,000 bob tro y byddai'r gaseg yn beichiogi, a hyd yn oed $500,000 mewn achos aflwyddiannus. Roedd moethusrwydd y stablau'n syfrdanol; bron nad oeddem yn sibrwd â'n gilydd yn y fath awyrgylch, fel petaem mewn eglwys gadeiriol. Os oes ailymgnawdoliad, a dewis, rwy'n meddwl y buasai'r bywyd yna'n gwneud yn iawn i mi.

Ond yn ôl i Fôn a'r gwaith aliwminiwm. Oherwydd hoffter yr Americaniaid o bartïon, trefnwyd parti i ddathlu Dydd Annibyniaeth America ar 4 Gorffennaf 1972. Pwrpas y parti, un o amryw ddigwyddiadau mewn gwirionedd, oedd dathlu hanner canmlwyddiant yr Urdd a chodi tipyn o arian i'r mudiad. Parti llwyddiannus a arweiniodd at brosiect difyr arall. Roedd hen felin ddŵr yng Nglan-traeth a dyma ofyn i'r perchennog, Iolo Owen, Trefri – tad Tudur Owen y comedïwr a'r cyflwynydd teledu – a ellid ei defnyddio ar gyfer cinio syml a noson lawen i godi arian at yr Urdd a noson o ddifyrrwch Cymreig a Chymraeg i'r Americaniaid. Cytunodd Iolo ar ei union a chafwyd perswâd ar y contractwyr a fu'n adeiladu Aliwminiwm Môn i lanhau'r lle a chyfrannu at gost y bwyd. Dau fath o ddiod oedd yna, cwrw i'r dynion a *punch* gweddol wan i'r merched, ac mi ddaeth Hogia'r Wyddfa i ddarparu'r adloniant. Sheila a minnau a Geraint James o gwmni peirianwaith sifil Andrew Scott, Aberafan, fu'n gyfrifol am y *punch* – un rhan o fodca, pedair rhan o sudd oren a deg rhan o ddŵr a dyrnaid go lew o berlysiau. Diod ddigon diniwed, ond gan iddi fod yn noson hynod o braf mi aed drwy'r *punch* yn reit fuan. Fy hen gyfaill, Eifion Hughes, a oedd yn gyfrifol am y bar ac mi aeth ati i wneud rhagor, ond gan nad oedd dŵr yn yr hen felin penderfynodd Eifion wanhau'r ddiod â fodca. Welais i erioed gynifer o ferched llawen ac roedd yr Americanwyr yn taeru mai honno oedd y noson orau gawson nhw tra buon nhw ar Ynys Môn.

Rhoddodd hynny syniad i mi, ac wedi cryn drafod efo Geraint James, Des Eadie, Cyfarwyddwr Ariannol Aliwminiwm Môn, Iolo Owen, perchennog y felin, a David Roberts, Cymro di-Gymraeg fu'n fyrsar ar y *Queen Mary*, mi sefydlwyd cwmni Menter Môn Cyf. Cafwyd grant gan y Bwrdd Croeso a chrëwyd dau le bwyta parhaol ar y safle – un bwyty safonol iawn ar gyfer y bobl gefnog, yn cynnwys bwydlen gynhwysfawr, bar ardderchog a golygfa hyfryd drwy'r ffenestr o'r olwyn ddŵr yn araf droi. Weithiau, pan fyddai'r cwsmeriaid yn oedi'n rhy hir yn y bar ac yn gyndyn i fynd adref ar nos Sadwrn, roedd modd cyflymu'r olwyn gan wneud i bobl feddwl eu bod wedi cael mwy na digon o ddiod. Mi synnech pa mor effeithiol oedd hynny. Roedd y bwyty arall, o'i gymharu, yn eithaf syml ac yn cynnig bwydlen gyfyngedig o bysgodyn neu stêc, *profiteroles, Black Forest Gateau* neu gaws, lle da i fachgen ifanc fynd â'i gariad allan am bryd. Mi fyddai Hogia'r Wyddfa yno'n canu bob nos Sadwrn, a weithiau, pan na fydden nhw ar gael, byddai Hogia'r Deulyn yn cymryd eu lle.

Roedd y fwydlen yn uniaith Gymraeg a rhyw stori wedi'i chreu am bob eitem oedd arni. Er enghraifft, Pelenni Penmon oedd tatws bach wedi'u ffrio heb eu torri, a'n stori ni oedd fod Sant Seiriol yn mynd â rhain yn ei sgrepan i'w bwyta ar ei daith i gyfarfod Cybi. Un arall oedd Melon Malltraeth, sef bod y morwyr fu'n hwylio'r dyfnfor mawr wedi dod â phort gwyn yn ôl gyda nhw o Bortiwgal a melons o rywla arall a'u bod wedi mynd i'r arfer o dorri'r melons yn eu hanner a thywallt dogn go dda o bort gwyn i mewn iddyn nhw. Celwydd noeth, ond gan mai Saeson oedd nifer o gwsmeriaid y bwyty drud roedd angen cyfieithu ac egluro'r fwydlen. Tra byddai'r merched oedd yn gweini yn gwneud hynny byddai mwy fyth o fynd ar y bar. Bu'n fenter lwyddiannus a sefydlwyd bwyty safonol iawn sy'n dal ar agor heddiw.

Fu o ddim heb ei helyntion, er hynny. Un nos Sadwrn, a minnau'n gweithio'n hwyr yn Aliwminiwm Môn ac ar fin gadael fy swyddfa, canodd y teleffon. David Roberts oedd yno'n dweud bod yna drafferthion difrifol yng Nglan-traeth. Roedd y stafell fwyta'n llawn, meddai, y staff ar streic, y cogydd ar fin cerdded allan ac roedd yntau hefyd am ei hel hi am adre. Dywedais yr awn yno ar fy union. Cyrhaeddais i ddarganfod bod y staff wedi gwylltio'n gacwn wrth y rheolwr, un a fu unwaith yn rheolwr bwyty Harrods. Dyma anfon hwnnw i'w swyddfa a'i siarsio i aros yno; perswadiais y cogydd i aros ychydig yn lle mynd adre ac euthum i stafell y merched oedd yn gweini. Cnociais y drws a gofyn gawn i ddod i mewn. 'Cewch, Mr Jones,' oedd yr ateb. 'Be sy, felly?' meddwn innau. 'Y manijar, yn gweiddi arnon ni, ac yn ein rhegi ni,' meddai'r merched. 'Gwrandwch,' meddwn innau, 'mae llond y stafell fwyta o bobol yn aros, yn edrych ymlaen am eu noson allan. Allwn ni ddim eu siomi, gan mai nhw yw'r bobol sy'n talu'ch cyfloga chi. Welwch chi mo'r manijar heno ac mi gawn ni setlo popeth bora fory. Fydd hynny'n iawn?'

Cytunodd y merched, aeth y cogydd yn ôl i'r gegin ac euthum innau i ymddiheuro bod pethau'n hwyr – adroddais stori nad oedd dim nwy ar ôl er bod y mitar yn dangos bod 'na, ond inni lwyddo cael cyflenwad ar frys a byddai popeth yn iawn. Es o gwmpas a chynnig potelaid o win am ddim i bob bwrdd, fel gwerthfawrogiad o'u hamynedd. Sylwais fod un o'r gwesteion yno y gwyddwn ei fod yn bianydd gwych. 'Gwranda,' meddwn i, 'gwna ffafr fawr â fi. Dos at y piano am sbel ac mae pryd a gwin am ddim i ti a'r wraig heno.' Achubwyd y sefyllfa a chafwyd noson i'w chofio.

Penderfynodd y rheolwr ymddiswyddo fore trannoeth. A dweud y gwir, doedd o ddim yn addas ar gyfer y lle, er ei fod yn ddyn neis iawn. Ei fesur o lwyddiant oedd sawl

Rolls-Royce fyddai yn y maes parcio – dylanwad Harrods, mae'n debyg. Roedd yn well gen i weld y lle'n dri-chwarter llawn o Finis, nifer go dda o Vauxhalls ac efallai bedwar neu bump o Humber Super Snipes. Daeth ataf beth amser wedi hynny a dweud mai gadael oedd y peth gorau ddigwyddodd iddo. Roedd yn gwneud bywoliaeth dda yn gwerthu yswiriant.

Bu gynnon ni'r syniad fel cwmni o agor canolfannau eraill tebyg hwnt ac yma yng Nghymru, a bu'n agos inni gychwyn gyda melin Rossett, ger Wrecsam, ond â ninnau'n dechrau bwrw ymlaen i ddatblygu'r lle, cawsom gynnig gan rywun oedd am brynu'r lle fel canolfan hen greiriau. Roedd y cynnig yn un na ellid ei wrthod, a dyna fu diwedd y prosiect hwnnw.

Roedden ni i gyd yn gweithio'n hynod o galed yn Aliwminiwm Môn. Mae gen i gof am fachgen o'r enw Mervyn Palmer, pencampwr codi pwysau Cymru, oedd yn byw yn y Gorad, ger y Fali, gyda'i wraig Maria, oedd o dras Sbaenaidd. Fedrai Maria ddim dreifio ac roedd hi'n bur gaeth i'w chartref. Roedd y tŷ'n agos i'r fan lle roedd yr hofrenyddion achub bywyd o RAF Y Fali yn ymarfer ac un tro mi baentiodd Maria 'SOS HELP' ar ffenast y tŷ. Jôc? Ddim yn hollol, ond arwydd i Mervyn y dylsai o, fel y gweddill ohonom, dreulio mwy o amser adre!

Un tro, pan oedden ni ar ymweliad â Ghana, aeth un o reolwyr y gwaith aliwminiwm, John Douglas, a Mervyn a minnau allan i ymweld ag un o'r llwythi brodorol. Roedd y bobl rywbeth yn debyg i ni'r Cymry, hynod groesawgar a dim ond i un ddechrau canu yna bydden nhw'n dechrau dawnsio. Un bychan, boliog a chryf iawn oedd Mervyn ac ymhen fawr o dro roedd o'n dawnsio'n osgeiddig ymhlith merched y llwyth. Roedd John a minnau'n sgwrsio â'r penaethiaid a gofynnodd un ohonyn nhw a fedrai brynu Mervyn. Holais pam ei fod yn dymuno gwneud hynny. Ei ateb oedd, 'Wel, mae o'n gwneud joban dda o gadw'r merched yn hapus.' Dydw i ddim yn siŵr a oedd y pennaeth o ddifrif neu beidio!

Achosodd streic y glowyr 1974 broblemau mawr i ni.

Mynnodd Llywodraeth Edward Heath gyflwyno'r wythnos dridiau i arbed ynni ac effeithiodd hyn yn fawr arnon ninnau. Hanerwyd y cyflenwad trydan i'r gwaith, gostyngodd gwres un o linellau'r potiau a chaledodd yr aliwminiwm tawdd yn solat o galed. Costiodd filiynau o bunnau i'r cwmni ac am y tro cyntaf gwnaed colled. Daeth un o gyfarwyddwyr RTZ, Dennis Fredjon, i lawr i Fôn a mynnu'n bod ni'n diswyddo 20 y cant o'r gweithlu. Buom yn dadlau a dadlau ag o; wedi'r cyfan, nid ein bai ni oedd i'r gwaith wneud colled am y tro cyntaf yn ei hanes. O'r cychwyn bu'n weithle ymroddgar a hapus ac roedd cydweithio hapus rhwng y rheolwyr a'r gweithlu. Ni fu undeb llafur yno; nid bod 'na wrthwynebiad i undebaeth – a dweud y gwir, rwy'n gefnogol iawn i hawl gweithiwr cyflogedig i gael cynrychiolaeth yn y gweithle ac rwy'n gredwr cryf mewn undebau. Ond cyn gynted ag y mynnodd Dennis Fredjon fod yn rhaid cael gwared ar nifer o'n gweithwyr, mi gafwyd undeb dros nos a throdd y berthynas rhwng y rheolwyr a'r gweithlu i fod yn dipyn mwy ffurfiol.

Syniadau'r Arglwydd Wilfred Brown fu'r dylanwad mawr arna i, ac yn wir ar y cwmni cyn hynny. Sefydlwyd Cyngor y Cwmni, oedd yn cynnwys y rheolwyr, yr is-reolwyr a chynrychiolaeth o bob adran o'r gweithlu, ac roedd gan bob un bleidlais gyfartal. Roedd popeth yn agored i'w drafod a'i benderfynu, ac eithrio maint y buddsoddiad cyfalafol – mater i'r cyfranddalwyr oedd hynny. Y Cyngor fyddai'n penderfynu codiad cyflog y Cyfarwyddwr Rheoli (a 'nghyflog i o ran hynny), yn ogystal â chyflogau'r gweithwyr, a byddai hawl gan bob un i wrthwynebu unrhyw achos a gyflwynwyd i'r Cyngor. Petai gwrthwynebiad yna y *status quo* fyddai'n bodoli ac mi arweiniodd hyn oll at gyd-dynnu pwrpasol. Trefniant arloesol, ond wedi pymtheng mis penderfynodd yr undeb nad oedden nhw am barhau â'r cyfrifoldeb o benderfynu popeth. Cyfrifoldeb y rheolwyr oedd hynny, meddent, a theimlai'r undeb fod y cyfrifoldeb hwnnw'n ormod iddyn nhw fel gweithwyr. Flynyddoedd wedi hynny, pan oeddwn i'n Gadeirydd Dŵr

Cymru, llwyddais i raddau helaeth i atgyfodi'r drefn honno o reoli – partneriaeth er mwyn ffyniant. Digon yw dweud yma felly y bu Aliwminiwm Môn yn llwyddiant mawr gan ddod â gwaith a chyflogau da i genedlaethau ar yr ynys.

Trist iawn fu hanes cau'r gwaith ddwy flynedd yn ôl, a hynny oherwydd methiant i ddod i ddealltwriaeth ynglŷn â chost y trydan. Roedd angen 200 megawat o drydan yn gyson ddydd a nos a phe collid y cyflenwad am bedair awr byddai'r aliwminiwm tawdd yn caledu fel na fyddai modd ei falu ond â'r morthwylion trydan (*jackhammers*) mwyaf pwerus. Pan sefydlwyd y gwaith ym 1968 y bwriad oedd codi atomfa ein hunain ond gwrthodwyd trwydded gan yr Asiantaeth Ynni Atomig. Felly buddsoddodd y cwmni yn Atomfa Dungeness B, a golygai hynny y medrem gael y 200 megawat o drydan gan y Bwrdd Cynhyrchu Trydan Canolog am y gost o'i gynhyrchu, a hynny dan gytundeb fyddai'n para am ddeugain mlynedd. Roedd y gwaith wedi'i gysylltu â'r grid cenedlaethol, fel roedd yr Wylfa, ac roedd hynny'n fanteisiol i'r atomfa. Un o beryglon atomfeydd yw'r gwenwyno *xenon* a achosir pan fo adweithydd yn cynhyrchu ar lefel isel gan achosi i'r *xenon* gynyddu yn y rhodenni tanwydd a llygru'r broses adweithio drwy amsugno niwtronau. Tra bod pwerdy'n cynhyrchu cymaint â 200 megawat gydol yr amser yna mi fyddai'n golygu na fyddai perygl i'r *xenon* grynhoi yn yr Wylfa petasai'r ynys yn cael ei datgysylltu o'r grid cenedlaethol. Roedd i'r cytundeb, felly, fanteision sylweddol i'r Wylfa, hefyd. Ond pan ddaeth y cytundeb â'r Bwrdd Cynhyrchu Trydan i ben yn 2009, ar ddiwedd y deugain mlynedd, methwyd cytuno ar bris derbyniol am y trydan a bu'n ddiwedd ar Aliwminiwm Môn. Roedd hyn flynyddoedd wedi imi ymadael â'r cwmni, ond roedd yn loes mawr i mi, fel y bu, yn ddi-os, i drigolion Môn a gollodd eu swyddi o'r herwydd.

# PENNOD 6

# Y Swyddfa Gymreig a chrwydro'r byd

DAETH TRO SYDYN yn fy ngyrfa. Roedd hi'n 1979 a chefais alwad i Lundain gan Gadeirydd Rio Tinto Zinc, Syr Mark Turner, i drafod y posibiliadau o ddyblu maint Aliwminiwm Môn a dod i gytundeb â'r Llywodraeth yn Llundain a'r Swyddfa Gymreig yng Nghaerdydd ynglŷn â chost y trydan. Methiant fu'r ymdrech i sicrhau trydan am bris a fyddai'n ein galluogi i ehangu'r gwaith a chynhyrchu aliwminiwm am bris a fedrai sicrhau rhywfaint o elw. Buom yn curo ar bob drws o fewn y Llywodraeth a chafwyd trafodaethau di-ri, ond methwyd â dod i gytundeb. Rhoddwyd y datblygiad ar y silff am y tro. Yna, dyma Syr Mark yn troi at fater arall. Roedd mwynglawdd wraniwm gan RTZ yn Rössing, Namibia, ac yn ôl Syr Mark doedd perthynas y cwmni â'r gymuned leol ar y pryd ddim yn foddhaol nac yn un hapus. Dywedodd Syr Mark ei fod, oherwydd fy ngallu i drin pobl, medda fo, am imi fynd yno am gyfnod o ddwy flynedd i geisio gwella'r berthynas. Dywedodd y byddai'n andros o bluen yn fy het pe llwyddwn i. Doeddwn i ddim yn hapus o gwbl â'r cynnig. Roeddwn i oddi cartref ddigon fel roedd hi a rŵan roeddwn i ar fin mynd i ffwrdd am ddwy flynedd efo Sheila gartref yn gofalu am Bethan a Delyth. Sut ar y ddaear roeddwn i'n mynd i dorri'r newydd iddi hi? Ond os yw'r Cadeirydd yn dweud...

Roeddwn i'n isel iawn fy ysbryd pan ddaeth Sheila i 'nghyfarfod oddi ar y trên. 'Sut ddiwrnod ges ti?' holodd

73

hi. 'Uffernol,' atebais innau gan geisio creu awyrgylch o gydymdeimlad cyn trio torri'r newydd. 'A gyda llaw, mae Syr Mark Turner newydd fod ar y ffôn,' meddai hithau. 'Be ma hwnnw isio a finna newydd fod mewn cyfarfod efo fo?' meddwn innau. Es ar y ffôn ag o cyn gynted ag y cyrhaeddais y tŷ. 'Rwy'n gwybod nad oeddat ti isio mynd i Namibia,' medda fo, 'ond sut ar y ddaear lwyddaist ti drefnu hyn?' Wyddwn i ddim am be oedd o'n sôn. Mae'n ymddangos, â minnau ddim ond newydd adael ei swyddfa, iddo dderbyn galwad ffôn oddi wrth y Llywodraeth yn gofyn i'r cwmni a fuasent yn barod i'm rhyddhau i weithio yn y Swyddfa Gymreig am gyfnod o ddwy flynedd. Achubiaeth. Roedd yn swydd ar lefel Is-Ysgrifennydd yn y Swyddfa Gymreig, yn cydweithio â'r Ysgrifennydd Parhaol ac yn atebol i Nicholas Edwards, yr Ysgrifennydd Gwladol. 'Rwyt ti am gymryd y swydd, wrth gwrs,' meddai Syr Mark. 'Oes yna diced yn ôl i mi?' holais innau. 'Mi fuasen ni'n falch o dy gael di. Byddai dy brofiad yn amhrisiadwy i'r cwmni,' atebodd yntau. 'Ond ddoi di ddim. Dydy pobol ddim yn dychwelyd ar ôl cael cynigion fel yna.' Gwir a ddywedodd. Dwi'n cofio i Sheila a Bethan a Delyth a minnau gael cinio arbennig i ddathlu'r achlysur. Serch hynny, roedd yn ddiwrnod digon trist pan adewais Aliminiwm Môn a throi tua Chaerdydd.

Gan Syr Trevor Hughes, yr Ysgrifennydd Parhaol yn y Swyddfa Gymreig, y daeth y cais yn swyddogol ond John Clement, yr Is-Ysgrifennydd, oedd y tu cefn i'r argymhelliad, gŵr roedd gennyf y parch mwyaf tuag ato. Yn wahanol i lawer o weision sifil, yr hyn oedd yn sbarduno John oedd sut y gallai Cymru elwa wrth fanteisio ar gynlluniau a chyfleon. Roedd yn batrwm o'r hyn y dylai gwas sifil fod. Yn ddiflino yn ei ymdrechion i gael manteision i Gymru ac, yn fy marn i, gwnaeth fwy i hybu diwydiant a masnach yng Nghymru na neb o'i flaen nac ar ei ôl. Bu ei esiampl yn ddylanwad mawr ac yn ysbrydoliaeth bersonol i mi. Cychwynnais ar fy ngwaith yn Is-Ysgrifennydd (Diwydiant) yn y Swyddfa Gymreig ym 1979.

Roeddwn yn atebol i Syr Richard Lloyd-Jones, yr Ysgrifennydd Parhaol oedd erbyn hyn wedi cymryd lle Syr Trevor Hughes. Roedd Syr Richard yn gerddor a phianydd ardderchog a cherddwr brwd – bu'n Llywydd Cyngor Ramblers Cymru. Dyn arbennig o ddiwylliedig a dymunol a'i addfwynder yn aml yn cuddio ei benderfyniad a'i ddadansoddi miniog. Roeddwn i hefyd yn uniongyrchol atebol i Nicholas Edwards, Arglwydd Crucywel bellach. Dywedodd Nicholas Edwards wrthyf pan gwrddon ni gyntaf y byddai'n syniad i rywun lunio swydd-ddisgrifiad i mi. Fy ateb oedd, 'Dydych chi ddim angen gwas sifil arall – dim ond ichi ddeud wrtha i pa fath o ganlyniadau dach chi isio, mi wna i 'ngorau glas i'w sicrhau. Ac os torra i'r rheola, fi ydy'r ymddiheurwr gora yn y byd.' Gwyddai John Clement yn iawn 'mod i'n un oedd yn torri'r rheolau – neu o leiaf yn eu hymestyn nhw – pan awgrymodd fy enw ar gyfer y swydd. Ac os bûm yn llwyddiannus roedd o oherwydd nad oeddwn i'n glynu'n ormodol wrth y rheolau. Am Nicholas Edwards, welais i yr un Ysgrifennydd Gwladol yn gweithio'n galetach na'r un â'i sêl dros Gymru yn fwy. Bûm o gwmpas y byd gydag o nifer o weithiau mewn cyfnod cyffrous a llwyddiannus, ond cyfnod lle roedd economi Cymru yn dioddef yn fawr.

Roedd Nicholas Edwards yn gweld yn gliriach na neb fod cyflogaeth yng Nghymru wedi bod yn disgyn yn sylweddol ers diwedd y chwedegau a thrwy gydol y saithdegau gyda'r diwydiannau glo a dur a'r diwydiant llechi yn crebachu. Erbyn diwedd y saithdegau roedd mwy o bobl yn cael eu cyflogi ym maes awyr Heathrow nag yn y diwydiannau glo, dur a llechi yng Nghymru gyda'i gilydd. Roedd y sefyllfa'n enbydus. Yn y cyfnod hwnnw roedd diweithdra yng Nghymru yn 13 y cant, 3 neu 4 y cant yn uwch nag yn Lloegr, ac mewn mannau mor uchel ag 18 y cant. Roedd y cwmnïau a ddeuai i mewn i Gymru, hefyd, yn amlach na pheidio'n cyflogi merched, oherwydd eu bod yn fwy deheuig na dynion, a'r rheini'n cymryd at y gwaith a'u rhyddid newydd yn frwdfrydig. Y dynion fu'n gwneud y gwaith corfforol mewn diwydiannau trymion fel y glofeydd, y chwareli a'r gweithfeydd dur. Bellach roedden nhw'n gorfod bod adre'n gofalu am y plant a gwneud gwaith tŷ tra bod eu gwragedd yn ennill cyflog. Roedd yn drefniant allasai greu problemau cymdeithasol.

Bu Nicholas Edwards yn ddiflino o egnïol yn denu diwydiannau newydd i Gymru ac roedd ei weledigaeth yn bellgyrhaeddol. Mae'n rhaid dweud ei fod yn dipyn o fwli – mae'n cyfaddef hynny yn ei hunangofiant *Westminster, Wales and Water* – ond fyddai o byth yn gofyn mwy gan ei staff nag oedd o'i hun yn barod i'w roi. Criw bychan, rhyfeddol o fychan yn wir, oedden ni yn yr Adran Ddiwydiant, a'r Awdurdod Datblygu ddim ond newydd ddechrau. Roedden ni, yr Albanwyr a'r Gwyddelod yn gweithio'n galed ac yn cystadlu'n ffyrnig yn erbyn ein gilydd i ddenu buddsoddiadau tramor. Yn ddi-os, y Gwyddelod oedd y mwyaf effeithiol, ond roedd ganddyn nhw ffactorau o'u plaid. Medrent gynnig manteision nad oedd yn bosib i ni eu cynnig, fel gostyngiadau treth, yn dreth incwm a threthu rhanbarthol. Doedd dim modd i ni gystadlu â hynny. Eto, mi fuon ni'n rhyfeddol o lwyddiannus gan ddenu llawer mwy na'n siâr o ddiwydiannau i Gymru. Buom yn ymweld â Gogledd America, De Korea a Japan yn fynych a llwyddwyd i ddenu i Gymru 20 y cant o'r holl gyllid tramor a fuddsoddwyd ym Mhrydain yn gyson – camp aruthrol o gofio nad yw poblogaeth Cymru yn ddim ond ychydig dros 5 y cant o boblogaeth Prydain. Bu'r effaith yn un a barodd, ac o ganlyniad syrthiodd niferoedd y di-waith yng Nghymru am y tro cyntaf mewn cenedlaethau a llwyddodd Cymru'n well na llawer rhan o weddill Prydain ac Ewrop i oresgyn dirwasgiad dechrau'r nawdegau. Denwyd nifer dda o ddiwydiannau newydd ac mae nifer helaeth ohonyn nhw wedi aros yma – fel cwmni gwneud batris Yuasa ar stad ddiwydiannol Rasa, Glynebwy; cwmni electronig Panasonic, Caerdydd; a Hoya, Wrecsam, sy'n gwneud offer gwydr gwyddonol, sbectols a lensys camerâu, ac yn y blaen. Ond er fy mod yn mwynhau'r gwaith yn fawr roedd o'n golygu unwaith eto 'mod i'n treulio cryn dipyn o amser oddi cartref. Erbyn hyn roedd Bethan yng Ngholeg y Drindod yng Nghaerfyrddin a Delyth ar ddechrau yn y Brifysgol yn Aberystwyth. Ar sgwyddau Sheila y disgynnai'r baich o drefnu popeth unwaith eto.

Hwn oedd y cyfnod pan oedd Corfforaeth Ddatblygu Cymru, dan gadeiryddiaeth cyn-Weinidog Parhaol y Swyddfa Gymreig, Syr Idwal Pugh, yn graddol ddirwyn i ben ac Awdurdod Datblygu Cymru yn tyfu'n frand pwysig, adnabyddus ac ymysg y mwyaf effeithiol yn Ewrop. Roedd Nicholas Edwards yn benderfynol o grwydro a chwilota pob cornel o'r byd i ddenu diwydiannau i Gymru. Rwy'n cofio ni'n mynd i Dubai a pherswadio cwmni gwneud tapiau fideo i ddod i Wrecsam gan fuddsoddi'n sylweddol iawn yn y fenter, cymaint yn wir fel yr anfonodd y Tywysog Charles delegram atynt i'w llongyfarch pan agorwyd y gwaith. Pedwar brawd oedden nhw, o dras Indiaidd ond wedi'u geni a'u magu yn Iran a dianc oddi yno i Dubai.

Denu Syr Terry Matthews, biliwnydd cyntaf Cymru a'r gŵr a wnaeth ei ffortiwn yng Nghanada, yn ôl i wlad ei febyd oedd un o'm llwyddiannau mawr i. Tan ddechrau'r wythdegau y Swyddfa Bost oedd yr unig gorff â'r hawl i benderfynu pa dechnoleg cyfathrebu teleffon a ddefnyddid a nhw'n unig oedd â'r hawl i'w darparu. Newidiodd y sefyllfa pan holltwyd y Swyddfa Bost a sefydlu British Telecom yn gorff annibynnol ar y Swyddfa Bost ym 1981. Roeddwn wedi clywed am y Cymro o Drecelyn a aeth i Ganada gan ddatblygu'r system deleffon DTMF (*dual-tone multi-frequency signalling*) gyda'r derbynyddion teleffon pad a botwm yn hytrach na deial. Roedd yn cynhyrchu'r rhain am lai na chwarter pris yr hen system ac roedd iddynt fanteision gwerthfawr eraill y daethom yn gyfarwydd iawn â nhw erbyn hyn. Wedi hynny, gwelodd Syr Terry fanteision technoleg newydd meicrobrosesyddion ar gyfer cyfnewidfeydd teleffon mewnol swyddfeydd a gweithleoedd. Penderfynais fod 'na gyfle i fanteisio ar y newidiadau hyn ym Mhrydain ac euthum i'w weld yn ei swyddfa grand yn Ottawa. Eglurais fod Llywodraeth Prydain wedi dileu'r ddeddf oedd yn caniatáu bod y Swyddfa Bost yn medru cyfyngu'r technegau a ddefnyddid yn y system deleffon a gofynnais iddo ddod i Gymru i ddechrau busnes. Roedd y rheolau'n dweud y dylswn gychwyn bargeinio drwy gynnig yr isafswm posib o gymhorthdal gan y Llywodraeth. Dywedais wrtho fy mod am gynnig y swm uchaf y medrwn iddo, yr uchaf yn Ewrop, ond y buaswn yn gwadu i mi wneud hynny ac nad oedd i ddatgan hynny. Atebodd yn syth y deuai. 'Ond dydw i ddim wedi dweud wrthoch chi faint rwy'n ei gynnig,' meddwn innau. 'Dydw i ddim isio clywad be ydi o,' atebodd yntau. 'Os dyna'r cynnig ucha yn Ewrop, rwy'n dod!'

Yr argraff gefais i oedd fod ganddo hiraeth am Gymru a'i fod yn ysu am ddychwelyd. Trefnodd ginio dathlu y noson honno yn un o fwytai crandiaf Ottawa, yn llawn o bobl hardd y brifddinas. Roedd bord yng nghanol y stafell wedi'i neilltuo ar ein cyfer ni ac roedd nifer fawr o'i ffrindiau'n bresennol – Cymry, neu o leiaf Gymry o dras. Rwy bron yn siŵr fod ei wraig yn enedigol o Gastellnewydd Emlyn ac yn siarad Cymraeg ac roedd 'na awyrgylch cartrefol iawn o gwmpas y bwrdd. Beth bynnag, cyn dechrau'r cinio dyma fo'n waldio'r ford a chyhoeddi mai Cymry oedden ni i gyd a bod John, sef fi, wedi'i berswadio i ddychwelyd i Gymru i ehangu ei fusnes a'n bod ni'n dathlu. 'A phan fydd Cymry'n dathlu, mi fydd yna ganu, felly y fi sy'n talu am win i bawb yn y bwyty yma heno!' Felly y daeth â Mitel i Gymru a sefydlu Newbridge Networks ym 1986, a ddaeth yn brif gwmni'r diwydiant rhwydweithio data byd-eang. Dangosodd ei ymroddiad llwyr i Gymru drwy brynu yr hen ysbyty lle cawsai ei eni yng Nghasnewydd a chreu'r Celtic Manor, a'i frwdfrydedd egnïol diflino ef fu'n allweddol i ddenu cystadleuaeth golff Cwpan Ryder yno yn 2010. Braint a mwynhad arbennig i mi flynyddoedd wedyn, pan oeddwn yn Llywydd Prifysgol Cymru, Llanbedr Pont Steffan, fu cyflwyno Doethuriaeth Prifysgol Cymru er Anrhydedd iddo.

Cawsom lawer o hwyl ar ein teithiau, hefyd. Rwy'n cofio mynd i Los Angeles ar ddirprwyaeth fasnach i geisio denu cwmnïau a diwydiant i Gymru. Roedd Nicholas Edwards ar y daith, ynghyd â'i wraig Ankaret – ffurf o Angharad, mae'n debyg, ond Ann fyddai pawb yn ei galw hi. Roedd Meirion Lewis a Chadeirydd Corfforaeth Ddatblygu Cymru yno, Syr Idwal Pugh – 'Ideal Pugh' fel y'i gelwid gan Nicholas Edwards – a oedd yn gyn-Ysgrifennydd Parhaol yn y Swyddfa Gymreig ac yn cyd-deithio efo ni. Roedd Ann Edwards wedi mynegi awydd i ymweld ag Universal Studios a threfnwyd hynny ar ei chyfer. Pwy oedd i fynd gyda hi? Roedd Nick Edwards yn llawer rhy brysur ac awgrymodd rhywun Syr Idwal Pugh. 'Iawn, iawn,' meddai hwnnw, yn hanner gwrando ar y sgwrs. Fore trannoeth, daeth limo enfawr i gyrchu Mrs Edwards a Syr Idwal i'r stiwdios. 'Barod, Idwal?' gofynnodd hi. 'I beth?' meddai hwnnw. 'I fynd â fi i'r stiwdios.' 'Dydw i ddim yn mynd â neb i'r stiwdios, mae gen i lawer gormod i'w wneud,' medda fo. 'Ond mi wnaethoch chi addo...' 'Na wnes i...' 'Do, mi wnaethoch...' Ac felly ymlaen. Ar hynny, mi welodd Mrs Edwards ddyn du, tal, rhyfeddol olygus yn aros yn amyneddgar wrth y limo a dyma hi'n troi ato a meddai wrtho, 'Today, you shall be Sir Idwal Pugh!' Ac am a wn i, mi gafodd y gŵr ifanc ei dywys o gwmpas stiwdios Hollywood a'i gyflwyno i bwysigion a sêr y sgrîn fawr fel Syr Idwal Pugh!

Ar un o'r teithiau hyn rwy'n cofio aros yn y Broadmoor Hotel, Colorado Springs, ac ar y tyweli roedd un gair yn unig – Broadmoor. Bu'r demtasiwn yn ormod ac mi gefais un o'r tyweli, ond o leiaf mi ofynnais am ganiatâd a chynnig talu amdano. A phan fydd rhywun sy'n tybio ei fod yn bwysicach na'r cyffredin yn treulio noson yn ein cartref, byddaf yn gofalu mai tywel Broadmoor fydd yn y stafell.

Roedden ni mewn derbyniad swyddogol yn Tokyo un noson i ddathlu ein llwyddiant yn perswadio cwmni Hoya i sefydlu gwaith yn Wrecsam ac roedd dwy *geisha* yn gweini ar bob person, fel sy'n arferol mewn achlysuron o'r fath. Doedd gan

79

y *geishas* 'run gair o Gymraeg, na Saesneg o ran hynny. Trodd Nick Edwards at un o'r merched oedd yn gweini arno fo a meddai: 'What's your name then – Blodwen?' Bu tawelwch, pawb yn fud mewn penbleth, heb syniad sut i ymateb. O ddyfnder cof adroddais yn Japanaeg yr unig *haiku* a ddysgodd Annie Fish, athrawes Gymraeg Ysgol Sir Blaenau Ffestiniog, inni yr holl flynyddoedd cyn hynny. Achosodd hynny fwy fyth o syndod i'r ciniawyr, ac roedd y cyfeillion o Hoya wrth eu boddau. Roedd Annie Fish wedi'n dysgu am yr *haiku*, cerdd o 17 sill – neu uned sain i fod yn fanwl – gan ddilyn y patrwm 5, 7, 5. Yn Japanaeg sgrifennir y gerdd yn un llinell ond mewn ieithoedd eraill, fel Saesneg, tueddir ei chyflwyno mewn tair llinell i danlinellu'r rhaniadau sy'n nodweddu'r cynllun. O ganlyniad, ymddengys yn debyg i englyn milwr. Nodwedd sylfaenol arall o'r *haiku* traddodiadol yw ei fod yn cynnwys rhyw gyfeiriad at y tymhorau ac at enw'r bardd a'i lluniodd.

Mi fydda i'n gwylltio pan glywaf rai pobl, Cymry yn eu plith, yn datgan bod yr iaith Gymraeg yn rhwystr i ddenu busnesau tramor i Gymru. Y gwrthwyneb ydi fy mhrofiad i. Byddai Nicholas Edwards bob amser, ble bynnag y bydden ni, yn egluro bod yng Nghymru ddwy iaith a dau ddiwylliant, rhywbeth oedd yn amlach na pheidio yn gyffredin rhyngon ni a'r wlad roeddem yn ymweld â hi. Roedd hyn yn gryfder yng ngolwg llawer o wledydd fel Japan. Wrth egluro hyn byddai Nicholas Edwards yn ymddiheuro na fedrai ef, yn anffodus, siarad Cymraeg gan ychwanegu fy mod i'n medru'r iaith ac y byddai'n gofyn i mi siarad yn ei le. Byddwn innau wedyn yn annerch y gynulleidfa gan ddweud brawddeg neu ddwy yn Gymraeg a hynny yn amlwg yn rhoi boddhad iddynt. Gwyddom bellach, diolch i sganiau a wnaed o ymennydd plant dan bump oed yn 2004 gan Dr Andrea Mechelli o Brifysgol Llundain, bod y celloedd llwyd ar ochr chwith yr ymennydd wedi'u dwysáu mewn plant dwyieithog – prawf ffisiolegol bod dwy iaith yn cynyddu deallusrwydd. Dangosodd ymchwil a wnaed yng Nghaerlŷr bod plant Asiaidd lle siaredir iaith heblaw'r Saesneg yn y cartref yn rhagori yn yr ysgol ar blant uniaith Saesneg. A diolch byth, mae ymchwiliadau a wnaed yng Nghanada wedi dangos bod pobl ddwyieithog yn llai tebygol o gael Alzheimer's. Yn anffodus, mae blynyddoedd o fod dan iau Lloegr wedi'n gwneud yn daeog ac amharod i fanteisio ar brofiadau a gwybodaeth o'r fath a gelynion mwyaf yr iaith yw'r Cymry sydd mor elyniaethus tuag ati.

Yn Tokyo roeddwn yn aelod o ddirprwyaeth fasnachol dan arweiniad yr Ysgrifennydd Gwladol – un lwyddiannus iawn oedd hon, hefyd – pan ddaeth y newydd o Rif 10, Downing Street, fod y Tywysog Charles a Diana Spencer wedi dyweddïo. Derbyniwyd yr alwad gan Elfed Bowen, Prif Swyddog y Wasg yn y Swyddfa Gymreig, a oedd yn teithio gyda'r ddirprwyaeth. Cafodd orchymyn fod y Gweinidog – sef Nicholas Edwards – i gael gwybod am hyn yn ddi-oed. Roedd hi tua thri o'r gloch y bore ac roedd Nicholas Edwards a Syr Idwal Pugh yn aros yn y Llysgenhadaeth gyda'r Llysgennad, Syr Hugh Cortazzi. Roeddwn innau'n aros mewn gwesty yng nghwmni Elfed a John Craig, Ysgrifennydd Personol Nicholas Edwards. Daeth Elfed ata i am gyngor a dywedais fod yn rhaid iddo gysylltu â'r Llysgenhadaeth i roi gwybod i'r Ysgrifennydd Gwladol. Coeliwch neu beidio, dim ond un llinell ffôn oedd ar agor yn y Llysgenhadaeth yn ystod y nos a phan ffoniodd Elfed fe'i hatebwyd gan y Llysgennad ei hun. Chafodd Elfed druan ddim cyfle i agor ei geg i drosglwyddo'r neges, ond cael ei geryddu'n filain am feiddio ffonio yr adeg honno o'r nos a holi pwy oedd o'n feddwl oedd o, ac yn y blaen. Daeth Elfed yn ôl i'm stafell bron yn ei ddagrau. 'Paid poeni. Mi setlan ni'r matar yn y bore,' meddwn innau.

Euthum i'r Llysgenhadaeth cyn brecwast, trosglwyddo'r neges i Nicholas Edwards a mynnu gweld Syr Hugh Cortazzi, y Llysgennad, ac mi rois bryd o dafod iawn iddo fo am rwystro Gweinidog o'r Cabinet rhag derbyn neges o'r pwys mwyaf, ac am ei ddull cywilyddus o drin Elfed. 'Ar ben hynny,' meddwn wrtho, 'rhaid ichi ymddiheuro'n iawn iddo am eich ymddygiad trahaus, ac mi fydda i yno'n bresennol i wneud yn siŵr eich bod yn gwneud hynny.' Roedd y Llysgennad yn berson uwch ei statws na mi, ond mi wnaeth gyfaddef bod ei ymddygiad yn afresymol ac amhriodol. Doedd ganddo ddim dewis. Dipyn wedi hynny, roeddwn i'n lletya fel y gwnawn i'n fynych pan awn i Lundain yng Nghlwb Swyddogion yr Awyrlu a phwy oedd yn y stafell fwyta ond Syr Hugh Cortazzi. Wrth i mi fynd heibio'i fwrdd galwodd arnaf a 'nghyflwyno i'w gyd-giniawyr fel 'the young man who gave me such a bollocking that I had to apologise publicly to one of his staff'. Yn ddiddorol iawn, roedd Cortazzi'n gyfaill mawr i Syr Ifan ab Owen Edwards!

Cefais fy ngwahodd i ymgymryd â'r gwaith yn wreiddiol am gyfnod o ddwy flynedd a phan ddaeth y ddwy flynedd i ben gofynnwyd imi barhau am flwyddyn ychwanegol. Dwi'n tybio, heb fod yn ymffrostgar, imi lwyddo'n o dda a chyflawni llawer iawn yn ystod y tair blynedd y bûm yn rhan o Adran Ddiwydiant y Swyddfa Gymreig. A oedd y polisi o chwilio'r byd am ddiwydiannau a busnesau i'w denu i Gymru yr un cywir? Bryd hynny, yr ateb yw 'oedd, yn bendant'. Roedd y sefyllfa'n ymylu ar fod yn argyfyngus ac roedd angen gweithredu'n ddioed. Heddiw, mae angen creu a datblygu dulliau gwahanol. Rhaid ennyn yr awydd yn ein pobl i fanteisio ar gyfleon byd masnach a sefydlu eu busnesau eu hunain. Mae'n dra phwysig ein bod yn annog pobl ifanc, yn arbennig, i feddwl am hynny.

Am gyfnod bûm yn cynnig mynd i ysgolion uwchradd a threulio diwrnod yng nghwmni disgyblion y chweched dosbarth heb fod unrhyw athro neu athrawes yn bresennol. Byddai rhai ysgolion yn derbyn fy nghynnig yn frwd, eraill yn gwrthod. Thema'r dydd fyddai, 'Pam na wnewch chi feindio'ch busnes eich hun?' (*Why don't you mind your own business?*) Arferwn gychwyn drwy ofyn iddyn nhw pwy oedd y bobl fwyaf llwyddiannus yn eu stryd, neu bentref neu gymuned. Mesur llwyddiant, iddyn nhw, fel i lawer, oedd yr arwyddion allanol arferol – tŷ mawr, pwll nofio, tri gwyliau'r flwyddyn i'r teulu, Mercedes gan y gŵr, BMW gan y wraig. Yna, mi fyddwn yn gofyn iddyn nhw pwy oedd y bobl lwyddiannus hyn. Yr ateb, bron yn ddieithriad, oedd mai pobl yn berchen eu busnesau eu hunain oedden nhw. Efallai mai dyn hel sgrap oedd o, ond fo oedd biau'r busnes. Byddwn yn mynd ymlaen wedyn i drafod sut i sefydlu busnes llwyddiannus. Be ydach chi am gynhyrchu? Ar gyfer pwy? Be ydy'r gystadleuaeth? Sut i'w farchnata a'i werthu? Ac yn y blaen. Yna byddwn yn rhannu'r dosbarth yn grwpiau i gyflwyno syniad a chynllun i'w weithredu. Rwy'n cofio cael syniadau ardderchog a bûm yn meddwl lawer gwaith tybed a wireddwyd rhai ohonyn nhw. Prin iawn, mwy na thebyg.

Yr argraff sy gen i yw bod cynghorwyr gyrfaoedd yn rhy barod i annog disgyblion i anelu am swyddi diogel â phensiwn yn hytrach na'u hannog i fentro. Mi wyddon ni be sy'n digwydd i bensiynau y dyddiau hyn! Y gwir yw, mae'n mynd yn fwy a mwy anodd cystadlu â'r datblygiadau sy'n digwydd yn India a China yn y diwydiannau sy'n ddibynnol ar weithlu mawr. Rhaid edrych am syniadau sy'n seiliedig ar dechnoleg a datblygiadau ym myd gwybodaeth a gwyddoniaeth. Pa fath o gymdeithas fydd yma yng Nghymru o fewn yr hanner can mlynedd nesaf? Canran uchel o bobl oedrannus lle bydd angen gofal – pwy wnaiff ddarparu'r gofal hwnnw, dywedwch chi? Rwy'n rhagweld y gwelwn fwy a mwy o *robots* yn gofalu am yr henoed ac yn wir yn gwneud llawer o'r gwaith sy'n cael ei wneud gan ddynion heddiw. Mae diwydiannau gwasanaeth, cyfreithiol ac ariannol ac yn y blaen yn bwysig ond mae angen chwyldro yn ffordd yr ydan ni'n meddwl.

Mae digon o gwmnïau cynhenid sydd wedi ymsefydlu a llwyddo'n ardderchog. Un o'r gwŷr blaengar iawn yn hyn o beth yw Syr Roger Jones, fferyllydd sy'n gyn-Gadeirydd Awdurdod Datblygu Cymru a chyn-Gadeirydd Cyngor Darlledu BBC Cymru. Sefydlodd gwmni rhyngwladol Penn Pharmaceuticals ac aeth ymlaen i sefydlu cwmnïau eraill wedi hynny. Un o'r darganfyddiadau y bu'n ei ddatblygu a'i gynhyrchu er 2004 yw'r cemegyn *galanthamine* a geir yng nghoes y genhinen

Bedr ac sy'n effeithiol yn trin afiechyd Alzheimer yn ei gyfnod cynnar. Ceir mwy o'r cemegyn mewn cennin Pedr a dyfir ar dir sâl, uchel, sydd dros 1,500 troedfedd uwchlaw'r môr. Po salaf yw'r tir, gorau oll yn ôl pob tebyg yw ansawdd y cyffur sydd yng nghoes y blodyn. Ar hyn o bryd mae 100 acer o dir yn cael ei ddefnyddio i dyfu cennin Pedr i'w gynhyrchu gan Agroceutical Products, cwmni a sefydlwyd gan Syr Roger yn Aberhonddu. Gwerthir y cyffur am $50,000 y cilo. Mae Syr Roger, Cymro Cymraeg o Gorwen, yn enghraifft ardderchog o ddyn a ddewisodd ymsefydlu a buddsoddi yn ei wlad ei hun ac mae ganddo ffatrïoedd ledled Cymru gan gynnwys ym Mhen-y-bont a Chaernarfon.

Mae'n ddiddorol nodi bod record llwyddiannau Cymry sy'n ymfudo i wledydd eraill yn rhyfeddol. Gresyn na fuasai mwy ohonyn nhw wedi dod yn ôl a llwyddo yma yng Nghymru, hefyd. Yn anffodus iawn, mae gynnon ni, fel Cymry, agwedd ddilornus tuag at fusnes. Pan fo rhywun yn mentro, a llwyddo, yr agwedd yw, 'Dyna fo, yn gwneud ei ffortiwn ar gorn pobol gyffredin.' A phan mae rhywun yn mentro, ac yn methu, yr agwedd yw, 'Fasa'n ffitiach o lawer tasa fo wedi sticio at yr hyn roedd o'n gwybod rhywbeth amdano yn lle mwydro'i ben efo ryw syniada fel yna.' Dydy agweddau fel hyn o ddim help i annog pobl i fentro sefydlu busnesau a chwmnïau a chreu gwaith. Hei lwc y bydd y genhedlaeth ifanc yn ei gweld hi'n wahanol.

Wrth dderbyn yn ddiolchgar y gwahoddiad i fod yn Is-Ysgrifennydd dros Ddiwydiant yn y Swyddfa Gymreig roedd yn rhaid dechrau meddwl lle byddwn i'n byw. Ai call fyddai ceisio prynu tŷ yng Nghaerdydd – gresyn na fuaswn wedi gwneud – ynteu rentu tŷ neu fflat? Roedd fy hen gyfaill Owen Edwards wedi clywed fy mod yn dod i'r brifddinas ac mi fynnodd o a Shan Emlyn fy mod yn mynd i aros efo nhw yn eu cartref ger Llyn y Rhath nes cawn le i mi fy hun. Erys yr atgofion o'r cyfnod hapus hwnnw yn fyw iawn heddiw. Y croeso gwresog a'r trafod fin nos wrth i'r tri ohonom roi'r byd yn ei le; gresyn na fuasai'r byd wedi gwrando arnon ni. Yna mi gymerais fflat ar rent yn Heol y Gadeirlan ac yn y fflat uwch fy mhen roedd Ombwdsman Cymru, Alun Jones, a fu wedyn yn Brif Weithredwr Gwynedd. Unwaith yr wythnos byddem yn cyd-giniawa efo'r naill neu'r llall yn paratoi'r wledd bob yn ail. Roedd y gystadleuaeth yn un a fyddai'n peri i raglen *Masterchef* ymddangos fel chwarae plant. Dwi'n cyfaddef bod fy holl gynnyrch i wedi dod yn syth o Marks & Spencer, er na chyfaddefais hynny wrtho ar y pryd. Mi rydw i'n eithaf sicr mai dyna wnaeth Alun, hefyd, ac ni chyfaddefodd yntau chwaith. Yn ddiweddarach, mi brynodd Alun fflat yn Stryd Westgate ac mi rentiais innau dŷ yn Stryd y Brenin Siôr y Pumed, ychydig ddrysau oddi wrth gartref George Thomas. Byddwn yn teithio gartref i Drearddur ar nos Wener ac yna'n blygeiniol fore Llun yn ei hel hi am y De.

Yr argraff roeddwn i'n ei chael wrth drafod problemau'r economi a diwydiant gydag arweinwyr diwydiant a busnes bryd hynny oedd eu bod yn llawer hapusach yn trafod problemau â rhywun oedd â phrofiad mewn diwydiant yn hytrach na gweision sifil heb ddim profiad o'r byd diwydiannol, er mor alluog oedd y rheini. Camgymeriad mawr a wnaed gan ein Cynulliad oedd cael gwared ar Asiantaeth Datblygu Cymru – y WDA. Roedd diwydianwyr trwy'r byd yn gwybod am yr Asiantaeth, ac yn fy mhrofiad i yn ei pharchu. Roedd yn frand pwysig, adnabyddus ac ymhlith y mwyaf effeithiol yn Ewrop. Heddiw does 'na 'run brand sy'n tynnu sylw darpar fuddsoddwyr at Gymru. Mae angen sefydliadau economaidd ac wedi dyddiau'r WDA fuodd 'na ddim un gynnon ni.

Rwy'n cofio Rhodri Morgan yn addo coelcerth y cwangos yn ymffrostgar. Mi fedrwn ni weld rŵan mai camgymeriad fu hynny a chollwyd un arall o'n sefydliadau prin a gwerthfawr. Cyn hynny, bu Rhodri Morgan â'i gyllell yn Dr Gwyn Jones, Cadeirydd y WDA – un o benodiadau Peter Walker. Roedd Gwyn, sy'n enedigol o Borthmadog, yn fachgen galluog, dymunol, parod i fentro, a sefydlodd nifer o gwmnïau meddalwedd llwyddiannus yn nyddiau cynnar cyfrifiaduraeth. Cafodd ei erlid a'i feirniadu'n ddidrugaredd yn y Senedd gan Rhodri. Ymddiswyddodd ar drothwy cyhoeddi adroddiad gan Bwyllgor Cyfrifon Tŷ'r Cyffredin a oedd yn feirniadol o'r Asiantaeth.

Ymhen blynyddoedd cefais alwad ffôn oddi wrth David Hunt, a oedd erbyn hynny wedi cymryd lle Peter Walker yn Ysgrifennydd Gwladol Cymru. Roedd am imi fynd yn Gadeirydd y WDA. Roeddwn wedi cael digon ar fod yn y sector gyhoeddus a digon yw dweud i'r profiad a gefais ym Mwrdd yr Iaith fy nghleisio'n o ddrwg felly gwrthodais y gwahoddiad. Mae'n amlwg nad oedd David Hunt yn arfer â phobl yn gwrthod ei gynigion a dywedodd wrthyf am fynd adref i feddwl drosto. 'Iawn,' atebais, 'ond yr un fydd yr ateb bore fory!' Aeth ati i ffonio Sheila, a gofyn iddi ddylanwadu arnaf. 'Waeth imi heb a threio os yw e wedi penderfynu,' oedd ateb honno. Mi wylltiodd David Hunt yn gacwn, a wnaeth o ddim siarad â mi am flwyddyn gyfan. Wnes i ddifaru? Do, oherwydd roedd yn waith roeddwn wedi mwynhau ei wneud a chael llawer o lwyddiant wrth ei wneud yn ystod fy nghyfnod yn y Swyddfa Gymreig. Ond bu Cymru'n ffodus – mi benodwyd David Rowe-Beddoe (yr Arglwydd Rowe-Beddoe bellach) i'r swydd a chyflawnodd waith clodwiw iawn yn ystod ei gadeiryddiaeth.

Dwi o'r farn fod angen newid meddylfryd o fewn Llywodraeth y Cynulliad tuag at weision sifil a dwi wedi dadlau ers tro y dylem sefydlu Gwasanaeth Sifil Cymreig. Cyfeiriais eisoes at John Clement, y gŵr ardderchog yn y Swyddfa Gymreig a fyddai bob amser yn ystyried buddiannau Cymru o flaen popeth; eithriad oedd o gwaetha'r modd. Dyn felly, hefyd, oedd John Walter Jones, Prif Weithredwr Bwrdd yr Iaith pan oeddwn i'n Gadeirydd y Bwrdd. Nod John oedd sicrhau'r gorau bob amser i Gymru a'r iaith Gymraeg. Yr argraff dwi'n ei chael yw bod mwyafrif y gweision sifil yn ystyried eu gyrfaoedd nhw eu hunain yn gyntaf ac adeiladu eu hymerodraethau eu hunain. Roedden nhw, ac maen nhw, yn llawer rhy niferus. Yn hyn o beth mae gynnon ni lawer iawn i'w ddysgu oddi wrth Iwerddon. I'w gweision sifil nhw, ffyniant Iwerddon oedd yn bwysig, fel y gwelais pan oeddwn i'n aelod o'r British–Irish Encounter. Yr argraff mae rhywun yn ei chael yw bod ein gweision sifil ni'n ystyried eu hunain yn uwch a gwell na phawb, yn hytrach na sylweddoli mai gweision ydyn nhw. Do, mi aeth pethau'n flêr yn Iwerddon, ond barusrwydd y bancwyr a oedd yn gyfrifol am hynny, nid y Llywodraeth na'r gweision sifil.

## PENNOD 7

# Yr Urdd
# a'r Eisteddfodau

CARWN OEDI AM ennyd i sôn yn benodol am ddau sefydliad gafodd effaith fawr a pharhaol ar fy mywyd. Cyfeiriais eisoes at ddylanwad Lili Thomas arnaf. Hi oedd yr athrawes fathemateg annwyl a del honno yn Ysgol Sir Blaenau Ffestiniog. Hi, hefyd, wnaeth fy annog i fynd am y tro cyntaf i Wersyll yr Urdd, Llangrannog, ac mi es yno yn ystod fy mlwyddyn gyntaf yn yr Ysgol Sir. Gymaint fu dylanwad heintus Llangrannog arna i nes i mi fynd yno bob blwyddyn yn ddi-feth tan 'mod i'n 30 oed – hyd yn oed ar ail wythnos fy mis mêl! Bu'r Urdd yn ddylanwad mawr arna i fel ar nifer o'm cenhedlaeth. Roedd cyfarfod Cymry Cymraeg ifanc o bob rhan o Gymru yn ysbrydoliaeth, rhai fel minnau'n Gymry naturiol heb feddwl llawer iawn am y peth, ac eraill o ardaloedd a Seisnigwyd ond a gymerodd y penderfyniad i fod yn Gymry Cymraeg. Mae fy nyled i'r Urdd, yn lleol a chenedlaethol, yn amhrisiadwy. Drwy'r Urdd y cyfarfûm â Sheila fy ngwraig, a'r Urdd a'm gwnaeth yn wleidyddol ymwybodol. Sylweddoli adeg Tryweryn fod rhywbeth mawr o'i le a Dafydd, fy mrawd, a minnau'n eistedd ar ganol y ffordd mewn protest a chael ein llusgo oddi yno gan blismyn roeddwn yn eu hystyried yn ffrindiau i mi. Od o fyd.

Ar lefel leol roedd 'na Aelwyd yr Urdd lwyddiannus ym Mlaenau Ffestiniog ac roedd Dafydd a minnau'n aelodau. Un o'n cyfoedion oedd y naturiaethwr a'r darlledwr Ted Breeze Jones, y tri ohonom o gyffelyb anian. Coffa da am

88

y dosbarthiadau a gynhelid gan y diweddar Emrys Evans, chwarelwr, naturiaethwr heb ei ail, pysgotwr anhygoel a'r cawiwr plu pysgota gorau a gyfarfûm erioed. Cyhoeddwyd ei gyfrol, *Plu Stiniog*, ychydig wedi'i farw ac fe'i cyfieithwyd i'r Saesneg gan Paul Morgan o Siop Coch-y-Bonddu, Machynlleth. Mae'n glasur o gyfrol, ac yn werthfawr am ei bod yn disgrifio cawio plu a fyddai heddiw yn anghyfreithlon i'w gwneud, gan fod y plu a ddefnyddid yn blu adar a warchodir erbyn hyn dan gyfraith gwlad.

Mi brynais foto-beic pan oeddwn i yn y Coleg Technegol yn Wrecsam. Rhecsyn o beth, ond roedd o'n mynd ac o fudd mawr. Gyda'r Urdd yn dod yn fwy a mwy pwysig yn fy mywyd byddwn i'n mynd i Langrannog – fel swog (swyddog) wrth gwrs – ac yn dechrau mynd i Lan-llyn. Dyna gyfnod gwneud ffrindiau oes. Mae gen i gof am griw o Lerpwl ac yno yn eu plith Gwyn Llywelyn, y milfeddyg. Daeth y ddau ohonom yn ffrindiau, fo yn chwe throedfedd a phedair modfedd a minnau yn ddim ond pum troedfedd a phedair modfedd. 'Polyn lein a pheg' oedden nhw'n ein galw ni, ac ar y moto-beic mi fydden ni'n dau'n dianc bob cyfle i Lan-llyn; fi â'r *beret* ar fy mhen, doedd dim sôn am helmed bryd hynny, a Gwyn ar y piliwn. Rhaid ein bod ni'n edrych yn ddigri dros ben, y fi y creadur bach y tu blaen, ac yntau'r un tal y tu ôl. Byddai'r ddau ohonom yn sgrifennu at ein gilydd yn gyson ac yn rhoi teitl i'n gilydd ar yr amlen – Y.M.D.F. Wna i ddim esbonio beth oedd o'n olygu! Roedd yna hwyl heintus yng ngwersylloedd yr Urdd ac mi rydw i'n dal yn ffrindiau da o hyd efo Gwyn a'i wraig, Gwyneth, y ddau wedi ymgartrefu ym Mhwll-glas, ger Rhuthun. Ac er nad ydym yn cyfarfod yn aml, bob tro y cyfarfyddwn mae fel petaem wedi cwrdd bob wythnos.

Un arall o 'mhrofiadau difyr gyda'r Urdd oedd y trip i Iwgoslafia ym 1954. Roedd nifer ohonom ar y daith – gan gynnwys ffrindiau fel y gwyddonydd Iolo Wyn Williams, mab W. D. Williams, y Bermo. Roeddwn yn adnabod Iolo eisoes drwy'r Urdd a deuai i fyny o'r Bermo i Faentwrog o bryd i'w gilydd i 'ngweld ac o dro i dro dôi allan i bysgota gyda mi. Rwy'n cofio rhoi samon braf iddo unwaith i fynd adre gydag o ac yntau'n ei gario ar draws ei lin bob cam ar y bws i'r Bermo.

Cychwynnodd ein taith i Iwgoslafia ar y trên o orsaf Victoria, ymlaen i Dover a chroesi i Ostend. A ninnau ar fin mynd ar y Tauern Express am Iwgoslafia, sylweddolwyd nad oedd digon o le i ni i gyd ar y trên hwnnw. Penderfynodd y trefnydd, yr annwyl Gwennant Davies, fod yn rhaid i bedwar ohonom fynd ar drên arall fyddai'n stopio ymhob math o orsafoedd bach a'n gorfodi i newid trenau droeon. Cytunodd Iolo a minnau a dwy ferch i wirfoddoli am y daith fwy hamddenol. Ond beth am docynnau? 'O, dim ond un tocyn sydd i'r grŵp i gyd,' meddai Gwennant, a lluniodd lythyr gofalus yn egluro'r sefyllfa a'n bod ni'n deithwyr *bona fide* ac wedi talu ac yn y blaen, a ffwrdd â ni. Bob tro y byddai rhywun yn gofyn am ein tocynnau a ninnau'n cyflwyno'r llythyr, byddai saib hir a'r gard yn mynd â'r llythyr i rywle am gyngor pellach, ond cawsom barhau ar y daith trwy Awstria. Buan y dysgwyd un frawddeg bwysig o Almaeneg: 'Bitte kann ich meinen brief zurück?' (Os gwelwch yn dda, ga i fy llythyr yn ôl?) ac fe'i cawsom bob tro.

Wedi teithio drwy Wlad Belg, Yr Almaen ac Awstria, cyrhaeddwyd pen y daith yn ddiogel. Roeddem yn aros yn Jesenica, sydd bellach yn Slofenia. Cawsom amser gwirioneddol wych a chroeso twymgalon gan yr Iwgoslafiaid ac mi wahoddwyd rhai ohonom i ddringo i ben y Triglav, mynydd uchaf y wlad sydd tua 9,000 o droedfeddi. Wedi'r rhyfela a'r holl newidiadau gwleidyddol a ffiniol ddiwedd y ganrif ddiwethaf mae'r mynydd, sy'n rhan o'r Julian Alps, bellach yn Slofenia. Roedd yn daith ddeuddydd o gerdded dygn a manteisiodd Iolo a minnau ar y cyfle. Troi'n ôl wnaeth Iolo wedi iddo sylweddoli ei fod wedi cyrraedd man oedd yn uwch na chopa'r Wyddfa ond mi ddaliais i ati. Cyrhaeddwyd y copa a threulio noson, pawb ohonom yn cysgu ar silff hir mewn rhyw fath o sgubor fawr ar fatresi gwellt mor dynn at ein gilydd â sardîns, a phan fyddai un yn troi byddai'n rhaid i bob un arall droi hefyd, fel rhyw *Mexican wave.* Cawsom frecwast y bore wedyn – coffi a chrempog – a'r tâl oedd swllt y noson. Aeth hanner y criw yn ôl i Jesenica a'r gweddill ohonom i lawr i bentref bach Bled sy'n awr yng ngogledd-orllewin Slofenia. Yn ôl adroddiad a sgrifennodd un o'r criw, Annie V. Lloyd o Ddolwyddelan, i'r *Cymro,* fi oedd arwr y daith am ddringo'r 'mynydd uchaf yn y wlad – y Cymro cyntaf i wneud hynny!' Tybed beth yw ei hanes hi – a nifer o'r lleill a fu ar y daith? Mae gen i gof i Annie ddod â stoc dda o de gyda hi a phle bynnag yr aem byddai'n mynnu mynd i'r gegin i wneud y te ei hunan. Cynhesu'r tebot, gwneud yn siŵr bod y dŵr yn ferw a rhoi digon o amser iddo fwrw'i ffrwyth. Doedd hi ddim am adael y gwaith pwysig o wneud te i staff y llety.

Ar y daith i ben y Triglav deuthum yn ffrindiau mawr â bachgen o'r enw Tomislav Mokorel fu trosodd yn aros gyda ni yng Nghymru sawl gwaith wedyn, gan ymweld â gwersylloedd yr Urdd ac ailgysylltu ag eraill fu ar y daith. Ac yn wir, mi aeth Carol, fy chwaer, i aros gyda theulu Tomo, fel y galwem ef.

Pan oeddem yn cael bwyd yn Bled daeth un a oedd yn gweini yn y bwyty atom a dweud bod 'rhywun o'ch gwlad chi' ymhen draw'r stafell. Fedrwn i ddim coelio bod unrhyw un o Gymru yno – er, nid Cymro oedd yno chwaith ond Americanwr. Newyddiadurwr ar daith o gwmpas y cyfandir yn sgrifennu llyfr am Ewrop wedi'r rhyfel. Wedi clywed fy mod i'n beiriannydd – neu'n hyfforddi i fod yn un o leiaf – dywedodd fod radio ei gar wedi torri a gofyn a fedrwn i ei atgyweirio. Doeddwn i ddim yn hyderus iawn o 'ngallu i wneud hynny ond roedd un cipolwg yn ddigon i weld mai'r cyfan oedd o'i le oedd bod y wifren *coaxial* a ddylai fod i mewn yn y radio wedi'i datgysylltu. Wedi rhoi honno yn ôl roedd y radio'n gweithio'n gampus. Gwnaeth hyn argraff fawr ar yr Americanwr ac wrth sgwrsio addawodd y byddai'n cyfeirio ataf yn ei lyfr. Ddeuddeng mlynedd yn ddiweddarach roeddwn yn Sweden ac wrth ddod allan o'r gwesty yn Stockholm bu bron imi daro yn erbyn rhywun. Safodd y ddau ohonom, ymddiheuro, ac edrych eilwaith ar ein gilydd. Yr Americanwr yn Bled oedd o. Holais a oeddwn yn ei lyfr. Yn sicr, atebodd, ac addawodd anfon copi imi. Chefais i byth mohono.

Hyd yn oed pan oeddwn i yn yr Awyrlu, arferwn dreulio rhan o 'ngwyliau yn Llangrannog a chael amser difyr yng nghwmni pobl fel yr anghymharol Ifan Isaac. Un tro, a minnau yn Llangrannog ac wedi colli pob amcan o amser, sylweddolais y dylswn fod wedi dychwelyd i'r sgwadron yn Nhrelái, Caerdydd, ddeuddydd ynghynt. Panics! Roeddwn wedi mynd AWOL! Dyma fynd ati, Ifan a minnau, i lunio llythyr yn egluro i mi gael fy nharo gan ryw anhwylder rhyfedd yng Ngwersyll Llangrannog a bod awdurdodau'r gwersyll wedi penderfynu mai doeth fuasai fy neilltuo i'r Ysbyty Heintiau. Arwyddwyd y llythyr, 'I. Isaac, Camp Commandant'! Wedi i'r Squadron Leader Devey ddarllen y llythyr edrychodd arnaf yn ofidus a phenderfynu bod rhywbeth o'i le, ac anfonodd ar unwaith am y meddyg teulu lleol oedd yn gwasanaethu'r sgwadron. Erbyn hyn roedd euogrwydd yn fy mhoeni o ddifrif a phan ddaeth y meddyg roeddwn yn chwysu chwartiau. Dedfryd y meddyg oedd y dylswn gael deuddydd pellach o orffwys i ddod tros beth bynnag oedd yn bod arna i.

Rwy'n ei hystyried yn fraint, a braint ffodus iawn, imi wneud cyfeillion â phobl o gyffelyb anian o bob rhan o Gymru drwy'r Urdd, yn arbennig drwy'r gwersylloedd, Llangrannog a Glan-llyn – dau le a'm gwnaeth i, a miloedd o rai tebyg imi, yn Gymro ymwybodol: pobl fel Bobi Gordon o Ben-y-groes, neu Alwyn Samuel a Tomi Scourfield, y ddau grŵner; cyfeillgarwch Ifan Isaac, a hefyd Dafydd Jones ac Edith Bott – y ddau yn rhoi arweiniad heb i mi fod yn ymwybodol o hynny. A phwy all anghofio'r annwyl Gwennant Davies, a John Lane a llu o rai eraill a roddodd arweiniad ardderchog i genedlaethau o bobl ifanc. Ond mae 'na un dwi'n ei gyfri'n un o'm ffrindiau gorau, a hwnnw ydi Gwyn Llywelyn, y fet o Bwll-glas, Rhuthun.

Mae'r cyfeillgarwch a wnaed drwy'r Urdd yn para, er efallai mai anaml y bydd rhywun yn cyfarfod y cyfeillion hynny y dyddiau hyn. Eto, ni ellir anghofio'r dyddiau dedwydd a gafwyd flynyddoedd maith yn ôl bellach. Sut fyd fyddai arnon ni, deudwch, heb y cyfeillion hynny?

Pan aethom i fyw ym mhentref Llan-non, prin ein bod ni wedi cyrraedd ein cartref newydd nad oedd Trefnydd Sir yr Urdd, Ifan Isaac, yn curo ar y drws ac yn fy mherswadio i sefydlu Aelwyd yno. Hynny fu, gydag Islwyn Jones, gyrrwr lori gyda SWEB (Bwrdd Trydan De Cymru), ac un o'r cymeriadau anwylaf y gallasech ei gyfarfod, a minnau'n gyd-arweinwyr. Rwy'n cofio'r criw yn fy helpu i lanhau'r gwyngalch oddi ar ein cartref newydd a phwyntio rhwng y cerrig, paentio'r cerrig yn wyn, wedyn, a'r pwyntio'n ddu. Roedd hi fel gwersyll gwaith Llangrannog yno. Roedden nhw'n griw gwych – fawr o ddiddordeb mewn llenyddiaeth ond wrth eu boddau â thwmpathau dawnsio gwerin a ralïo ceir. Dyma oes aur y twmpathau dawns yn Sir Aberteifi, Sir Gaerfyrddin a gogledd Sir Benfro. Fyddai neb yn hysbysebu twmpath: byddai rhywun yn llogi neuadd Llandudoch, Crymych, Aber-porth, Penrhiw-llan, Caerfyrddin neu Landysul a byddai'r bobl ifanc ar y ffôn â'i gilydd ac erbyn wyth o'r gloch byddai llond y lle o ddawnswyr egnïol. Recordiau Jimmy Shand gydag Ifan Isaac, Alun Morgans neu Gareth Owens fel arfer yn 'galw' y dawnsiau. Roedd pethau'n debyg tua Neuadd Idris yn Nolgellau a rhannau eraill o Gymru. Rwy'n cofio Islwyn, wedi noson o ddawnsio yn yr Aelwyd gydag Ifan Isaac, yn dweud ei bod yn bechod na fuasai band ar gyfer y twmpathau dawns. Felly y bu, a dyna sefydlu'r Gwerinwyr: Islwyn ar y drymiau, y ddau frawd Idris a Glyn Evans, a minnau – Idris, gyrrwr lori laeth, â'r acordion a Glyn, trydanwr, a minnau â'n gitârs. Daeth Llinos Thomas (Edwards wedi hynny) oedd yn athrawes yn Ysgol Gynradd Gymraeg Aberystwyth i roi ychydig o sglein arnon ni ac i chwarae'r allweddellau a Leslie Birch yn chwibanwr achlysurol, ac aeth pethau yn eu blaenau'n daclus ddigon.

Clywodd Gwennant Davies amdanom a daeth i lawr i Lan-non i'n gweld. Bu yna gyfnod o ymarfer caled, dysgu alawon Cymreig, ac yn fuan iawn roedd yna alw mawr am ein gwasanaeth. Ar adegau byddem yn perfformio mewn dau dwmpath yr wythnos ac roedd gynnon ni ein grŵpis oedd yn ein dilyn i bob man. Roedd ymddygiad y bobl ifanc yn y twmpathau hyn yn ardderchog. Fedra i ddim cofio un achos o helynt, dim meddwi, ac ar nos Sadwrn byddai'r cyfan yn dirwyn i ben am chwarter i hanner nos – fydden ni byth yn mynd trosodd i'r Sul. Un o binaclau hanes y Gwerinwyr oedd gwahoddiad i berfformio yng Ngŵyl Werin yr Urdd, Aberafan, 1964. Adeg y Nadolig 1971, a minnau bellach wedi ymadael â nhw ers tro, roedd y Gwerinwyr yn perfformio yn eu milfed twmpath, a chafwyd twmpath dathlu mawr yn Aber-porth.

Bu un digwyddiad trychinebus yn ystod ein cyfnod yn Llan-non. Roedd bachgen ifanc deunaw oed yn Gadeirydd yr Aelwyd ac yn canlyn merch bymtheg oed – roedd Islwyn a minnau yn mynnu mai un o'r bobl ifanc fyddai'n cymryd swydd y Cadeirydd. Roedd rhieni'r ferch yn anfodlon iawn â'r garwriaeth a rhoddwyd pwysau mawr arni i ddwyn y berthynas i ben. Y noson y cafodd y bachgen y newydd aeth allan a llofruddio'r ferch a'i thad. Trannoeth, daethpwyd o hyd iddo'n gorwedd ar y traeth wedi trywanu ei hun â chyllell ond yn fyw. Bu mewn carchar am oddeutu chwarter canrif. Y noson cyn y drychineb roedd o a minnau'n trefnu rhaglen yr Aelwyd am y flwyddyn ganlynol ac felly bu'n brofiad brawychus i mi'n bersonol ac i'r gymuned gyfan. Un peth rhyfedd iawn am y digwyddiad oedd bod mam y ferch yn bur fusgrell ac yn ddibynnol ar ffrâm Zimmer. Tua thri mis wedi'r drychineb adferwyd ei hiechyd a medrai gerdded heb unrhyw gymorth. Rhyfedd o fyd.

Ym 1965 cefais fy ethol yn Gadeirydd Is-bwyllgor Gwersylloedd yr Urdd, ac ym 1966 yn Drysorydd y mudiad. Roedd yn gyfnod cyffrous yn hanes yr Urdd. Wedi degawdau o estyn prydlesi ar gaeau fferm Cefn Cwrt, Llangrannog, lle bu

Gwersyll yr Urdd er 1932, roedd yn amlwg na ellid dibynnu ar ymestyn y brydles tu hwnt i 1973. Daeth Cyfarwyddwr yr Urdd, R. E. Griffith, ar y ffôn rywbryd ym 1968 â'r newydd fod tebygrwydd y byddai Cefn Cwrt ar werth. 'Fedrwn ni ddim fforddio peidio prynu'r fferm,' oedd fy ymateb. 'Rwy'n cytuno'n llwyr â ti,' atebodd R.E. Ers y cychwyn roedd dros 80,000 o fechgyn a merched Cymru wedi cael hwyl ac ysbrydoliaeth yn y gwersyll – fyddai'r Urdd fyth yr un fath pe collid Llangrannog. Cyflwynwyd yr achos gerbron aelodau'r Pwyllgor Ariannol a Chyngor yr Urdd dan gadeiryddiaeth A. D. Lewis, a llwyddwyd heb fawr o drafferth i'w darbwyllo nad oedd dewis arall. Llwyddwyd, drwy ddawn fargeinio R. E. Griffith, i brynu'r fferm am £18,000 – swm a ymddangosai'n anferthol ym 1968 – ac yn sgil hynny llwyddwyd i roi sylfaen gadarn am byth i le sydd â'i enw'n golygu cymaint i gynifer o bobl Cymru, yn hen ac ifanc. Rwy'n dal i gredu mai hwn oedd y penderfyniad pwysicaf a mwyaf cyffrous yn hanes yr Urdd. Siom i mi oedd gorfod ymddiswyddo o fod yn Drysorydd yr Urdd ym 1969 oherwydd i'r Bwrdd Cynhyrchu Trydan fy symud unwaith eto. Ond cefais fod yn rhan o'r cyffro a'r drefniadaeth o brynu Cefn Cwrt i'r Urdd ac rwy'n arbennig o falch imi chwarae rhan yn y penderfyniad i sicrhau'r trysor hwn i'r genedl. David Jenkins o'r Llyfrgell Genedlaethol a'm dilynodd yn Drysorydd a Prys Edwards yn Gadeirydd y Pwyllgor Gwersylloedd.

Ym 1972, a minnau bellach yn Sir Fôn, dathlwyd hanner canmlwyddiant sefydlu'r Urdd, ac fel cyn-Drysorydd roeddwn i'n teimlo bod rheidrwydd arnaf i wneud rhyw gyfraniad at sefydliad a gafodd gymaint o ddylanwad arnaf. Dyma Alwyn Owens, hen gyfaill o Lanrwst a gwyddonydd o fri, a minnau'n taro ar syniad. Roedd Alwyn yn un o arloeswyr sefydlu'r cyfrifiadur cyntaf ym Mhrydain pan oedd yn Rhydychen ac arferai Sheila a minnau, pan oedden ni'n canlyn, fynd yno i'w weld. Bu Alwyn a minnau'n cydfynydda, hefyd, ac yntau, erbyn hyn, yn ddarlithydd mewn electroneg yn y Brifysgol ym Mangor ac yn byw yn Sir Fôn. Penderfynodd y ddau ohonom y byddem yn ail-greu'r daith chwedlonol a gerddasai'r ddau sant, Seiriol Wyn a Chybi Felyn, i gydgyfarfod yn ddyddiol wrth ffynhonnau Clorach yng nghanol yr ynys. Yng ngeiriau Syr John Morris-Jones:

Seiriol Wyn a Chybi Felyn
Gyfarfyddent fel mae'r sôn
Beunydd wrth ffynhonnau Clorach
Yng Nghanolbarth Môn.

Gwisgodd y ddau ohonom fel dau fynach, Alwyn, sef Seiriol Wyn yn cychwyn o Benmon, a minnau, Cybi Felyn, yn cychwyn o Ynys Cybi. Gelwid Seiriol yn Seiriol Wyn, gyda llaw, am ei fod yn cerdded yn y bore â'r haul y tu cefn iddo, ac ar ei ffordd adre i Benmon byddai'r haul a oedd yn machlud eto y tu cefn iddo. Felly, nid oedd yr haul ar ei wyneb gydol y ddwy daith, sy'n egluro'i wedd welw. Ar y llaw arall, byddai Cybi'n cerdded tuag at yr haul yn y bore, ac ar ei ffordd yn ôl i Ynys Cybi byddai'n wynebu'r machlud gan roi iddo'i liw melyn iachus.

Profiad od oedd sylwi ar adwaith rhai o yrwyr y cerbydau'n mynd heibio a gweld y mynach â'i ffon fugail fawr yn brasgamu gan fwynhau ambell sigarét ar ei daith – roeddwn i'n smocio bryd hynny. Wrth nesu at un o blastai'r ynys, rwy'n cofio Sais yn dod allan i'm cyfarfod – roedd taith Alwyn a minnau wedi cael tipyn o gyhoeddusrwydd rhag blaen. 'You must come in,' meddai o, a mewn â mi, ac roedd yr holl staff yno'n rhes i'm croesawu. 'I want you to meet Saint Cybi,' medda fo wrth fy nghyflwyno. Gwnaed casgliad i mi, ac wedi imi roi'r arian yn fy sgrepan, dyma fo'n dweud: 'I know your name is John and you are obviously a walker, so you are a Johnny Walker, and here's something to help you on your journey'; a chefais lasiad hael o chwisgi Johnny Walker i 'nghynnal ymhellach ar y ffordd. Roeddwn i'n teimlo braidd yn euog yn arogleuo o chwisgi wrth daro i mewn i sawl capel a wnaeth gynnal gwasanaethau i'n croesawu ar ein taith a gwneud casgliadau pellach at gronfa'r Urdd.

Canlyniad dod i adnabod llu o Gymry o'r un oed ac anian drwy weithgareddau'r Urdd oedd ehangu diddordebau a'r awydd i barhau y cysylltiadau hyn drwy fynychu'r Eisteddfod Genedlaethol. Roedd yr ysfa eisteddfodol wedi cydio ynof yn ifanc iawn a bu eisteddfodau ac eisteddfota'n bwysig i mi ar hyd pob cam o'r daith. Yn y nodyn sydd amdanaf yn *Who's Who* ac yn *Debrett's* o dan hobïau rhestraf bysgota, saethu a mynychu eisteddfodau. Pan oeddwn i'n hogyn yn Swch arferwn gystadlu'n gyson mewn eisteddfodau lleol, ac yn arbennig yn Eisteddfod Jiwbilî Llan Ffestiniog a oedd yn eisteddfod go fawr bryd hynny. Roedd gen i lais canu pur dda ac mi fyddwn i'n ennill yn weddol aml. Y tro cyntaf imi gystadlu yn yr Eisteddfod Genedlaethol oedd Eisteddfod Rhosllannerchrugog 1945, unawd dan 15 oed i fechgyn, os cofiaf yn iawn. Wnes i ddim ennill, ond mi ges lwyfan a'r anogaeth i ddal ati ac i gystadlu yn Eisteddfod yr Urdd a'r Genedlaethol. Yn fuan roedd gan yr Eisteddfod Genedlaethol, Eisteddfod yr Urdd a Llangollen le pwysig yn fy nghalendr blynyddol – roeddwn i'n mwynhau cystadlu ac yn mwynhau gwrando ar eraill yn perfformio. Daeth y blynyddoedd dilyn eisteddfodau yn rhan annatod o'm bywyd, ac rwy'n cofio mynd i Eisteddfod Genedlaethol Ystradgynlais 1954 gyda Gwyn Williams – Gwyn Bangor – fu'n aelod o staff yr Urdd ac am flynyddoedd lawer wedyn yn gynhyrchydd radio gyda'r BBC yn y Gogledd. Aethom i lawr mewn fan Austin A35 a chysgu ynddi. Gan 'mod i'n fyr roeddwn i'n ddigon cysurus yn fy sach gysgu, ond mae gen i gof am Gwyn druan yn trio cysgu â'i draed yn sticio allan drwy ddrws cefn y fan. Yn yr Eisteddfod honno y deuthum i adnabod Sheila'n iawn a blwyddyn yn ddiweddarach y gwelais hi ar blatfform gorsaf Cyffordd Llandudno. Roedd hi a'i ffrind, Mavis o Lanelli, yno gyda'i gilydd ac mae Mavis a'i gŵr, yr Athro John Edward Williams, sy'n wreiddiol o'r Felinheli, a ninnau'n dau yn dal yn ffrindiau da heddiw. Rwy'n cofio cystadlu, wedyn, yn Eisteddfod Genedlaethol y Fflint (1969) gyda Gwyn Llywelyn, y milfeddyg, a merch na fedra i yn fy myw gofio ei henw. Y gystadleuaeth oedd perfformio cyflwyniad dramatig o olygfa allan o un o nofelau Daniel Owen. Er rhyfeddod mawr i mi, a phawb yn y teulu, daethom yn ail, ac rwy'n cofio bod Gari Nicholas, Llanelli, yn y grŵp buddugol.

Roeddwn wedi bod yn aelod o Gyngor yr Eisteddfod Genedlaethol ers peth amser pan ofynnodd Derec Llwyd Morgan, a oedd yn Gadeirydd y Cyngor, imi fod yn Gadeirydd Pwyllgor Safle'r Eisteddfod. Bu farw Cadeirydd y Pwyllgor Safle o'm blaen, yr annwyl Tom Jones, Llanuwchllyn, mewn damwain car ger Rhaeadr Gwy ym 1984 ar ei ffordd adre'n hwyr o gyfarfod Pwyllgor Safle'r Eisteddfod yng Nghaerdydd. Roedd o wedi bod yn trafod cael pafiliwn newydd i'r Brifwyl ac wedi mynnu gyrru adre yn hwyr y noson honno gan fod ganddo gyfarfod o Gyngor Gwynedd fore trannoeth. Bu ei farwolaeth annhymig yn golled enfawr i'r Eisteddfod, i lywodraeth leol ac i lu o fudiadau diwylliannol Cymraeg – un o gewri diflino'r genedl. Derbyniais y swydd o geisio llenwi ei esgidiau. Er hynny bu'n brofiad pleserus, a fy mraint fu cael cydweithio â'r tîm bychan o swyddogion safle o 1984 hyd 1988. Petasai pob diwydiant ym Mhrydain yn gweithio mor effeithiol ac effeithlon â'r criw bychan hwnnw buasai llawer gwell siâp ar economi Prydain y dyddiau hyn. O dan arweiniad Goff (O. G.) Davies roedden nhw'n cyflawni gwyrthiau a does gan y genedl na'r eisteddfotwyr syniad gymaint a wnaed dan oruchwyliaeth Goff, ac a wneir gan Alan Gwynant, a ddaeth ar ei ôl. Y Pwyllgor Safle sy'n penderfynu ar leoliad yr Eisteddfod, ond mae'r gwaith o osod allan y Maes a chodi'r pafiliwn yn syrthio ar griw bach o weithwyr rhyfeddol o ymroddgar a diwyd.

Soniais eisoes am fy niddordeb mewn barddoniaeth, ac o ganlyniad dechreuais dreulio mwy a mwy o amser yn y Babell Lên. Mae gen i hoffter arbennig o ganu caeth ac rwy'n ymhyfrydu yn y ffaith 'mod i'n medru rhyw fath o gynganeddu ac yn llwyddo i saernïo ambell englyn digon derbyniol – ym marn fy nghyfeillion, beth bynnag. Pan gefais fy urddo'n aelod Gwisg Wen o'r Orsedd yn Eisteddfod Castell-nedd cymerais yr enw Swch ap Urien. Dwi'n eithaf siŵr y buasai Nhad a Mam yn ymfalchïo yn hynny. Gyda threigl y blynyddoedd mi gawn fy hun yn anelu tua'r Babell Lên ben bore ac yn aros yno drwy'r dydd, os na fyddai rhyw ddyletswydd arbennig yn mynnu fy nhynnu oddi yno. Faint o wledydd eraill, mewn difrif, sydd mor ymwybodol o werth a swyddogaeth beirdd ac yn rhoi cymaint o fri a pharch arnynt ag a roddir gynnon ni'r Cymry? Mae'n ffaith y dylsem fel cenedl ymfalchïo ac ymhyfrydu ynddi. Ac yn fwy na hynny, mae cymaint o hwyl a difyrrwch i'w gael yno. Rwy'n cofio Eisteddfod Abergwaun 1986 pan gafwyd tywydd gyda'r gwaethaf yn hanes y Brifwyl a phawb bron hyd at eu pennau gliniau mewn mwd, a Machraeth yn llunio englyn anfarwol i gyflwr y Maes:

O dan draed mae'r mwd yn drwch – yn sicli
   Fel siocled neu bibwch;
  I hwn ni cherddai'r un hwch,
  Ella, ond mewn tywyllwch.

Campus – ond mae Machraeth yn siarad mewn cynghanedd. Cefais gyfle, wedyn, pan oeddwn yn Gadeirydd Dŵr Cymru, i noddi'r Babell Lên a rhoddodd hynny fwynhad pellach i mi. Byddai carafán gan Ddŵr Cymru ar y maes a roddai gyfle i feirniad neu lywydd y dydd gael ennyd o lonyddwch ac ysbrydoliaeth i hel meddyliau cyn camu ar y llwyfan. Rhoes fy nghysylltiad â'r Eisteddfod gyfle i rai o'r beirdd dynnu 'nghoes o dro i dro. A'r tynnu coes mwyaf, yn ddiau, fu yn Eisteddfod Genedlaethol Cwm Rhymni 1990. 'Gwythiennau' oedd testun y Gadair, a'r awdl a osodwyd yn drydydd gan bob un o'r beirniaid oedd eiddo 'Lleng'. Awdl a gymerodd y nentydd a'r afonydd, gwaith Duw, fel y gwythiennau, cyn mynd ymlaen at waith dyn yn y drefn – carthffosiaeth, a mater llygredd.

Ond awdl ag elfen gref o dynnu coes ynddi oedd hon, ac ar ôl cychwyn aruchel yn clodfori'r Bod Mawr, cafwyd newid cywair ysgytwol:

Diwelodd ers y dilyw
Arlwy y dŵr o law Duw;
Diaros lif dros y wlad
Yn haelionus gyflenwad.
Trefnodd ef yn ddoeth hefyd
Yr eisobars dros y byd...
Yna i'r gwaith daeth rhyw Gog
Yn lle yr Hollalluog.

Efe a arwain bob rhyw lifeiriant
A rhoi'i gyweirnod i bob rhyw gornant,
Efe sydd yn trethu canu'r ceunant,
Efe o afon ei hen ogoniant
Ddaw â'r nawdd o ddŵr y nant, – a hybu
Llyn i ddiwallu ein hen ddiwylliant.

Fel rhyw archangel mi ddaeth John Elfed,
Efe ei hun a Duw yn gyfuned,
Partneriaeth ddi-ail a'i sail yn soled
O drasau uchel i dorri syched
A'i werin oriwaered – yn unfryd
Yn brysio i gyd i dalu'u dyled.

Flynyddoedd wedyn, pan gyhoeddwyd *Y Grefft o Dan-y-groes*, a olygwyd gan y Prifardd Idris Reynolds, cawsom wybod mai awdl a saernïwyd ar y cyd gan ddosbarth cynganeddion a gynhelid gan Dic Jones yng Ngwesty'r Emlyn, Tan-y-groes, oedd eiddo 'Lleng'. Mae'n debyg mai'r enw roddwyd yn yr amlen dan sêl oedd Blodwen Evans, Gwesty'r Emlyn. Blodwen oedd enw'r hwch a gedwid gan forwyn y dafarn! Yn ôl Dic Jones bu chwysu mawr wrth i T. Llew Jones, oedd yn traddodi'r feirniadaeth, gyrraedd 'y tair awdl yn y dosbarth cyntaf' ac yntau o hyd heb enwi 'Lleng'! Beth petasai wedi bod yn flwyddyn wan? Anodd dychmygu'r canlyniadau. Blodwen yr Hwch yn cael ei llusgo'n gwichian i Gadair ein Prifwyl? Yn ôl Dic, roedd y darn gweddol garedig hwn yn ymdrech i wneud iawn am gwpled tipyn mwy creulon a nyddwyd amdanaf gan un o griw Tan-y-groes mewn Ymryson yn y Babell Lên pan oedd helynt y Ddeddf Iaith yn ei hanterth.

Weithiau byddai cerrynt o wahanol ffrydiau fy mywyd â gwahanol gyrff yn croesi i greu dyfroedd digon annifyr, er bod amser yn rhoi gwedd ddoniol iddynt wrth fwrw trem yn ôl dros y blynyddoedd. Eisteddfod yr Wyddgrug 1991 oedd hi a chyfnod cythryblus o geisio perswadio'r genedl a'r Llywodraeth fod gwir angen Deddf Iaith newydd. Roedd stondin gan Fwrdd yr Iaith ar y Maes ac un noson roeddwn i a Sheila a nifer fach o gyfeillion yn mwynhau cinio gyda'r nos yn un o westai'r ardal. Pwy ddaeth atom â golwg bryderus ar ei wyneb ond Emyr Jenkins, Cyfarwyddwr yr Eisteddfod, â'r newydd fod yna broblem. Roedd Cymdeithas yr Iaith wedi malu stondin Bwrdd yr Iaith ac Angharad Tomos wedi'i chymryd i'r ddalfa. A dweud y gwir, doedd y niwed ddim yn fawr ac euthum ar fy union i swyddfa'r heddlu. Pwy oedd yno ond rhieni Angharad, Arial Thomas a'i wraig, Eryl Haf, yn amlwg yn gofidio'n arw. Addewais wneud fy ngorau i sicrhau y byddai Angharad yn cael ei rhyddhau a chefais sgwrs hir gyda'r Prif Arolygydd, Cymro Cymraeg, gan egluro wrtho na wnaed difrod gwirioneddol i'r stondin ac na fyddem yn erlyn Angharad. Bu raid llunio llythyr wedyn i sicrhau'r heddlu nad oedd gynnon ni gŵyn yn eu herbyn hwy am y modd roedden nhw wedi ymdrin â'r sefyllfa. Cymerodd hynny tuag awr ac yna cafodd Angharad ei rhyddhau heb gymryd achos yn ei herbyn. Hynny er rhyddhad i'w rhieni, os nad oedd hi ei hun wedi'i phlesio'n fawr iawn. Trannoeth, roedd Angharad ar lwyfan yr Eisteddfod yn derbyn y gyntaf o'i dwy Fedal Ryddiaith. Tebyg y buasai wedi'i rhyddhau ar fechnïaeth, ond be fuasai wedi digwydd i'r seremoni wedyn, pe na bai tybed? Chafodd y cyfryngau ddim gafael ar y stori yna, ac ni ddaeth neb i wybod, chwaith, mai cefnder John Walter Jones, Prif

Weithredwr Bwrdd yr Iaith, oedd y Prif Arolygydd rhadlon yn swyddfa'r heddlu.

Nid y Genedlaethol ac Eisteddfod yr Urdd oedd fy unig brofiad o fod yn rhan o'r drefniadaeth eisteddfodol, chwaith. Lai na blwyddyn y bûm i wrth y gwaith o sefydlu Aliwminiwm Môn pan benderfynwyd gwahodd Eisteddfod Môn i Gaergybi. Roedd, ac mae, Eisteddfod Môn yn eisteddfod fawr, cystal yn wir ag unrhyw 'steddfod *semi-national*. Ychydig cyn y cyfarfod cyhoeddus i drafod y gwahoddiad galwodd Cledwyn Hughes i 'ngweld i yn y gwaith. Pwysodd arnaf i ddod i'r cyfarfod, 'fel cynrychiolydd Aliwminiwm Môn ac i ddangos cefnogaeth'. Es innau, a chynigiwyd gwahodd yr Eisteddfod i Gaergybi, a'i dderbyn yn unfrydol. Etholwyd Cledwyn Hughes yn Llywydd a daeth y mater o ddewis Ysgrifennydd y Pwyllgor Gwaith. 'Rwy'n cynnig John Jones,' meddai rhywun. Eiliwyd y cynnig. Ni chafwyd cynnig arall a gofynnwyd a oedd pawb o blaid. Codais fy llaw gyda phob un arall. Wrth i rywun droi ataf a diolch imi am dderbyn y swydd y sylweddolais mai fi oedd y John Jones! 'Sdim isio ichi boeni, mae gynnoch chi ddigon o adnoddau swyddfa i ymdopi'n hawdd â'r gwaith,' meddai Cledwyn Hughes yn gysurlon wrthyf. Roedd Cledwyn yn gwybod yn union sut i gael y maen i'r wal. A do, mi gawsom 'steddfod arbennig o dda.

Caf sôn yng nghyswllt fy mlynyddoedd yn byw yn y Coety am y profiad o fod yn Gadeirydd Pwyllgor Gwaith Eisteddfod Genedlaethol Bro Ogwr 1998. Ond hwyrach y dylswn gyfeirio yma at yr hyn rwy'n dybio sy'n broblemau y mae'n rhaid i'r Eisteddfod Genedlaethol eu hwynebu. Oherwydd y gost gynyddol o'i chynnal, a ellir parhau i'w llusgo ledled Cymru o flwyddyn i flwyddyn? Gwyddom yn dda am yr ysbrydoliaeth a'r gwaddol o Gymreictod y mae'r Eisteddfod Genedlaethol yn eu gadael ar ei hôl, yn arbennig yn yr ardaloedd hynny a gollodd y Gymraeg. Ond a all gwlad fechan fel Cymru fforddio'r drefn hon? Dwi'n gefnogol i'r syniad o sefydlu rhyw bum safle parhaol – dau yn y Gogledd, dau yn y De ac un yn y Canolbarth. Gellid derbyn gwahoddiad gan ardaloedd penodedig i fod yn gyfrifol am drefnu a noddi'r Brifwyl gan ddilyn y patrwm a grëwyd gan y Sioe Frenhinol. Dwi'n eithaf siŵr y câi defnydd cyson ei wneud o'r safleoedd parhaol hynny mewn gwahanol rannau o Gymru, fel y gwneir o faes y Sioe Frenhinol yn Llanelwedd, ac y buasent yn tyfu'n adnoddau gwerthfawr a defnyddiol yn y gwahanol ardaloedd. Ysgwn i beth fydd argymhellion y panel a grëwyd gan Leighton Andrews i drafod yr Eisteddfod?

# Yn y dyfroedd...

TREULIAIS DAIR BLYNEDD yn y Swyddfa Gymreig yn crwydro'r byd yn ceisio, ac i raddau'n llwyddo, i ddenu diwydiannau tramor i Gymru. Gyda'r tair blynedd ar ben ym 1982 gofynnwyd imi gymryd swydd Cadeirydd Awdurdod Dŵr Cymru i ddilyn Haydn Rees, a fu cyn hynny'n Brif Weithredwr Sir y Fflint. Gwrthodais. Dywedais wrth y Swyddfa Gymreig gan fy mod yn wleidyddol amhleidiol nad oeddwn am i bobl weld fy mhenodiad yn un gwleidyddol. Fûm i erioed yn wleidyddol yn yr ystyr o fod yn aelod o blaid. Rwy'n ystyried fy hun yn sosialydd ac am flynyddoedd teimlwn yn nes at Blaid Cymru am mai hi, yn anad yr un blaid arall, a roddai fuddiannau Cymru'n gyntaf, ond dwi'n teimlo iddi golli ei ffordd yn y blynyddoedd diwethaf. Mae'r pregethu cyson am annibyniaeth yn gelyniaethu cyfran helaeth o drigolion Cymru sy'n wlatgarwyr diffuant. Beth yn wir a olygir gan annibyniaeth? Yn fy marn i does yr un wlad yn y byd yn annibynnol heddiw, ddim hyd yn oed Gogledd Korea. Beth petasai Cymru yn peidio â bod yn rhan o'r Deyrnas Unedig, a fyddai'n annibynnol? Na fyddai, wrth gwrs, mi fyddai'n rhan o drefniant Ewrop a does 'na fawr a gyflawnwyd gan y Senedd ym Mrwsel wedi fy ysbrydoli hyd yn hyn. Mae gwir angen i Gymru gael mwy o hawliau i benderfynu ar bopeth sydd o bwys i Gymru a threfniant effeithiol i ddylanwadu ar benderfyniadau sy'n deillio o San Steffan neu Frwsel, os yw'r rheini'n effeithio ar Gymru ynghyd â gwledydd eraill. Gresyn na fuasai Dafydd Wigley yn dal i fod yn arwain Plaid Cymru heddiw – mi enillodd o barch trwy Gymru gyfan.

Beth bynnag am hynny, dyma oedd fy ymateb i'r cynnig: 'Hysbysebwch y swydd, ac mi wna i gynnig amdani,' meddwn wrthyn nhw. 'Os profa i 'mod i, yn eich golwg chi, yn well na'r ymgeiswyr eraill byddaf yn fwy na pharod i'w derbyn.' Hynny fu. Hysbysebwyd y swydd ac euthum drwy'r drefn o anfon fy nghais i mewn a chael fy ngwahodd am gyfweliadau gan Wyn Roberts, yr Is-Ysgrifennydd Gwladol yn y Swyddfa Gymreig, Syr Richard Lloyd-Jones, Ysgrifennydd Parhaol y Swyddfa Gymreig, ynghyd â'r ymgynghorwyr annibynnol. Yn y man cefais gynnig y swydd ac fe'i derbyniais. Swydd ran-amser oedd hi, tri diwrnod a hanner yr wythnos, a minnau felly ar gyflog o 70 y cant o werth y swydd, sef £20,540 y flwyddyn.

Doedd hi ddim yn mynd i fod yn swydd hawdd. Mewn stori'n cyhoeddi fy mhenodiad ar 27 Chwefror 1982, galwodd y *Western Mail* y swydd yn 'Mission impossible' a'r 'most unpopular top job in Wales'. Roedd y dreth ddŵr yn uchel, yr hyn a delid gan ddiwydiant am ddŵr yn bwnc amhoblogaidd, heb sôn am yr holl ddŵr a oedd yn llifo am ddim i Loegr yn ogystal ag aneffeithlonrwydd y gwasanaeth – pob un ohonyn nhw'n bynciau llosg. Pan gychwynnais roedd y golled yn £6.9 miliwn, a phobl Cymru newydd weld eu trethi dŵr yn codi 18.3 y cant, yr ail uchaf ym Mhrydain. Gwnaeth Awdurdod Dŵr Cymru golledion cyson ers blynyddoedd, ac roedd hynny'n groes i ddeddf gwlad. Roedd cael colled ambell flwyddyn yn dderbyniol, ond roedd disgwyl gwneud iawn am y golled y flwyddyn wedyn. Yn sicr, doedd y colledion cyson ddim wrth fodd y Swyddfa Gymreig, fel y gwnaed yn gwbl glir gan Nicholas Edwards pan gyhoeddodd fy mhenodiad yn Nhŷ'r Cyffredin. Torrwyd nifer aelodau'r Bwrdd yn sylweddol, o 36 i 13. Roeddwn i wedi fy mhenodi i'r swydd i wneud yr Awdurdod yn fwy effeithlon, i docio'r costau a'r gweithlu, a hynny'n sylweddol iawn. Ac roedd gen i bum mlynedd i gyflawni hynny. 'Bydd gan y Cadeirydd a'r Bwrdd newydd rôl allweddol yn natblygiad trefniadaeth yr Awdurdod i fod yn gorff effeithlon ac effeithiol,' meddai Nicholas Edwards. Nododd y

*Western Mail* mai fi fyddai pennaeth cyntaf y diwydiant dŵr â phrofiad o weithio yn sector breifat y diwydiant a hynny ar y lefel uchaf. Y farn oedd fod gen i lawer o gydymdeimlad â diwydiant, ond rŵan roeddwn i'n Gadeirydd corff a oedd yn gyson dan lach diwydianwyr oedd yn feirniadol iawn o'r pris roedden nhw'n gorfod ei dalu am ddŵr.

Ymhen chwe mis bu'n rhaid imi fynd at Nicholas Edwards a dweud wrtho sut roedd pethau'n datblygu. 'Dach chi'n iawn,' meddwn wrtho, 'swydd dri diwrnod a hanner yw hon, ond mi fuaswn yn llawer mwy effeithiol pe cawn i weithio'n hyblyg.' 'Be wyt ti'n feddwl?' meddai. 'Mewn gwirionedd, mae anghenion y swydd ar hyn o bryd yn gofyn am ymroddiad o dri diwrnod a hanner o bedair awr ar hugain bob dydd,' meddwn. 'Ond mi fasa'n well gen i weithio saith niwrnod o ddeuddeg awr y dydd!' 'Cer o 'ma,' meddai gyda gwg ar ei wyneb, ond o fewn dim roedd y swydd yn un llawn amser.

Y peth cyntaf i'w wneud oedd edrych beth oedd achos y colledion a ble gellid gwneud arbedion. Y peth amlwg cyntaf, fel y dywedodd Nicholas Edwards, oedd fod llawer gormod o staff o fewn y gyfundrefn. Nid bai'r gweithwyr oedd hynny, ond etifeddiaeth y gwahanol drefniadau a'r cyrff a fu, ac yna'r ad-drefnu a arweiniodd at ddyblu swyddi mewn modd diangen a gwastrafflyd. Doeddwn i ddim am ddiswyddo neb, ond roedd angen lleihau nifer y gweithwyr. Euthum i weld Nicholas Edwards. Awgrymais gynllun i adran bersonél y Swyddfa Gymreig: gallasem wahodd staff oedd dros 55 oed i ymddeol yn gynnar ar yr un pensiwn â phetaent yn 60 oed, ac ar ben hynny, derbyn taliad di-dreth a allasai fod gymaint â dwy flynedd o gyflog. Golygai hyn y medrai'r staff orffen talu eu morgais ac er mai tua hanner y cyflog fyddai eu pensiynau, ni fyddent yn talu Yswiriant Cenedlaethol na chyfrannu'r 7 y cant at eu pensiwn. Byddent ar eu hennill, mewn gwirionedd. Gosodais y cynllun gerbron Wyn Roberts a Sir Richard Lloyd-Jones ac fe'i derbyniwyd. Mabwysiadwyd y drefn honno gan y Swyddfa Gymreig a chan y Llywodraeth wedi hynny. Llwyddais innau'n ddidrafferth, a heb unrhyw ddrwgdeimlad, i leihau nifer y staff, fwy neu lai dros nos. O hynny ymlaen gwnâi'r Awdurdod elw blynyddol ac aeth rhagddo i fod yn llewyrchus. Erbyn heddiw mae Dŵr Cymru yn cael ei gydnabod fel y cwmni dŵr mwyaf effeithlon ym Mhrydain.

Ond roedd problem arall yn fy wynebu. Bu Awdurdod Dŵr Cymru gymaint dan lach y cyhoedd a'r gwleidyddion cyhyd ac o ganlyniad roedd ysbryd y staff yn isel iawn. Roedd y sefyllfa cynddrwg fel bod gan weithwyr gywilydd cydnabod eu bod yn gweithio i'r Awdurdod Dŵr. Y gŵyn fwyaf oedd bod y dreth ddŵr yn rhy uchel a chychwynnodd Plaid Cymru ymgyrch i annog pobl i wrthod talu. Roedd y cyhoedd yn cofio'r dyddiau pan fyddai gwir gost darparu'r gwasanaeth yn rhan o'r trethi cyffredinol pan oedd y gwasanaeth dŵr a charthffosiaeth dan ofal yr awdurdodau lleol. Bryd hynny doedd dim pleidleisiau i'w hennill o ddangos gwir gost y gwasanaeth, felly yr argraff oedd ei fod yn isel. Problem arall oedd yr angen i ddileu'r perygl o lifogydd mewn nifer o ardaloedd ar draws Cymru ac er y buddsoddi mawr a wnaed mae 'na ardaloedd yn dal dan fygythiad.

Manteisiai'r gwleidyddion ar y sefyllfa i dynnu sylw atyn nhw'u hunain ac yn y cyfnod 1982–3 lluniodd y Pwyllgor Dethol ar Faterion Cymreig adroddiad pur ddamniol ar yr Awdurdod Dŵr. Roedd yr Awdurdod, wrth gwrs, yn ddarostyngedig i'r Senedd ac roedd gofyn cyflwyno adroddiad i'r Senedd yn flynyddol. Yn fy rhagair i'r adroddiad ar ddiwedd fy mlwyddyn gyntaf sgrifennais rywbeth i'r perwyl fy mod wedi mawr obeithio na fyddai'r Awdurdod yn parhau'n gocyn hitio gwleidyddol, ond gobaith ofer fu hynny fel y dangoswyd gan Adroddiad y Pwyllgor Dethol. Mi wylltiodd y Pwyllgor Dethol yn gacwn oherwydd y rhagair a chymryd cyngor deddfwriaethol. Cawsant gadarnhad fod yr hyn a sgrifennais yn herio hawliau diamheuol y Pwyllgor i ymchwilio i unrhyw beth yng Nghymru. Cefais fy nghyhuddo'n ffurfiol o 'sarhad i'r Senedd' a'm galw o flaen y Pwyllgor. Daeth dau

swyddog cydnerth a ches fy martsio i mewn i'r cyfarfod
o flaen yr aelodau, y rheini'n eistedd mewn hanner cylch a
minnau'n gorfod eistedd i'w wynebu. Gareth Wardell, A.S.
Llafur Gŵyr, oedd yn y Gadair, a'r argraff a gefais oedd fod
pob un yn rhythu'n elyniaethus iawn arnaf. Gofynnwyd
imi ai fi sgrifennodd y rhagair. Pan atebais mai fi wnaeth
gorchmynnwyd imi'n blwmp ac yn blaen dynnu fy ngeiriau'n
ôl. 'Ydych chi am wybod *pam* y sgrifennais y geiriau hyn?'
meddwn. 'Nac ydan,' oedd yr ateb. 'Beth, dydych chi ddim
am imi egluro pam y sgrifennais y frawddeg yna sy'n amlwg
yn eich poeni?' meddwn innau. 'Nac ydan, rydan ni am ichi
dynnu'ch geiriau'n ôl ac ymddiheuro!' meddai Wardell. 'Fedra
i ddim coelio,' meddwn innau, 'nad ydych chi, sydd i fod yn
bobl synhwyrol, am wybod fy rhesymau.' 'Rydan ni'n mynnu
eich bod yn tynnu'ch geiriau'n ôl,' meddai Wardell wedyn.
Codais i fynd allan gan gwyno imi gael fy llusgo ger eu bron a
hwythau'n gwrthod yr hawl i mi egluro fy hun. 'Eisteddwch i
lawr,' meddai Wardell yn dra bygythiol. Yn y diwedd dywedais
wrthyn nhw am lunio datganiad fyddai'n eu bodloni nhw ac
y gwnawn i ei lofnodi. A hynny fu. Erbyn heddiw, mae'n flin
gen i imi wneud, oherwydd y gosb am eich cael yn euog o
sarhau'r Senedd yw cael eich carcharu yn Nhŵr Llundain!
Petai hynny wedi digwydd imi, hwyrach y buasai gen i well
stori i'w hadrodd yn yr hunangofiant hwn.

Dyna gychwyn perthynas o wrthdaro cyson rhyngof i
a'r gwleidyddion. Yn anffodus, ond mae'n ffaith, mae rhai
Aelodau Seneddol yn anghofio mai gweision ydyn nhw – eu
bod yn ein cynrychioli a'n gwasanaethu ni. Eto, mae gen i
barch at unigolion o wleidyddion yn y ddau Dŷ a roddodd
flynyddoedd o wasanaeth diflino i'w hetholaethau a'u gwlad
– dynion fel Cledwyn Hughes, Geraint Howells, John Morris,
Emlyn Hooson, Nicholas Edwards, Wyn Roberts, Ron Davies
a Dafydd Wigley. Mi fydda i'n meddwl yn aml i ble'r aeth y
cewri? Ble maen nhw heddiw? Yr argraff sy gen i yw nad ydyn
nhw'n bod mwyach a phrin iawn yw'r gwleidyddion sydd â

gweledigaeth glir o'r hyn sydd angen ei wneud i ddiogelu buddiannau Cymru. Sylweddolais o'r cychwyn y medrai gwleidyddion fod yn annheg a gelyniaethus. Ond os mai dyna oedd eu natur yna o leiaf mi ddylent feirniadu gan wybod bod y ffeithiau ganddynt. Penderfynais wneud dau beth. Trefnais gyfarfodydd cyson, un gydag arweinyddion pob plaid yn unigol – cyfarfodydd dros ginio yn Llundain lle na fyddai cofnod, a byddwn i'n trafod y llwyddiannau a'r methiannau yn agored. Rhaid imi ddweud na wnaeth yr un ohonyn nhw erioed ddefnyddio'r wybodaeth gawson nhw gen i er mantais iddyn nhw eu hunain. Ddwywaith neu deirgwaith y flwyddyn byddwn, hefyd, yn trefnu cyfarfod â holl Aelodau'r pedair plaid yn eu tro yng nghanolfan yr Awdurdod Dŵr Prydeinig yn Llundain a rhoi cyfle iddyn nhw ofyn unrhyw gwestiwn a ddymunent. Buan y sylweddolais nad oedd undod llwyr yn yr un o'r pleidiau, yn arbennig ymysg yr Aelodau Llafur. Rwy'n cofio Aelod amlwg o'r Cymoedd yn gwneud sylw mwy amherthnasol nag arfer a nodyn yn mynd o gwmpas y bwrdd – 'Sut mae sillafu "idiot"?' A'r ateb? Enw'r Aelod arbennig hwnnw! Roedd yn gyfle i bob un gael gwybodaeth, ond rwy'n ofni y byddai nifer ohonyn nhw'n siarad er mwyn tynnu sylw atyn nhw eu hunain. Fu gen i erioed berthynas agos â gwleidyddion yn gyffredinol, ac mi fyddwn yn aml yn meddwl be'n union roedden nhw'n ei wneud a sut roedden nhw'n cyfiawnhau eu bodolaeth. Ar faterion pwysig roedden nhw'n ddarostyngedig i'r Chwip ac roedd bod yn deyrngar i'w plaid yn bwysicach na dim yn eu golwg. Yr argraff a gaiff rhywun yw bod buddiannau plaid yn aml yn bwysicach na buddiannau'r bobl oedd wedi'u hethol. Mae'n rhaid dweud fy mod heddiw yn teimlo'n hapusach ag Aelodau ein Cynulliad – maen nhw'n nes atom ni na'r Aelodau Seneddol.

Fel Cadeiryddion y cyrff gwladoledig yng Nghymru – dur, rheilffyrdd, nwy, glo, trydan a dŵr – byddem yn cyfarfod yn gyson i drafod ein perthynas â'r Llywodraeth. Oherwydd hynny roedd mwy o undod yn ein mysg ni nag ymysg y gwleidyddion. HONI (Heads of National Industries) oedd yr enw a roesom ar ein grŵp ond mi ddatblygodd hwnnw yn PANIC (Privatised and Nationalised Industries Committee) yn ddiweddarach wrth i'r diwydiannau gael eu preifateiddio. Y Cadeiryddion yn y cyfnod hwnnw oedd Philip Weekes (Glo), Albert Barnes (Rheilffyrdd), Dudley Fisher (Nwy), Peter Allen (Dur), Wynford Evans (Trydan) a minnau. Bu'r undod hwn o fudd mawr gan y rhoddai inni'r grym i sicrhau na fyddai'r gwleidyddion, a oedd heb fod mor unedig â ni, yn ein sathru dan draed. Un nodyn bach wrth fynd heibio: byddai'n gwragedd, hefyd, yn cyfarfod am ginio'n rheolaidd – ac maen nhw'n dal i wneud. Wrth gwrs, gwyddem yn iawn mai preifateiddio, er gwell neu er gwaeth, fyddai tynged pob un ohonom o dan Margaret Thatcher.

Ac o sôn am Mrs Thatcher, yn fuan wedi diwedd Rhyfel y Malfinas ym 1982 a minnau newydd gael fy mhenodi'n Gadeirydd Awdurdod Dŵr Cymru, gwahoddwyd Cadeiryddion diwydiannau gwladoledig Cymru o'r gwasanaethau canolog i ginio gyda Margaret Thatcher yn Nhŷ Gwydyr, pencadlys y Swyddfa Gymreig yn Llundain. Roedd y Cadeiryddion i gyd yn bresennol ac roedd Cadeirydd Awdurdod Datblygu Cymru (y WDA), John Williams, hefyd yn bresennol. Roedd hi'n eistedd yn y canol ar un ochr y bwrdd ac yn union gyferbyn â hi roedd John Williams. Roedd John, hefyd, yn gyfarwyddwr Harland and Wolff, y cwmni adeiladu llongau ym Melffast. Adeg rhyfel y Malfinas cafodd nifer o longau mordeithiau pleser eu hatafaelu a'u haddasu at bwrpas y rhyfel. Pan oedd y rhyfel drosodd roedd angen adfer y llongau i'w pwrpas gwreiddiol. Ond ni fedrai cwmni Harland and Wolff gyflawni'r dasg a hwyliwyd y llongau i Malta i wneud y gwaith. Ymosododd Mrs Thatcher yn filain ar John druan oherwydd methiant y cwmni i gyflawni hynny ym Melffast. 'Wrth gwrs,' meddai, 'yr undebau llafur sy'n gyfrifol am hyn.' Roeddwn i'n eistedd dipyn i lawr y bwrdd ond penderfynais roi fy mhig i mewn. Wedi'r cwbl, bûm i'n gredwr cryf mewn undebaeth ac yn gefnogol iawn iddyn nhw. 'Fedra i ddim cytuno â chi, Brif Weinidog,' meddwn i. 'Nid undebaeth sy ar fai yn yr achos hwn, ond methiant y rheolwyr.' 'Fedra i ddim cytuno â chi, rydach chi'n rong,' meddai hithau yn eithaf miniog. 'Wel, rhaid i ni gytuno i anghytuno, Brif Weinidog,' meddwn innau wedi ychydig o ddadlau pellach. 'Pwy ydych chi?' holodd yn sydyn. 'John Jones,' atebais innau, gan feddwl efallai mai doeth hepgor yr Elfed am y tro. Ar ôl y cinio daeth ataf a meddai: 'Rwy'n gwybod pwy ydych chi rŵan. Dwi'n anghytuno'n llwyr â'ch barn chi ar Harland and Wolff ond mae'n bwysig bod pobl yn dweud eu barn yn onest. Dewch i gael tynnu eich llun gyda mi.' Mae'r llun gen i o hyd, ac rydan ni'n edrych yn union fel petaem yn gafael yn nwylo ein gilydd. *Scarcely believe*!

Byddai Cadeiryddion Awdurdodau Dŵr Cymru a Lloegr hefyd yn cyfarfod bron yn fisol yng nghanolfan y Gymdeithas Awdurdodau Dŵr yn Llundain. Roedd yn gyfle i drafod dulliau gwell o weithio a dulliau a brofodd yn andwyol, hefyd. Cyfle ardderchog i drafod a chyfnewid syniadau ac elwa ar brofiadau'n gilydd er budd ein cwsmeriaid. Hefyd, roedd Cymdeithas yr Awdurdodau Dŵr wedi ffurfio cwmni o'r enw British Water International, o dan fy nghadeiryddiaeth i, a fyddai'n cynnig gwasanaeth ymgynghorol i wledydd eraill. Bu'n eithaf llwyddiannus yn y cyfnod byr y bu mewn bodolaeth. Diddymwyd y cwmni hwnnw pan breifateiddiwyd yr Awdurdodau Dŵr. Cyn gynted ag y dechreuodd y Llywodraeth gymryd camre tuag at breifateiddio dŵr dechreuais gymryd rhan amlwg yn y trafodaethau ar ran y Gymdeithas Awdurdodau Dŵr. Un aelod o Fwrdd Dŵr Cymru oedd Tim Knowles a fu'n Gyfarwyddwr Rheoli Grŵp HTV. Yn un o'r cyfarfodydd paratoi ar gyfer preifateiddio gofynnodd Tim a oedd gan y Llywodraeth yr hawl i breifateiddio dŵr. Wedi ymchwilio, daethom i'r casgliad nad oedd, a bu raid i'r Llywodraeth osod y peth gerbron y Senedd a chreu Deddf Ddŵr 1989. Cawsom flwyddyn arall o ras cyn bwrw ymlaen â'r preifateiddio a chychwyn cyfnod diddorol a chyffrous yn hanes y diwydiant dŵr yng Nghymru ac yn fy hanes innau, hefyd. Doedd preifateiddio, fel y gellid disgwyl, ddim yn syniad poblogaidd yng Nghymru, yn enwedig gan fod 60 y cant o ddŵr Cymru'n cael ei allforio i Loegr, yn ddielw, heb sôn am yr hanes o foddi cymoedd i ddarparu dŵr i ddinasoedd Lerpwl, Caer a Birmingham. Fel y dywedodd Cledwyn Hughes yn y Senedd un tro, roedd dŵr yn bwnc llosg yng Nghymru.

Mae hyn yn fy atgoffa o'r stori am Arglwydd Aberhonddu, a fu'n Gadeirydd Awdurdod Cenedlaethol Datblygu Dŵr Cymru o 1973 hyd 1976. Roedd cynllun ar waith i foddi rhan o Ddyffryn Senni i ddarparu dŵr i Abertawe. Cyn gynted ag y daeth y newydd dechreuwyd ymgyrchu yn erbyn y bwriad, a'r cyfryngau'n gefnogol iawn i'r Pwyllgor Amddiffyn. Mewn cyfarfod gydag Arglwydd Aberhonddu gofynnodd Cadeirydd y Pwyllgor Amddiffyn iddo a oedd wedi gweld y dyffryn dan ystyriaeth. Cyfaddefodd yr Arglwydd nad oedd ac awgrymwyd efallai y byddai'n syniad i bawb fynd gyda'i gilydd i'w weld. Wedi cyrraedd, dyma Arglwydd Aberhonddu yn dweud bod yn rhaid iddo, fel un a deithiodd ac a welodd lawer o ddyffrynnoedd, ddweud nad dyma'r un harddaf a welsai yn ystod ei fywyd. Ymateb Cadeirydd y Pwyllgor Amddiffyn oedd iddo yntau deithio llawer, a gweld llawer o fenywod hardd. Ni fuasai'n honni mai ei wraig oedd yr harddaf, ond ni fynnai ei boddi serch hynny.

Beth bynnag, y cwestiwn yw: a oeddwn i'n argyhoeddedig bod preifateiddio'n syniad da? Pan gyhoeddodd y Ceidwadwyr eu bwriad i breifateiddio'r gwasanaethau dŵr ym 1985 roeddwn, fel y nodwyd yn y *Financial Times* ar y pryd, yn chwyrn fy ngwrthwynebiad i'r syniad. O edrych yn ôl, hawdd deall pam. Doedd dim sôn am reoli prisiau na'r gost a bennid am y gwasanaethau a gallasai hynny arwain at gynnydd sylweddol yn y pris am y gwasanaeth. Roeddwn, hefyd, yn poeni mai cwmni preifat fyddai'n rheoleiddio polisïau amgylcheddol cwmnïau preifat eraill ac y gallai cwmni diegwyddor fanteisio

Nhad a Mam

'Y Giaffar' – fy nhad

Fy nhaid, David Jones, pan oedd
yn y Texas Rangers

Dyma Swch – y gwynfyd, a'r lle a roddodd ffugenw i mi

Y tri phlentyn: Dafydd, Carol a minnau

Profiad gwaith ym 1949

Dyddiau coleg

Llywydd y Myfyrwyr

Band y Gwerinwyr

Y ferch dlysa'n y byd

Dydd priodas Sheila a minnau

Sheila a minnau efo'n
merched,
Delyth a Bethan

Bethan a Delyth

Cyfnewid cardiau busnes ar un o'm hymweliadau â Japan

Cael cerydd gan Margaret Thatcher

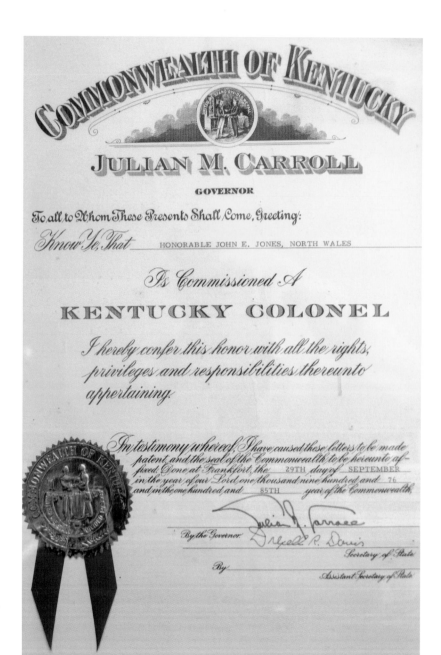

Kentucky Colonel: ond chefais i mo'r hawl i werthu Kentucky Fried Chicken yng Nghymru

Eddie Rea, John Walter Jones, Winston Roddick a minnau yn dathlu 'rôl cael Deddf Iaith 1993

John Gwilym Jones yn fy nerbyn i Orsedd y Beirdd yn Eisteddfod Castell-nedd, 1994

Ar risiau'r Swyddfa Gymreig: Grŵp Ymgynghorol y Cynulliad
Cenedlaethol (NAAG)

Llywydd Prifysgol Llambed ger y portread o waith David Griffiths

Owen Edwards a minnau ym Mhont-ar-sais

Syr Roger Jones a minnau yn Alaska

Helfa dda yn Llynlloedd
– ffesantod a thwrci gwyllt

Y darlun gan yr arlunydd Peter Edwards
ar achlysur fy ymddeoliad o fod yn
Llywydd Prifysgol Llambed

Mathew a'i samon

Sean a'i samon

Gyda'r wyrion a'r wyresau: portread teuluol yn Nhŷ Mawr

Sheila, Bethan, Delyth a minnau

Swch a'i wyrion/wyresau: Mathew, Sean, Lowri a Lisa

Pedair cenhedlaeth: Sheila, Bethan, Lisa a Gruffydd Aled

Y babi newydd: dyma Gruffydd Aled, mab Lisa ein hwyres gyntaf a'i gŵr, Steffan

Y gor-wyrion, Arthur Wyn a Gruffydd Aled, yn dathlu buddugoliaeth
Cymru dros Loegr

Gyda'r wyrion, yr wyresau a'r gor-wyrion yn y parti pen-blwydd 80 oed

ar ei fonopoli a chaniatáu i'r safonau ddisgyn. Yn hynny o beth, nid oeddwn ond yn adleisio barn yr undebau llafur a mwyafrif pobl Cymru. Ond wedi pwyso a mesur y dadleuon yn ofalus newidiais fy marn a deuthum i'r casgliad ei fod, yn ddi-os, yn syniad da, a hynny am ddau reswm. Roedd angen buddsoddi cyfalaf mawr ar y gwasanaeth dŵr yng Nghymru ac, yn wir, trwy Brydain gyfan – y pibellau'n hen, y system hidlo a thrin carthffosiaeth yn aneffeithiol ac annigonol ac roedd yn rhaid mynd i'r afael â'r anghenion a'r problemau amgylcheddol.

Fel corff gwladoledig roedd 'na gyfyngu ar yr arian y gallasem ei fenthyg i fwrw 'mlaen â'r gwaith yna. Yn ddieithriad, byddai pob llywodraeth o ba bynnag blaid yn rheoli'r PSBR (Public Sector Borrowing Requirement) yn frwdfrydig fel cybydd. Y mwyaf y gellid ei fenthyg o dan y cyfyngiadau yna ar Awdurdod Dŵr Cymru oedd £900k a doedd hynny ddim yn agos at fod yn ddigon ar gyfer anghenion y gwasanaeth. Hefyd, golygai nad oedd gynnon ni'r cyfalaf wrth gefn i fedru cynllunio'n iawn. Ar ôl preifateiddio doedd dim cyfyngu ar y benthyg – drwy godi arian ar y farchnad stoc a'r banciau – ac mi olygai hynny y gallasem fwrw 'mlaen efo'r gwaith o wella ein systemau. Hefyd, doedden ni bellach ddim yn atebol i'r Llywodraeth ac roedd cael y Llywodraeth oddi ar ein cefnau'n rhyddhad ynddo'i hun.

Ers y preifateiddio mae Dŵr Cymru wedi buddsoddi'n sylweddol yn y system ac yn dal i wneud ac mae'r effaith i'w gweld yn amlwg. Hefyd, roedd yn agor y drws i gyfleon masnachol. Crëwyd y cyfle i fod yn uchelgeisiol, rhyddhawyd cyfleon entrepreneuraidd a manteisiwyd ar yr amrywiaeth rhyfeddol o sgiliau o fewn Dŵr Cymru. Rwy'n cofio dweud mewn cyfweliad yn y *Water Bulletin*, cylchgrawn y diwydiant dŵr, toc wedi preifateiddio y gallai rhyddid masnachol fod yn gleddyf daufiniog. Ar ôl cael y rhyddid, os na wnewch chi ei ddefnyddio'n ofalus, mae'n agored i gamddefnydd. Ond wnaethom ni ddim ei gamddefnyddio. Roedd ein gweithwyr yn ofalus o fuddiannau'r cwsmeriaid a'r amgylchedd, ac yn awyddus i wneud elw – fedrwn i ddim disgwyl mwy. Yn ogystal â hynny bu sefydlu corff annibynnol, yr Awdurdod Afonydd, dan gadeiryddiaeth Nicholas Edwards, yn fodd i ddileu fy ofnau ynglŷn ag unrhyw beryglon y byddai'r safonau amgylcheddol yn llithro oherwydd preifateiddio.

Roeddwn i, hefyd, wedi cynnig cynllun i'r Llywodraeth lle byddai holl gwsmeriaid Dŵr Cymru'n cael holl gyfranddaliadau'r cwmni am ddim, ond y byddai'n rhaid iddyn nhw eu gwerthu'n ôl i'r cwmni petaent yn symud o Gymru i fyw. Llwyddais i gael cefnogaeth yr Awdurdod i'r syniad ac roedd Plaid Cymru a Llafur yn gefnogol, ond nid y Ceidwadwyr – a nhw oedd yn llywodraethu. Bellach, trwy ddoethineb Nigel Annett, a ddaeth yn Brif Weithredwr Dŵr Cymru yn 2005, ac un neu ddau arall, mae'r cwmni i bob pwrpas yn ymddiriedolaeth i Gymru ac yn gwneud gwaith clodwiw yn fy marn i.

Pan aed ati i ffurfio'r cwmnïau preifat gwnaethom benderfyniad fel Cymdeithas yr Awdurdodau Dŵr fod y gost o baratoi i godi arian ar y farchnad stoc yn cael ei rhannu'n gyfartal rhyngom, pob Awdurdod yn talu degfed ran o'r holl gostau. Pan breifateiddiwyd Dŵr Cymru mi fynnais fod y prospectws yn ddwyieithog – y cyntaf mewn hanes, a hynny ar gost go sylweddol. Cefais rhyw bleser *perverse* mai dim ond y ddegfed ran o'r gost honno roedden ni'n gorfod ei thalu a chwmnïau Lloegr yn gorfod talu'r gweddill. Peter Walker oedd Ysgrifennydd Gwladol Cymru erbyn hyn a dywedais wrtho y byddai hynny'n syniad doeth gan y bu digon o gollfarnu ar Ddŵr Cymru heb i ni dynnu rhagor o feirniadaeth ar ein pennau. Cytunodd â'r syniad heb unrhyw ddadlau na thrafod. Roedd Peter Walker yn ddyn hawdd gwneud ag o. Pan ddaeth Margaret Thatcher yn Brif Weinidog ei bwriad hi oedd cael gwared ar yr hen do, a'i ffordd hi o gael gwared ar Peter Walker oedd cynnig swydd iddo roedd hi'n tybio y byddai'n siŵr o'i gwrthod, sef Ysgrifennydd Gwladol Cymru.

Ond derbyniodd Walker y swydd a bu'n ddiddig iawn yn ein plith. Roedd o'n wrandawr da a'i ddull o weithio oedd gadael i'w swyddogion fwrw ymlaen â'r gwaith, ac yntau'n cyhoeddi'r rhagoriaethau'n fyd-eang. Cwbl wahanol i Nicholas Edwards. Er hynny, gwaith anodd fu perswadio'r cyhoedd fod preifateiddio'n syniad da. Ond erbyn hyn roeddwn wedi fy narbwyllo'n llwyr, ac fel y sgrifennodd Nerys Avery yn atodiad busnes y *Western Mail* ar y pryd, gallai Mrs Thatcher gysuro'i hun y byddai gan Dŵr Cymru o leiaf un cyfranddalwr – John Elfed Jones! Bu'r *Financial Times* yn garedig iawn wrth awgrymu ym mha gwmnïau i fuddsoddi. Dyma ddadansoddiad y papur o'r sefyllfa yng Nghymru:

Has ideal chairman to cope with high political sensitivity. Strong local attractions but privatization is unpopular in Wales. Lags behind some in past performance, but management has taken sensible steps to cope with spending plans and diversity. High yield due to permanent golden share and distrust of Welsh politics. BUY for yield.

Gan nodi hefyd:

Welsh Water shines for sheer value because its exceptionally high yield owes more to its political sensitivity and permanent protection against takeover rather than commercial reasons.

A fu Dŵr Cymru Cyf. yn llwyddiant ar ôl preifateiddio? Yn bendant. Roedd Dŵr Cymru yn unigryw yn yr ystyr nad oedd, fel y naw awdurdod arall, yn cael ei werthu gan Adran yr Amgylchedd. Ein hadran nawdd oedd y Swyddfa Gymreig, a ganiataodd 'gyfranddaliad aur' (*golden shares*) i Ddŵr Cymru am byth, sy'n ei gwneud bron yn amhosib i gwmni arall gymryd Dŵr Cymru drosodd. Gyda hyn o sicrwydd y tu cefn inni, adeg arnofio'r cwmni ar y farchnad stoc roedd y *Financial Times* yn argymell Dŵr Cymru fel y cwmni gorau o'r deg i fuddsoddi ynddo.

Roeddem wedi llwyddo i wella safon glendid y traethau a'r systemau carthffosiaeth. Eto, roedd llawer mwy i'w wneud. Cofiaf dderbyn llythyr o brotest gan y Democratiaid Rhyddfrydol yn Eisteddfod Genedlaethol Llanrwst 1989, yn cwyno nad oedd safon y dŵr yfed yng Nghymru yn cwrdd â'r gofynion Ewropeaidd. Rhoddodd preifateiddio y cyfle inni fuddsoddi a gwneud y gwelliannau angenrheidiol, ac mi wneir hynny o hyd. Nid yw'r cwmni heddiw'n cael ei berchnogi a'i reoli gan y cyfranddalwyr. Mae'n drefniant unigryw yn y diwydiant dŵr ac mi ddylem ymfalchïo ynddo. Mae'n rhaid gwneud elw ond does dim rhaid bod yn ddarostyngedig i gyfranddalwyr. Nid dyna'r cynllun oedd gen i mewn golwg ar y cychwyn ond o dan arweiniad Nigel Annett, gŵr a ddysgodd Gymraeg ac a briododd Gymraes Gymraeg, cyflawnwyd trefniant a strwythur campus a hynny yn raenus.

Bûm yn Gadeirydd Dŵr Cymru am un mlynedd ar ddeg a thros y blynyddoedd hynny, diolch i'r drefn, ni chafwyd fawr o feirniadu ar y cwmni. Roeddwn yn Gadeirydd gweithredol ymhob ystyr, ac mae gan bob Bwrdd Cyfarwyddol gyfrifoldeb gweithredol am strategaeth rhedeg y cwmni, ac am greu'r strategaeth honno. Diolch i'r drefn, roedd gen i Fwrdd a Chyfarwyddwyr galluog a doeth, yn barod i feirniadu lle byddai angen, ond yn hynod o gefnogol. Roeddwn i'n ymwybodol fy mod yn atebol i'r cyfranddalwyr, i'r gweithlu a'r cwsmeriaid ac i'r amgylchfyd dyfrol. Bu'n gyfnod arall o waith trwm yn fy hanes.

Roeddwn i'n byw yn y Coety, ger Pen-y-bont ar Ogwr, a'm swyddfa yn Aberhonddu. Byddwn wrth fy nesg erbyn wyth bob bore ac anaml iawn y byddwn i adre cyn wyth y nos. Byddai'n deg dweud i mi fod yn *workaholic* drwy gydol fy ngyrfa. Yn amlach na dim, byddai diwrnod o waith yn golygu deg i ddeuddeg awr, a hyd yn oed mwy. Yn y tymor pysgota mi weithiwn yn hwyr yn fynych yn y swyddfa yn Aberhonddu tan tua saith o'r gloch, ac yna'i hel hi am afon Tywi yn Nantgaredig i gyfarfod Gareth Edwards y cyn-chwaraewr rygbi enwog – pysgotwr brwd a Chadeirydd Pwyllgor Afonydd a Physgodfeydd Dŵr Cymru ar y pryd. Byddai'r ddau ohonom yn pysgota am oriau tan hanner nos neu un o'r gloch y bore cyn troi am adref. Yna byddwn yn gadael am Aberhonddu am saith y bore canlynol ac wrth fy nesg erbyn wyth. Bûm yn ffodus dros ben i gael iechyd ac mi rydw i wedi bod yn lwcus hefyd imi fod ynghlwm â swyddi oedd wrth fy modd ac a roddodd gryn bleser imi. Alla i ddim dychmygu sut y gall unrhyw un ddod i ben â gwneud gwaith ddydd ar ôl dydd sy'n fwrn arno a lle mae unrhyw esgus i beidio â mynd i'r gwaith i'w groesawu. Uffern ar y ddaear go iawn fyddai hynny i mi.

Byddai gen i yrrwr, wrth gwrs, cymeriad a hanner o'r enw Gwilym Morgan. Yn rhyfedd iawn, o ran pryd a gwedd roedd yn debyg iawn i mi ac yn mwynhau tipyn o dynnu coes – ond pan fyddwn wedi gwylltio am ryw reswm ac mewn tymer ddrwg mi wyddai'n union pryd i gadw'n dawel. Pan fyddwn yn mynd i siarad â rhyw gymdeithas neu'i gilydd, fo fyddai'n fy ngyrru yno ac, wrth gwrs, roedd wedi clywed yr un ddarlith ddegau o weithiau. Dyma fo'n dweud wrthyf un tro – 'Mi fedrwn i draddodi'r ddarlith yna!' Ac meddwn innau, 'Mae hynny'n wir, ond beth petaet ti'n cael cwestiwn anodd yn yr holi a'r ateb ar ôl yr anerchiad?' 'O digon hawdd,' atebodd. 'Mi fyswn i'n dweud, "Mae hwnna'n gwestiwn digon diddorol ond hawdd iawn – mor hawdd, yn wir, mi gaiff fy ngyrrwr sy'n eistedd yn y cefn ei ateb!"'

Roedd yn swydd llawn her, yn gyffrous, ac amrywiaeth yn y gwaith, ac mi welais newid mawr, gan gynnwys gweld ysbryd y gweithlu'n gwella. Arferwn ymweld â'n swyddfeydd ledled Cymru a deuthum i adnabod nifer fawr o'r gweithwyr yn bersonol a chael pleser mawr yn eu cwmni dros baned o de. Crëwyd system lle roedd penderfyniadau'n cael eu gwneud ar y cyd – partneriaeth er elw i bawb. Pan gefais fy mhenodi'n Gadeirydd Awdurdod Dŵr Cymru ym 1982 gwahoddais Noel Hufton, swyddog gydag ASTMS (Association of Scientific, Technical and Managerial Staffs), i fod yn aelod anweithredol o Fwrdd Awdurdod Dŵr Cymru. Ym 1985 cafodd ei benodi'n Gyfarwyddwr Personél yr Awdurdod. Fel minnau, gofidiai at duedd y rheolwyr a'r undebau i gymryd agweddau o wrthdaro mewn cysylltiadau diwydiannol, ac roedd y ddau ohonom am gael gwared ar yr agweddau traddodiadol hynny. Aethom ati i lunio cynllun ar sail doethineb yr Arglwydd Wilfred Brown, Glacier Metal, y gŵr y dysgais gymaint ganddo, ac o'i lyfrau, yn fy mlynyddoedd gydag Aliwminiwm Môn. Rwyf bob amser yn gredwr cryf mewn sicrhau perthynas dda rhwng cyflogwr a'r gweision cyflogedig ac roedd Noel Hufton o'r un meddylfryd – byddai llawer iawn o synnwyr cyffredin yn ei syniadau. Rwy'n credu mewn cydraddoldeb ac mewn dull agored o reoli fel bod gan bob un yr hawl a'r cyfle i gyfrannu syniadau ar sut y gellir gwella dulliau'r cwmni o weithio, er budd yr holl staff a'r cwsmeriaid. Mewn cyfnod lle roedd newidiadau mawr, a'r rheini'n digwydd yn gyflym, roeddwn yn awyddus i sicrhau bod y staff yn cael y cyfle i ddysgu a datblygu sgiliau newydd yn barhaus. Ni ellid, ac ni ellir bellach, roi sicrwydd i'r un gweithiwr y bydd ei swydd yn para am oes. Ond mi ellir, drwy ddarparu hyfforddiant ac addysgu a chael y staff i fod yn fwy hyblyg – er enghraifft, bod trydanwr hefyd yn meddu sgiliau technegydd – sicrhau y bydd mwy o gyfle am swydd ar eu cyfer.

Nid oedd sicrwydd swydd ac ymddiriedaeth yn ystyriaethau uchel ym mlaenoriaethau cyflogwyr yn gyffredinol yn y cyfnod Thatcheraidd hwnnw. Nid dyna fy agwedd i. Un o'r pethau cyntaf a wneuthum yn dilyn preifateiddio oedd cael gwared ar y trafodaethau cyflog blynyddol gyda'r gwahanol undebau. Cynigiais godiad cyflog o 9.6 y cant ar yr un pryd i bob un o'r undebau – fel y digwyddodd, roedd 0.1 y cant yn uwch na'r codiadau cyflog a gytunwyd gan fwyafrif y cyrff a'r corfforaethau eraill. Ein hamod ni oedd ein bod yn cael trafodaeth hirdymor ar gynllun o greu fformiwla i'w gweithredu'n flynyddol lle byddai codiadau cyflog yn seiliedig ar yr RPI, pa mor broffidiol oedd ein cwmni a'r hyn a delid i weithwyr yn 70 corff mwyaf Cymru ar y pryd. Roedd yn dipyn o sioc i'r undebau, a gwelent hyn fel rhywbeth fyddai'n dileu y prif reswm am eu bodolaeth. Ond cawsom gytundeb yn gymharol ddidrafferth. Yr un pryd, roeddwn am i'r undebau gyfrannu mwy a chymryd rôl bendant yn nhrefniadaeth a rheolaeth y cwmni. Cofiaf ymateb Bill Jordan, Llywydd yr AEEU (Amalgamated Engineering and Electrical Union), yn dilyn ymweliad â Dŵr Cymru ym 1993: 'Management is talking with the workforce and the unions about the problems they face... I'm going to market what I've seen and take it around the country as an example and try to get others to follow.' Nid oedd ein dull o reoli'n ffasiynol ar y dechrau ond mi ddaeth newid yn bur sydyn. Astudiwyd ein dull ni o reoli gan Brifysgol Harvard, a hyd y gwn i mae'n parhau i fod yn rhan o'u cwrs Astudiaethau Busnes.

Cyfeiriais eisoes at fy nhrafferthion gydag Aelodau Seneddol a'r Pwyllgor Dethol Cymreig. Flynyddoedd ar ôl hynny, toc wedi'r preifateiddio a'r Blaid Lafur o hyd yn Wrthblaid, sgrifennodd Gordon Brown gyfres o erthyglau unigol am Gadeiryddion y Byrddau Dŵr. Ymosodiad oedd o ar y preifateiddio, ond ei ddull o wneud hynny oedd drwy gyhuddo'r Cadeiryddion o dalu cyflogau mawr iddyn nhw eu hunain. Sgrifennodd erthygl ar bob un ohonom a'u hanfon allan i'r holl bapurau. Fe'n cyhuddodd ni i gyd o fod yn 'Fat Cats'. Yn fy achos i, a minnau hefyd ar y pryd yn Gadeirydd HTV Cymru, roedd ei ffeithiau'n gwbl anghywir. Yn wir, roedd yn erthygl gywilyddus. Ychydig wedi hynny roeddwn yn Murrayfield yn gwylio gêm rygbi rhwng Cymru a'r Alban fel gwestai i ITV yr Alban. Pwy oedd yn y sedd nesaf ata i ond Gordon Brown a chyflwynais fy hun iddo a dweud wrtho'n bur blaen nad oeddwn wedi fy mhlesio gyda'r hyn a sgrifennodd amdanaf. Gofynnais iddo a oedd wedi ceisio barn ei gyd-aelodau Llafur o Gymru amdanaf cyn llunio'r erthygl. Cyfaddefodd nad oedd. 'Cywilydd arnoch,' meddwn innau. Beth bynnag, buom yn sgwrsio'n ddigon cyfeillgar wedi hynny a chan i'r Alban ennill roedd mewn hwyliau da a ninnau erbyn hynny'n galw'n gilydd wrth ein henwau cyntaf.

Dywedodd fod ganddo docyn i'r Thistle Bar a'm gwahodd i ddod gydag o. 'One of the perks I take it?' meddwn innau'n awgrymog. 'Oh, come on,' meddai yntau. Ac mi aethom. Y cyntaf inni ei weld wrth fynd drwy'r drws oedd Neil Kinnock, oedd eisoes yn amlwg wedi cael diferyn, ac yn gyfeillgar iawn. 'Hello, John bach, it's great to see you,' meddai hwnnw. 'Pity you didn't ask Neil's opinion of me before writing that article,' meddwn innau wrth Brown. Soniais wrtho am fy syniadau ynglŷn â rheoli, gan nodi na fyddwn byth yn derbyn mwy na phymtheg gwaith yr hyn a delid i'r person ar y cyflog isaf yn y Bwrdd Dŵr – un o'r staff glanhau mae'n debyg. Wn i ddim ai dyna'r gwahaniaeth priodol, ond dyna oedd y gwahaniaeth y cytunwyd arno gan gyngor y gweithle. Gwn fod Cadeiryddion corfforaethau eraill a breifateiddiwyd yng Nghymru a thu hwnt yn ennill tipyn mwy na mi. Ond dyna'r drefn roeddwn i'n gysurus â hi. Dywedodd Gordon Brown wrthyf ei fod am fy ngwahodd i drafod fy syniadau am y berthynas a ddylai fodoli rhwng y rheolwyr a'r staff. Roedd hynny'n rhywbeth oedd at fy nant i, yn enwedig oherwydd dylanwad syniadau yr Arglwydd Wilfred Brown arnaf. Ond chlywais i ddim gair pellach ganddo.

Am i ni annog y staff i fod yn fwy hyblyg, roedd o fewn swyddogion a staff cwmni Dŵr Cymru lwyth o sgiliau yn ychwanegol at yr hyn roedd ei angen at ddarparu dŵr a gwaredu carthffosiaeth. Roeddwn yn ymwybodol bod cwsmeriaid Trydan De Cymru hefyd yn gwsmeriaid Dŵr Cymru, a gwelwn gyfle ardderchog i wneud arbedion sylweddol pe gellid uno'r ddau gwmni. Roedd Trydan De Cymru'n cael ei breifateiddio ar ôl preifateiddio Dŵr Cymru ac roeddwn wedi bod yn trafod yn gyfrinachol â'r Cadeirydd, Wynford Evans, y priodoldeb o uno'r ddau gorff. Roedd Wynford yn cytuno bod hwn yn syniad da a phan oedd Trydan De Cymru'n cael ei lawnsio ar y farchnad stoc anfonais ein Cyfarwyddwr Rheoli,

Graham Hawker, i Lundain i brynu eu cyfranddaliadau yn dawel bach. Mi wnaeth heb i neb wybod, a phrynodd o leiaf 10 y cant o gyfranddaliadau Trydan De Cymru. Ffoniais Wynford a'i longyfarch ar lawnsiad llwyddiannus gan fod yr holl gyfranddaliadau wedi eu gwerthu a dywedais wrtho fod Dŵr Cymru wedi prynu cyfran dda ohonynt.

Popeth yn iawn. Roeddwn wedi trafod fy mwriad gydag o, ac mi wyddai'n iawn beth oedd fy mwriad ac roedd wedi cytuno â'r syniad. Ond nid oedd wedi ymgynghori na thrafod y mater gyda'i Fwrdd. Awr yn ddiweddarach roedd yn ôl ar y ffôn ac yn amlwg roedd yn fy ffonio o stafell gyfarfod gyda phobl eraill yn gwrando oherwydd siaradai yn Saesneg – Cymro Cymraeg yw Wynford ac yn Gymraeg y byddem yn sgwrsio fel arfer. 'You've parked a tank on my lawn, John,' meddai. 'Dim ond tanc dŵr ydi o,' atebais innau. Ond roedd yn amlwg fod ei Fwrdd yn ystyried yr hyn a wneuthum yn weithred fygythiol. Mi rwystrwyd Wynford rhag trafod ymhellach â mi ac roedd hynny'n drueni oherwydd roedd gynnon ni gymaint i'w gynnig mewn sgiliau yn ogystal â'r manteision o gydweithio. Fy ngweledigaeth oedd creu cwmni ar batrwm Mitsubishi, gan sefydlu nifer o gwmnïau bach i greu gwaith ar hyd a lled Cymru a rhoi hwb i economi ein gwlad. Roedd y cyfle yno petaem ni ddim ond wedi uno â Thrydan De Cymru bryd hynny. Llwyddodd Ian Evans, fy olynydd, i wneud yr hyn y methais i ei wneud, er 'mod i o'r farn iddyn nhw dalu gormod am y cwmni.

Breuddwyd arall gen i oedd cyfrannu at y diwydiant twristiaeth. Teimlwn nad oeddem yn manteisio ar harddwch naturiol a llonyddwch mannau fel Cwm Elan, Llys-y-frân a Brennig a phenderfynodd y Bwrdd y byddem yn bachu ar y cyfle i greu rhwydwaith o westai gan fuddsoddi ynddynt a'u codi i safon ryngwladol. Sefydlwyd is-gwmni o Ddŵr Cymru Cyf., sef Tir a Hamdden Cyf., i ddatblygu'r agwedd dwristaidd a phrynwyd Coed-y-Mwstwr, ger Pen-y-bont, oedd ar fin mynd i ddwylo'r derbynnydd. Prynwyd hefyd Seiont Manor,

Llanrug, oddi wrth y derbynnydd. Llwyn-y-brain oedd hen enw'r gwesty, enw a gedwir o hyd ar fwyty safonol y gwesty. Llwyddwyd i brynu, a chodi safon, gwestai eraill yng Ngwent, Aberhonddu a Thy'nygornel, Tal-y-llyn. Ym 1991 roedd Hamdden, fel y daethpwyd i adnabod y cwmni, yn tyfu'n rym yn y diwydiant gwyliau yng Nghymru gan fanteisio ar Gymreictod a'r amgylchedd fel nodweddion hollbwysig o'r brand, yn ogystal â'r defnydd o fwydydd Cymreig. Y flwyddyn honno roedd trosiant y cwmni, a gâi ei redeg yn annibynnol ar Ddŵr Cymru Cyf., yng nghyffiniau £8 miliwn ac roedd yn darparu gwyliau a hamdden o'r safon uchaf i bobl Cymru, Lloegr a thu hwnt. Cadeirydd Bwrdd Hamdden oedd y cyn-chwaraewr rygbi Gareth Edwards, a oedd hefyd yn Gadeirydd ein Pwyllgor Afonydd a Physgodfeydd, a'r Rheolwr Gyfarwyddwr oedd Gwynn Angell Jones. Rwy'n argyhoeddedig i Hamdden gyfrannu'n sylweddol at hybu delwedd Cymru mewn gwledydd tramor, yn arbennig Gogledd America. Yn yr achos hwn, eto, nid oedd fy olynydd yn gweld pethau yn union yr un fath â mi, ond dydw i ddim yn ei gollfarnu o na'r Bwrdd am hynny.

Llwyddais, wedi hynny, ym 1990 i brynu cwmni Wallace Evans Cyf., cwmni ymgynghorol uchel ei barch ym myd peirianneg sifil – digwyddiad a nodwyd gan y *New Civil Engineer* fel y datblygiad mwyaf arwyddocaol yn sgil preifateiddio'r diwydiant dŵr yng Nghymru. (Gyda llaw, gelwir y grefft yn beirianneg sifil oherwydd, yn wreiddiol, dau fath o beirianneg oedd yna, yr un filwrol a'r un nad oedd yn filwrol, ac mae'r term 'peirianneg sifil' wedi glynu. Ychydig o bobl hyd yn oed o fewn y diwydiant sy'n gwybod hynny.) Bu'r uniad hwnnw yn fodd i ni arallgyfeirio i feysydd eraill ac ennill cytundebau tramor oherwydd roedd gan Wallace Evans swyddfeydd yn Hong Kong, Jamaica, Trinidad a'r Bahamas – yn ogystal â Lloegr. Wallace Evans, ac Acer Consultants ddaeth hefyd yn rhan o Ddŵr Cymru Cyf., oedd sylfaen Hyder, cwmni llwyddiannus dros ben a dyfodd i fod y cwmni mwyaf o Gymru ar farchnad stoc Llundain gan gydweithio â a gweithredu mewn llu o wledydd tramor fel Slofakia, y Weriniaeth Tsiec a Sbaen, yn ychwanegol at y gwledydd a enwais eisoes. Roedd y cwmni'n darparu gwasanaethau peirianyddol i'r diwydiannau dŵr ar draws y byd yn ogystal ag ym myd adeiladu ffyrdd, rheilffyrdd, porthladdoedd a meysydd awyr. Mabwysiadwyd yr enw Hyder ym 1996 ac mae'r cwmni'n dal i fod heddiw ond bellach cafodd ei werthu gan Ddŵr Cymru.

Roedd pob un o'r cwmnïau dŵr yn awyddus i ymestyn i wledydd eraill er mwyn cynyddu incwm nad oedd yn cael ei reoleiddio fel ag yr oedd ym Mhrydain. Bu Dŵr Cymru yn eithaf blaengar yn hyn o beth, hefyd. Sefydlwyd cwmni ar y cyd â SAUR (Société d'Aménagement Urbain et Rural), cwmni sy'n darparu gwasanaeth dŵr mewn rhannau helaeth o Ffrainc. Cyfnewidiwyd technoleg ac yn ddi-os mi elwodd Dŵr Cymru o'r fenter yma wrth i Hyder ennill sawl contract. Llofnodwyd cytundeb efo tri chwmni dŵr yn Awstralia, hefyd – yn Sydney, Melbourne a Newcastle – ac yno hefyd gwelwyd sawl contract ymgynghorol 'ond roedd y gystadleuaeth yn ffyrnig.

Yn rhestr y deg awdurdod dŵr adeg preifateiddio, gosodai'r *Financial Times* Ddŵr Cymru tua chanol y tabl. Ym marn y dadansoddwyr yn Llundain roeddem yn uniaethu'n gryf â Chymru gan nodi, hefyd, fod yr arweinyddiaeth yn brofiadol. Nodwyd fy mod i wedi bod yn Gadeirydd Dŵr Cymru am saith mlynedd a chyn hynny wedi gweithio ar amryw o brosiectau peirianneg sifil mawr gyda'r Bwrdd Cynhyrchu Trydan Canolog. Nodwyd hefyd fod gan y Rheolwr Gyfarwyddwr, David Jeffrey, a'r Cyfarwyddwr Cyllid, Graham Hawker, rhyngddynt ddeugain mlynedd o brofiad yn y diwydiant dŵr. Barn y dadansoddwyr oedd ein bod yn dîm cadarn a phrofiadol. Ambell waith mae'r papurau'n ei chael hi'n iawn!

Ddyddiau cyn imi ymddeol o gadeiryddiaeth Dŵr Cymru,

roeddwn ar fin arwyddo cytundeb gydag Arlywydd Galicia, y diweddar Manuel Fraga Iribarne. Deuthum yn gyfeillgar iawn â'r Arlywydd Fraga, fel y byddem yn ei alw. Bu'n Llysgennad Sbaen i Brydain am ychydig yn y cyfnod reit ar ddiwedd teyrnasiad Franco – yn wir, roedd yn un o'r gwleidyddion prin hynny a oroesodd o gyfnod yr unben. Roedd Fraga yn wleidydd dadleuol a chafodd yrfa hir ac amrywiol gan ddychwelyd yn y diwedd i ranbarth ei febyd i fod yn Arlywydd y Xunta (Senedd), lle bu'n llwyddiannus yn moderneiddio a datblygu diwydiant a masnach Galicia. Roedd y cytundeb roeddwn i'w lofnodi gydag o yn un a fyddai'n fuddiol a phroffidiol iawn i Ddŵr Cymru. Roedd yr Arlywydd wedi ymweld â Chymru i drafod sut y medrem gydweithio a chyhoeddodd y byddai'n arwyddo'r cytundeb ar yr amod fy mod i'n mynd drosodd i Santiago de Compostela i'w lofnodi.

Wythnos oedd gen i cyn i'm cyfnod yn Gadeirydd ddod i ben ac y byddwn yn ymddeol. Llogais awyren breifat fy nghyfaill Peter Thomas – o Peter's Pies, a pherchennog Clwb Rygbi Caerdydd – a hedfan allan i Santiago de Compostela. Roeddwn ar drothwy fy mhen blwydd yn drigain oed a mynnodd yr Arlywydd ei hun goginio pryd o fwyd i ddathlu'r cytundeb a fy mhen blwydd. Roedd Grant Hawkings, o gwmni cyfrifiadurol Target ac un o Gyfarwyddwyr (Anweithredol) Dŵr Cymru, gyda mi ar y daith a bu'n fy atgoffa'n ddiweddar iawn am y cinio arbennig hwnnw. Llwyddodd y cogydd, yr Arlywydd Fraga – un hael iawn wrth dywallt y gwirodydd cadarn ar ben y bwydydd – i roi llawes ei gôt ar dân, er difyrrwch mawr i'w staff. Dychwelyd wedyn yn awyren Peter Thomas dros Fae Biscay ac yno roeddwn i yng nghwmni Grant ar ddydd fy mhen blwydd.

Rai blynyddoedd wedi hynny, ym 1995, roedd Nicholas Edwards wedi fy ngwahodd i fod yn Is-Gadeirydd cwmni oedd yn cynnig am Faes Awyr y Rhws / Caerdydd. TBI, y cwmni roedd Peter Thomas yn un o'i brif gyfranddalwyr, gipiodd y maes awyr ac rwy'n cofio'r telegram a anfonais i'w longyfarch

– 'You are now Peter Pie in the Sky – Congratulations!' Rydym yn parhau'n gyfeillion agos.

Pan ymunais â Dŵr Cymru gyntaf byddai cystadleuaeth bysgota rhwng holl Awdurdodau Dŵr Cymru a Lloegr, ond doedd dim tîm gan Gymru. Gwyddwn fod nifer o bysgotwyr ardderchog ymysg y beiliffs a phenderfynais yn syth fod yn rhaid cael tîm. A thîm llwyddiannus iawn fu o hefyd, gyda ni'n ennill y cwpan bron bob blwyddyn. Yn y cyfnod cyn preifateiddio roedd gan y Bwrdd Dŵr gyfrifoldeb statudol am bysgodfeydd a glendid yr afonydd. Cadeirydd y pwyllgor â'r cyfrifoldeb hwnnw oedd Syr Thomas Pearson, KCB, cyn-Bencadlywydd Lluoedd NATO yng ngogledd Ewrop, dyn hawddgar a dymunol, ond gan ei fod wedi cyrraedd ei ddeg a thrigain roedd yn rhaid iddo ymddeol o'r swydd. Roedd Nicholas Edwards wedi fy ngalw i Lundain i drafod olynydd i Syr Thomas. Pwy a eisteddai gyferbyn â mi ar y trên i Lundain ond Gareth Edwards. Wrth sgwrsio dywedodd ei fod yn mynd i Foroco i feirniadu cystadleuaeth 'Pwy yw'r Berta'. Gwnaeth hynny imi feddwl, os yw cyn-seren y cae rygbi yn dal yn gymaint â hynna o bersonoliaeth wrth gael ei wahodd i Foroco i feirniadu cystadleuaeth merched hardd, a chan wybod ei fod yn bysgotwr brwd, gofynnais iddo a fyddai ganddo ddiddordeb i fod yn Gadeirydd y Pwyllgor Afonydd a Physgodfeydd. Dywedais ychydig gelwydd wrtho, sef nad oedd fawr ddim i'w wneud yn y swydd, a chytunodd yntau y byddai'n hapus i dderbyn gwahoddiad.

Euthum i weld Nicholas Edwards, ac awgrymais enw Gareth Edwards iddo. 'Chei di byth mohono,' atebodd hwnnw'n swta. 'Trïwch o, does gynnon ni ddim i'w golli,' pwysais innau, heb ddweud 'mod i fwy neu lai wedi cynnig y swydd i Gareth a'i fod o wedi'i derbyn. O'r diwedd, braidd yn anfoddog, cytunodd Nicholas Edwards i wahodd Gareth Edwards ac felly y daeth un o gyn-chwaraewyr rygbi enwocaf y byd yn gadeirydd un o bwyllgorau'r Bwrdd Dŵr ac yn aelod gwerthfawr o'n tîm pysgota. Byddai rhai o aelodau'r tîm wrth eu boddau'n ymffrostio am yr adeg pan oedden nhw yn nhîm Gareth Edwards – heb fanylu ym mha gamp y bu hynny. Daethom yn ffrindiau mawr – Fo a Fe y Bwrdd Dŵr! Roedd yn dîm ardderchog yn cynnwys pysgotwyr dawnus tu hwnt fel Emyr Lewis, Tony Bevan a Graeme Harries. Coffa da am Tony o gyffiniau Aberystwyth yn brwydro i gael clamp o bysgodyn i'r lan yn un o'r cystadlaethau hynny ac yn dod i fyny glan y llyn ar draws fy ngwialen i gan weiddi 'Get out of my f... ing way... Sir', gan ychwanegu'r 'Sir' ar ôl gweld mai fi oedd yn ei ffordd. Cawsom hwyl fawr am hynny, a minnau'n dweud mai fo oedd yr unig un i fy rhegi'n gyhoeddus a chadw'i swydd.

Un peth rwyf yn falch iawn imi lwyddo i'w wneud yng nghyfnod preifateiddio'r diwydiant dŵr yng Nghymru a Lloegr oedd achub rhan nodedig o ucheldir Cymru i'r genedl. Rhagwelais y perygl y byddai asedau gwerthfawr yn cael eu gwerthu'n ddarnau, ac ar frys llwyddais i ddarbwyllo aelodau'r Bwrdd y dylsem sefydlu ymddiriedolaeth i reoli ystad Cwm Elan er budd y cyhoedd ar les o 999 mlynedd. Ffurfiwyd Ymddiriedolaeth Cwm Elan ym mis Hydref 1989 gyda'r nod elusennol o gadwraeth, darpariaeth addysgol a hamdden. Gwnaed hynny ychydig ar ôl i Ddŵr Cymru Cyfyngedig gael ei arnofio ar y Gyfnewidfa Stoc a phenodwyd ymddiriedolwyr gan Ddŵr Cymru, cynghorau sir Dyfed a Phowys, Bwrdd Datblygu Cymru Wledig ac yn ddiweddarach gan Gomisiwn Cefn Gwlad Cymru. Mae'r cronfeydd dan ofal Dŵr Cymru er mai Hafren Trent i bob pwrpas sy'n elwa o'r dŵr a grynhoir. Dŵr Cymru sy'n gyfrifol, hefyd, am y Ganolfan Ymwelwyr a heblaw am y coedwigoedd preifat mae gweddill y stad – sy'n cynnwys 28 o ddaliadau amaethyddol ac 13 o dai ym mhentref Elan – dan reolaeth yr Ymddiriedolaeth. Mae'r rhan fwyaf o'r stad wedi'i chlustnodi'n ardal o ddiddordeb gwyddonol, hanesyddol a chadwraethol arbennig. Tra gwahanol i Stad y Fyrnwy a berchnogir gan gwmni dŵr Hafren Trent.

A minnau wedi perswadio Dŵr Cymru i gyflwyno Cwm Elan i'r genedl, doedd y cyfryngau ddim wedi deall yn iawn beth oedd yn digwydd a chamddehonglwyd hynny hefyd gan Gymdeithas yr Iaith, gan dybio imi brynu Cwm Elan. Felly yn Eisteddfod yr Wyddgrug rwy'n cofio cerdded i'r Maes a gweld bachgen ifanc mewn crys-T â fy llun i arno fo a'r slogan oddi tano, 'Nid yw Cymru ar werth.' Ar y cefn roedd y geiriau 'Mae John Elfed wedi prynu o i gyd!' Prynodd Sheila un o'r crysau hynny ac mae o gen i o hyd yn rhywle. Roedd angen croen eliffant y dyddiau hynny. Eto, roedd yn brifo a minnau'n gwneud fy ngorau glas a chael fy shafftio o bob cyfeiriad.

Roeddwn yn awyddus iawn i sicrhau cydweithio agos rhwng Dŵr Cymru a'r awdurdodau lleol a llwyddais i gael Peter Law, Cynghorydd Llafur ym Mlaenau Gwent bryd hynny, i gynrychioli'r awdurdodau lleol ar Ddŵr Cymru. Profodd yn benodiad da a doeth a bu Peter yn effeithiol a dylanwadol yn sicrhau perthynas glòs rhwng Dŵr Cymru a'r awdurdodau lleol. Pan oeddwn i yn y Swyddfa Gymreig roeddwn eisoes wedi cael profiadau da o gydweithio ag ardal Blaenau Gwent – pobl ymroddgar oedd yn awyddus i ddenu diwydiannau i'r ardal. Deuthum i adnabod Peter yn dda iawn bryd hynny. Bûm ym medydd ei blant, a gofynnais i Gerallt Lloyd Owen lunio cadwyn o englynion ar gyfer yr achlysur, eu hargraffu mewn lliw a'u fframio. Bu'r rhodd honno'n sbardun i Peter fynd ati i ddysgu Cymraeg ac anfon ei blant i ysgol Gymraeg. Y ffordd orau o gael gwared ar un a allai fod yn elyn yw gwneud ffrind da ohono. Dyna fu fy athroniaeth gydol fy oes.

Rwy'n cofio un anghydfod, un o'r ychydig gawson ni, rhwng y rheolwyr a'r gweithlu tua 1989 a 1990, pan benderfynodd y gweithwyr weithio i reol gan achosi tipyn o anghyfleustra. Yn naturiol, roedd hyn yn fêl ar fysedd y cyfryngau a fi oedd yn gorfod wynebu'r gohebwyr. Cytunais i gymryd rhan mewn rhaglen ar Radio Cymru i drafod yr anghydfod a phwy oedd yn cyrraedd yr un stiwdio â mi yng Nghaerdydd ond y swyddog undeb Philip Rosser o Bont-rhyd-y-fen, cefnder cyflawn i Sheila. 'Gwranda,' meddwn i wrtho, 'dwed ti rywbeth cas amdana i ac mi gei di bryd iawn o dafod gan Sheila!' Yn y stiwdio ym Mangor roedd swyddog undeb arall, Wil Macintyre Huws, tad y Prifardd Meirion Macintyre Huws a gawsai nawdd Dŵr Cymru i fynd drwy'r Brifysgol lle graddiodd gydag anrhydedd dosbarth cyntaf mewn peirianneg sifil. Cyn inni fynd ar yr awyr a phawb yn dweud hylô dyma fi'n dweud 'Duwcs, Wil, sut mae'r hogyn 'cw yn gwneud y dyddia 'ma?' 'Yr uffar,' meddai Wil, 'dwyt ti'n troi'r ddesgl yn y badell bob tro!' Bu'r rhaglen honno, beth bynnag am y lleill, yn un ddigon hynaws a charedig. Cefais brofiadau tra gwahanol mewn rhaglenni a chael fy holi gan Vincent Kane a Gwilym Owen ac eraill a fyddai'n gadael blas drwg yn fy ngheg. Wedi dweud hynny, mae gen i barch mawr at yr holwyr gan mai dyna oedd eu job nhw wedi'r cyfan.

Erys un trefniant annheg sy'n parhau'n dân ar fy nghroen hyd y dydd heddiw, sef y modd y mae Lloegr yn parhau i dderbyn dŵr o Gymru heb i ni dderbyn unrhyw elw. Cofiaf gicio nyth cacwn ym 1992 pan rybuddiais na fyddai'r Cymry'n derbyn cynlluniau i bwmpio dŵr yn rhad o Gymru i leddfu sychder yn Llundain a de-ddwyrain Lloegr. Ceisiais gael y Llywodraeth i ganiatáu bod Cymru'n codi tâl masnachol am y dŵr a lifai dros y ffin i Loegr. Roeddwn wedi amcangyfrif bod Cymru wedi colli £50 miliwn o incwm yn y degawd cyn hynny a bod pobl Cymru'n gorfod talu mwy am eu dŵr na phobl Birmingham. Trafodwyd y syniad eto y llynedd (2012) ac unwaith eto mynegais fy marn na chredwn fod y peth yn deg nac yn gyfiawn. Oherwydd natur tirwedd Cymru ac oherwydd fod llai o gwsmeriaid wedi'u cysylltu i bob milltir o bibell yng Nghymru mae'r gost o greu a chynnal y systemau angenrheidiol o bibau dŵr ac o ddarparu'r gwasanaeth i'r cwsmer unigol yn uwch yng Nghymru nag yn Lloegr, sy'n fwy gwastad ei thirwedd ac yn fwy poblog. Yn hynny o beth mae Cymru'n sybsideiddio Lloegr. Mae olew yr Alban yn cael ei ystyried yn ddadl o blaid annibyniaeth. Y gwir yw, mae dŵr yn adnodd naturiol pwysicach a mwy hanfodol hyd yn oed nag olew ond mynnu mae'r Llywodraeth yn San Steffan fod yn rhaid trosglwyddo dŵr dros Glawdd Offa heb wneud nac elw na cholled yng Nghymru.

Cyfrinach Cadeirydd llwyddiannus, yn fy marn i, yw amgylchynu ei hun â phobl well nag o neu hi ei hun a dod i ddeall ego'r rheini – a bwydo'r ego hwnnw. Os bûm i erioed yn llwyddiannus, dyna fy nghyfrinach. Mae pawb yn ymhyfrydu yn ei lwyddiant ei hun, a'r gyfrinach yw gadael iddynt fwrw 'mlaen i lwyddo a mwynhau eu llwyddiannau. Mi fûm yn hynod o lwcus o'm cyd-aelodau o'r Bwrdd ac uwch-swyddogion Dŵr Cymru Cyf. – pobl ymroddgar, hynaws a gweithwyr dygn. Ac roedd y gweithlu drwodd a thro yn ymroddgar, hefyd. Mae yna nifer fawr y dylswn gyfeirio atynt, ond roedd yna rai y bu eu cyfraniad ymhell y tu hwnt i'r hyn y gellid yn rhesymol ei ddisgwyl oddi wrthynt. Dyna'r Dr Roscoe Howells, gŵr o Lanelli, gwyddonydd ardderchog a phennaeth Adran Wyddonol Dŵr Cymru. Gwyddonydd ardderchog arall oedd Morlais Owens. Wedyn dyna'r Rheolwyr Rhanbarthol – John Williams, Rheolwr Adran y Gogledd Dŵr Cymru; Gordon Jones, Cymro Cymraeg gloyw a fagwyd yng Nghaerliwelydd ond ei rieni o Fôn, oedd Rheolwr y De-ddwyrain; Colin Jones, Rheolwr Adran y De-orllewin; a Brian Charles a ddyrchafwyd yn Gyfarwyddwr Rheoli Dŵr Cymru maes o law. Pob un ohonyn nhw'n weithwyr cwbl ymroddedig a phobl hyfryd i gydweithio efo nhw. Rwy'n aml yn meddwl mai dyma'r bobl ddylai gael eu cydnabod yn 'selébs', yn hytrach na'r rheini yn y byd adloniant sydd byth a beunydd yn trefnu achlysuron i ganmol eu hunain. Mi allai cymdeithas fyw heb gyfraniad y rheini ond heb y gwasanaeth a geir gan y diwydiant dŵr, neu'r gwasanaeth iechyd, neu'r diwydiant ynni, mae hi ar ben arnom. A dweud y gwir, credaf y bu cyfraniad y diwydiant dŵr i wella ansawdd iechyd yn fwy hyd yn oed na dylanwad y gwasanaeth iechyd ei hun. Ym 1840, hyd bywyd person ar gyfartaledd yn Llanelli oedd 36 mlynedd. Roedd hynny oherwydd y llygredd yn y dŵr yfed a phobl yn marw o afiechydon fel teiffoid. I'r gwelliant yn ansawdd dŵr yfed mae'r diolch am y cynnydd aruthrol a gafwyd.

\* \* \*

Atynfa pysgota aeth â mi ar fy unig ymweliad â'r Malfinas. Mae hanes y rhyfel ynghlwm â'r profiad, wrth reswm. Rwy'n cofio Shan Emlyn, a Gwladfa Patagonia yn rhan mor bwysig o'i bywyd, yn sôn am lythyr a dderbyniodd gan gyfeilles o'r Ariannin yn cyffelybu'r rhyfel i ddau ddyn moel yn ymladd am grib! Mae pethau wedi symud ymlaen ers hynny, a bellach mi wyddom fod olew yn y rhan hon o dde'r Iwerydd, sy'n mynd i gymhlethu pethau fwy byth. O ran diddordeb, gyda llaw, yn ddaearegol ni fu'r ynysoedd yn rhan o Dde America – mae'n debyg mai ynghlwm â De Affrica y buont yn y gorffennol pell.

Beth bynnag am hynny, euthum yno i bysgota gyda Syr Roger Jones. Mae'r ddau ohonom yn mynd i bysgota gyda'n gilydd i bobman. Buom yn Rwsia, o fewn Cylch yr Arctig sawl gwaith, yn Alaska nifer o weithiau, Yr Alban, Iwerddon, a dyma feddwl beth am fynd i'r Malfinas. Roedd yn bosib teithio ar un o awyrennau'r Awyrlu, pan fyddai seddau gwag, o Brize Norton. Roedd yn daith hir a blinedig. Glanio ar Ynys Ascension am ragor o danwydd ac yna ymlaen i'r Malfinas, dwy ynys fawr, pob un tua dau draean o faint Cymru a llu o ynysoedd llai o'u cwmpas. Cychwynnodd ein harhosiad ar yr ynys ddwyreiniol, sydd â phoblogaeth o ryw 2,500, y mwyafrif yn byw yn Port Stanley,a chawsom amser rhagorol yn pysgota sewin. Fy nghyfaill o ddyddiau Aliwminiwm Môn, yr Arglwydd Eddie Shackleton, ddaeth â had sewin i'r ynysoedd – dyw'r pysgodyn ddim yn gynhenid i'r rhan hon o'r byd, ond bu'n arbrawf llwyddiannus ac mae'r pysgodyn wedi ymgartrefu a ffynnu yno. Mae wedi ymledu ac ymgartrefu ym Mhatagonia, hefyd, bellach. Penderfynodd Syr Roger a minnau fynd i gyflwyno cyfarchion y Cymry i Lywodraethwr yr Ynysoedd a chawsom ein holi beth oedd ein barn am y cyfleusterau i dwristiaid. Mi roddodd y ddau ohonom ein barn yn onest am y Malfinas yn gyrchfan pysgotwyr. Trefnodd y Llywodraethwr i Gyfarwyddwraig Twristiaeth yr Ynysoedd ymuno â ni am ginio y noson ganlynol ar yr ynys orllewinol. Er syndod mawr i ni, pwy ddaeth i'n gweld ond Connie Stevens, Cymraes Gymraeg o Drefriw a oedd wedi'i phenodi i'r swydd. Fu yna fawr o drafod y diwydiant twristiaid, gan i gitârs ddod allan a chafwyd noson lawen i'w chofio wrth inni forio canu'r hen alawon.

Roedd cyrraedd yr ynys orllewinol yn brofiad unigryw gan mai dim ond tua 100 o bobl sy'n byw yno. Gwnaethom drefniant i aros mewn rhan o ffarm ddefaid ac roedd y croeso yn un arbennig iawn. Mi gynigiodd y ffermwr werthu bwthyn ardderchog i ni roedd wedi'i adeiladu ar gyfer ei fugail. Gwrthododd gwraig y bugail â mynd i fyw mewn lle mor anghysbell gan fod y bwthyn ryw 30 milltir o'r ffarm a hynny ar draws gwlad. Does dim ffyrdd yno. Bryd hynny mi allwn fod wedi prynu ffarm o ryw 10,000 o aceri am £60,000, gyda digon o afonydd i'w pysgota a gwyddau gwyllt arbennig iawn i'w saethu. Mae angen eu saethu, gan fod un o'r gwyddau hyn yn bwyta cymaint â dafad. Bu gwartheg ar yr ynys un adeg, ond ni fu'r arbrawf yn llwyddiant ac aethant yn wyllt. Unwaith y flwyddyn, mae'n debyg, cynhelir helfa anifeiliaid gwyllt yno – tasg anodd a pheryglus; yn wir, rhuthrodd un o'r teirw am *landrover* yr helwyr unwaith a'i ddymchwel. Roedd tyllau cyrn y tarw i'w gweld yn amlwg ar y cerbyd o hyd!

Cwestiwn cyntaf y ffermwr wedi inni gyrraedd oedd holi a oeddem ni'n chwarae golff. Roedd o wedi adeiladu cwrs naw twll rhagorol ond doedd neb i chwarae efo fo! Aeth fy ergyd gyntaf yn syth i mewn i gae lle roedd degau ar ddegau o ffrwydron wedi'u nodi ag arwydd y *skull and crossbones*. Dyfarnwyd mai 'pêl ar goll' oedd honno. Do, mi gawsom bysgota braf, hefyd, ond yn fwy na dim rwy'n cofio croeso'r bobl.

Prydeinwyr ydy'r trigolion a rhaid parchu eu dyheadau. Yn ddiddorol iawn, ar y ddwy ynys fydd neb byth yn cloi drysau a bydd pawb yn gadael y goriadau yn y *landrovers*. Mae'n od o fyd. Meddyliwch ei bod hi'n bosib prynu potelaid o ddŵr Tŷ Nant yn rhatach yn y Malfinas nag ym Mhen-y-bont ar Ogwr!

A ninnau wedi bod yno am bythefnos, dyma roi rhybudd i'r Awyrlu ein bod yn barod i hedfan am adre yn unol â'r contract oedd gynnon ni gyda nhw. 'Does gynnon ni ddim lle i chi,' oedd yr ateb. 'Ond mae gynnon ni gytundeb efo chi,' meddwn innau. 'Dynion busnes ydan ni ac mae'n rhaid i ni ddychwelyd i Gymru o fewn yr wythnos. Rwy'n awgrymu eich bod chi'n ystyried y sefyllfa'n ofalus. Ffoniwch ni 'nôl mewn awr!' Mi ddaethon nhw'n ôl â chynnig ein rhoi ni ar awyren i Santiago, Chile. Dim ond un awyren bob wythnos a gâi hedfan y pryd hwnnw o'r Malfinas ar draws yr Ariannin. 'Ac yna,' meddent, 'awyren o Santiago i Madrid. Ydi hynna wrth eich boddau?' holai dyn yr Awyrlu. 'Ydi,' meddwn innau, 'ond cofiwch ein bod ni'n arfer teithio dosbarth cyntaf.'

Cyrhaeddwyd Santiago, dinas hardd, a gweld y gwinllannoedd wrth hedfan i mewn. Trefnodd yr Awyrlu y gwesty gorau inni aros ynddo ac wrth ymweld ag un o'r gwinllannoedd cafwyd pryd o fwyd saith cwrs â gwin gwahanol gyda phob un, ac eglurhad pam y dewiswyd y gwinoedd arbennig hynny. Mi ddywedodd fy hen gyfaill Alwyn Owen 'mod i'n un da am syrthio ar fy nhraed. Wel, mi wnes y tro hwnnw, yn sicr.

Fuaswn i'n dychwelyd i'r Malfinas? Buaswn, yfory nesaf, er hired y daith a bod llawer wedi newid yno bellach o ganlyniad i'r datblygiadau ym myd yr olew. Tra buom yno fe ymwelsom â mynwent fechan y milwyr Prydeinig, Cymry gan mwyaf, yn Fitzroy. Yno mae carreg goffa uniaith Gymraeg i fachgen 22 oed, Gareth Hughes, o'r Gwarchodlu Cymreig, mab Morwenna ac Edwin Hughes o Lanfairfechan a laddwyd ar y *Sir Galahad* ar 8 Mehefin 1982. Roedd yn brofiad dirdynnol, ac yn y fangre wyntog a llwm honno yn eistedd ar fainc wrth ei fedd lluniais yr englyn a ganlyn:

Heddiw, mae yma heddwch, – a lle bu
    Yr holl boen, tawelwch;
  Yn yr hedd llwm gorwedd llwch
  Anwyliaid, byth na welwch.

Cysylltais â'r teulu ar ôl dychwelyd ac er eu bod wedi colli eu mab, roedd Edwin Hughes a Morwenna yn falch o glywed bod bedd Gareth yn cael gofal da. Gofynnodd y ddau imi osod yr englyn ar lechen o Gymru a'i hanfon i'r Malfinas i'w rhoi ar fedd Gareth, a dyna wnes i.

# PENNOD 9

# Bwrdd yr Iaith

YN YR UN cyfnod ag roedd Awdurdod Dŵr Cymru yn mynd drwy'r broses o breifateiddio ac yn newid i fod yn Dŵr Cymru Cyf., sef 1988–9, daeth Bwrdd yr Iaith Gymraeg i fodolaeth. Peter Walker oedd yr Ysgrifennydd Gwladol ar y pryd, y cyntaf yn y swydd, gyda llaw, nad oedd yn Gymro. Cefais alwad ffôn ym 1987 yn gofyn imi ymweld ag o yn ei swyddfa. Dywedodd ei fod o'n dra awyddus bod rhywbeth yn cael ei wneud dros y Gymraeg. Ni fedrai lai na bod yn ymwybodol o ymgyrchoedd Cymdeithas yr Iaith a chwarae teg iddo, roedd yn cydnabod dadl y Gymdeithas, os nad oedd yn cydymdeimlo llawer â'u dulliau. Dywedodd ei fod am sefydlu panel ymgynghorol bychan i'w gynghori ar sut y medrai amddiffyn a hybu'r iaith ac roedd am i mi fod yn aelod ohono. Buan y daethom, fel panel, i'r penderfyniad bod angen sefydlu Bwrdd yr Iaith gyda'r hawl i gynghori a dwyn pwysau ar y Llywodraeth i weithredu yn ôl ein gweledigaeth ni.

Y flwyddyn ganlynol, ym mis Gorffennaf 1988, cyhoeddodd Peter Walker ei fod yn derbyn argymhelliad y panel a chrëwyd Bwrdd yr Iaith. Fe'm gwahoddwyd i fod yn Gadeirydd a derbyniais y swydd. Llwyddwyd i gael nifer o unigolion gweithgar, doeth a dylanwadol i gytuno i fod yn aelodau. Yn eu plith roedd Ron Jones, o Tinopolis wedi hynny; Eddie Rea, Rheolwr Gyfarwyddwr Prydeinig cwmni Ondwella ym Mhont-y-clun; Elan Closs Stephens o Goleg y Brifysgol, Aberystwyth; Peter Law o Gyngor Blaenau Gwent; y bargyfreithiwr Winston Roddick, fu wedyn yn Gwnsler Cyffredinol y Cynulliad

Cenedlaethol; Wynford Evans o Fwrdd Trydan De Cymru; y darlledwr Euryn Ogwen Williams; a John Walter Jones, gwas sifil a oedd yn rhoi cymorth ymarferol i ni gyda'r gwaith. Y cyfarwyddyd a gawsom oedd ymchwilio i weld beth gellid ei wneud i hyrwyddo defnydd o'r iaith yn y gwahanol sectorau – cyhoeddus, preifat, byd busnes ac ati. Wrth gyhoeddi ei benderfyniad i dderbyn ein hargymhelliad y dylid sefydlu Bwrdd yr Iaith, dywedodd Peter Walker bethau calonogol a charedig am yr iaith. Mewn neges wedi'i hanelu at fewnfudwyr i'r bröydd Cymraeg dywedodd: 'Mae'n bwysig iawn fod eu plant yn dysgu Cymraeg er mwyn cynnal y cymunedau hynny.' Ychwanegodd: 'Petawn i'n Gymro di-Gymraeg buaswn wedi magu fy mhum plentyn i siarad Cymraeg.' Cyfeiriodd at yr iaith fel un oedd yn meddu stôr enfawr o lenyddiaeth a barddoniaeth. 'Dydw i ddim am ei gweld yn edwino a marw, ond yn iaith sy'n adfywio a ffynnu,' meddai.

Nododd fod achosion o annhegwch wedi digwydd i'r rhai hynny oedd am fynnu defnyddio'r Gymraeg, yn enwedig yn y gweithle. Er hynny, dywedodd nad oedd yn tybio bod angen diwygio Deddf Iaith 1967. Gobeithiai weld newid yn digwydd drwy ddulliau gwirfoddol, ond eto roedd yn cydnabod, os na fyddai hynny'n effeithiol, y byddai'n barod iawn i ddeddfu. Awgrymai y byddai Bwrdd yr Iaith yn sefydliad parhaol ym mywyd Cymru, rhywbeth fyddai gynnon ni am byth, 'for eternity' oedd ei eiriau. Y neges oedd ein bod yn rhydd i wneud unrhyw beth a fynnem – heblaw cael Deddf Iaith newydd. A beth oedd penderfyniad cyntaf y Bwrdd Iaith newydd? Cyhoeddi'r angen a'n bwriad i fwrw ati i gael Deddf Iaith. Does yr un Llywodraeth yn hoffi deddfu, gan ddadlau na ddylai llywodraethau ddeddfu dim ond pan mae hynny'n hanfodol. Ond yn ein barn ni, aelodau'r Bwrdd, yn ogystal â'r farn gynyddol yng Nghymru, roedd Deddf Iaith yn gwbl angenrheidiol. Dangosodd hanes fod diffyg amddiffynfeydd a gofal wedi peri i lawer o bethau a rhywogaethau gwerthfawr fynd i ddifancoll. Teimlem y gallesid ychwanegu iaith a diwylliant Cymru at y rhestr honno ac, os oeddent i barhau, yna roedd angen help arnynt. Yn ôl Deddf 1967, petai amwysedd ystyr rhwng y fersiynau Cymraeg a Saesneg ar fater cyfreithiol roedd y rhyddid gan yr Ysgrifennydd Gwladol i ddewis y fersiwn Saesneg – fel y gwnaed nifer o weithiau. Roedd hyn yn tanseilio'r egwyddor o ddilysrwydd cyfartal a statws cyfartal i'r iaith. Hefyd, yn Neddf Uno 1536 – nad yw'n Ddeddf Uno mewn gwirionedd – mae cymal sy'n dweud na all Cymro ddal swydd gyhoeddus oni fedra'r Saesneg. Mae'r cymal hwn yn gosod y Gymraeg mewn safle israddol a'r peth cyntaf roeddwn am ei wneud oedd dileu'r cymal hwnnw gan iddo fod yn bigyn yn ystlys ein diwylliant a'n hiaith ers cenedlaethau.

Mae'n debyg ein bod ninnau'n naïf yn tybio mai peth hawdd yw pasio Deddf drwy'r Senedd o dan unrhyw lywodraeth. Yn ffodus roedd gan y Bwrdd staff ardderchog. Y Prif Weithredwr oedd John Walter Jones, gŵr a gafodd y profiad o fod yn Ysgrifennydd Preifat i dri Gweinidog yn y Swyddfa Gymreig, yn eu plith Syr Wyn Roberts – yr Arglwydd Roberts o Gonwy wedi hynny. Cafodd John Walter ei feirniadu'n llym yn ystod ei gyfnod yn Gadeirydd S4C, ond does gen i ddim ond canmoliaeth i'w ymroddiad a'r cydymdeimlad a ddangosodd yn Brif Weithredwr Bwrdd yr Iaith. Hebddo fo buasai pethau wedi bod yn llawer anos; ac yn sicr buasai wedi bod yn anodd iawn oni bai am gynghorion doeth a chefnogaeth Syr Wyn Roberts. Ni chafodd Wyn y gydnabyddiaeth sy'n ddyledus iddo gan y genedl.

Fy uchelgais i, a holl aelodau'r Bwrdd, oedd tynnu'r Gymraeg allan o fyd y dadlau gwleidyddol parhaus a barai ei bod yn bwnc a oedd yn rhannu'r genedl. Wedi'r cwbl, nid y Gymraeg ond anwybodaeth ohoni yw achos y gynnen. Haws dweud na gwneud, a pharhau mae'r dadlau. Beth bynnag, er mwyn cyrraedd y nod o gymdeithas ddwyieithog roeddem yn galw am ymgyrch farchnata gref i ennill cefnogaeth hollbwysig y mwyafrif di-Gymraeg. Roeddem yn ymwybodol, er cymaint yr angen am ddeddfwriaeth, bod angen pethau eraill i sicrhau parhad a defnydd ehangach o'r iaith. Roedd angen goddefgarwch, ewyllys da a chefnogaeth y cyhoedd a'r gwahanol sectorau, cyhoeddus, preifat a gwirfoddol, yn ogystal â'r pleidiau gwleidyddol. Gweithiodd aelodau'r Bwrdd yn ddiarbed o galed, a heb dâl am eu hamser, ymhell y tu hwnt i'r hyn y gellid yn rhesymol ei ddisgwyl gan unrhyw gorff arall cyffelyb. Cawsai Eddie Rea, fel finnau, ei eni yn ardal Blaenau Ffestiniog, ac ymchwiliodd i'r defnydd a wneid o'r Gymraeg mewn diwydiant. Iddo ef, ynghyd â Choleg y Brifysgol, Bangor, mae'r clod am y gwirydd sillafu Cymraeg cyntaf. Bu Euryn Ogwen yn edrych ar y cyfryngau, Elan Closs Stephens yn ymchwilio i le'r Gymraeg mewn addysg, Peter Law i sefyllfa'r iaith mewn llywodraeth leol a Ron Jones ar gwmnïau a gwasanaethau preifat – baich enfawr o waith, a hwnnw'n faich annisgwyl, i'r aelodau. Daeth yr holl waith at ei gilydd yn gyffrous diolch i frwdfrydedd y staff ac aelodau'r Bwrdd.

Ar ôl penderfynu bod angen Deddf Iaith, y pensaer, yn amlwg, fyddai Winston Roddick. Buom yn ffodus iawn i'w gael i roi cig ar y sgerbwd. Byddai trafodaethau cyson rhyngom ni a'r Swyddfa Gymreig, a daeth yn amlwg nad oedd gobaith cael unrhywbeth rhy chwyldroadol er cymaint ein pwyso. Mae Wyn Roberts yn cyfeirio at hyn yn ei hunangofiant. Cawsom ein rhybuddio ganddo y byddai dadlau diddiwedd ar bob cymal o'r Ddeddf wrth i ninnau geisio sicrhau y byddai'n cynnwys popeth o bwys. Buan iawn y sylweddolwyd ein bod wedi gosod ein hunain mewn man cyfyng. Croesawyd fy mhenodiad i'n Gadeirydd ar y cychwyn, a'r ymgyrchwyr yn canmol y ffaith imi fod yn gefnogol i'r iaith. Nodwyd fy mod, fel Cadeirydd y Bwrdd Dŵr, wedi talu i'm staff fynd i ddysgu Cymraeg yng Nghanolfan Nant Gwrtheyrn a bod Dŵr Cymru wedi noddi un o'r bythynnod yn y Nant. Ond newidiodd pethau.

Bellach roedd y Peter Walker hynaws wedi'n gadael

a chymerwyd ei le yn Ysgrifennydd Gwladol gan David Hunt. Er iddo gael ei eni yng Nghymru, roedd ganddo lai o gydymdeimlad â'n dyheadau a'n hamcanion. Roedd un garfan o'r genedl o'r farn fod yr hyn roeddem yn ymladd amdano yn annigonol, a charfan arall yn mynnu ein bod ni'n mynd yn llawer rhy bell. Roedd y ddwy garfan yn chwyrn eu beirniadaeth felly. Fel Bwrdd, roedden ni dan y lach am fod yn rhy araf, am ofyn am bethau oedd yn 'afresymol' fel arwyddion dwyieithog mewn canolfannau hamdden yng Nghaerdydd, ac agweddau at yr iaith oedd yn amrywio o fod yn rhywbeth o'r gwerth mwyaf i fod yn iaith drafferthus, ddibwys nas defnyddid gan neb ond canran bitw o eithafwyr. Roedd darllen yr amrywiaeth barn yn y llythyrau yn y *Western Mail* a'r *Daily Post* yn ddigon i ddigalonni unrhyw un. Trafodwyd a dadleuwyd y problemau posib i'r sector breifat, yn arbennig y busnesau bach, hyd syrffed. Roedd Cymdeithas yr Iaith, a rhai o fewn y Blaid Lafur fel Paul Flynn, am orfodi siopau bach i gyflwyno'r Gymraeg ar unwaith yn hytrach nag aros nes y byddai'n orfodol arnyn nhw i wneud hynny. Roedd eu neges yn glir – roeddent yn disgwyl y byddai yna elfen gref o orfodaeth yn y Ddeddf. Roeddem fel Bwrdd, ar y llaw arall, o'r farn mai drwy berswâd gwirfoddol y byddem debycaf o lwyddo gyda'r busnesau bach yn y sector breifat. Roeddem yn llwyr argyhoeddedig y dylai fod rheidrwydd ar unrhyw gorff a dderbyniai arian cyhoeddus i ddarparu gwasanaeth yn ddwyieithog. Ein dadl ni, hefyd, oedd y dylai'r diwydiannau mawr preifat a gynigiai wasanaeth i'r cyhoedd ddarparu'r gwasanaeth yn ddwyieithog. Bu'r cyfnod y buom yn gweithio ar baratoi'r Ddeddf yn annifyr o anghyffyrddus i mi'n bersonol. Derbyniais ddegau o alwadau ffôn bygythiol, rhai ohonyn nhw yn hwyr iawn y nos. Rwy'n cofio'n arbennig un alwad ganol nos gan ddyn – Cymro yn bygwth llosgi'r tŷ i lawr. 'Gobeithio bod gynnoch chi ddigon o ddŵr yn y tŷ,' oedd ei eiriau. Ddywedais i ddim wrth Sheila, dim ond dweud mai rhywun isio tacsi ac wedi cael y rhif anghywir oedd o. Yn sicr, doedd o ddim yn feddw, er y gallai fod dan ddylanwad y ddiod. Ar ben hyn i gyd roedd llythyrau'n fy nghondemnio'n cael eu cyhoeddi bron yn ddyddiol yn y *Western Mail* a'r *Daily Post*.

Ymysg y nifer o argymhellion a gynigiwyd gynnon ni fel Bwrdd oedd codi llai o dreth ar gyrff a chwmnïau preifat oedd yn mabwysiadu polisïau dwyieithog, er ein bod o'r farn bod rhai yn y sector breifat, gan gynnwys y CBI, am greu'r argraff y byddai cost dwyieithrwydd yn anferthol. Ni chymeradwywyd yr argymhelliad hwnnw. Tra oedd y busnesau'n cwyno bod cost dwyieithrwydd yn afresymol, roedd Cymdeithas yr Iaith ac eraill o blith y Cymry Cymraeg yn mynnu bod hyn oll yn gwbl annigonol. Bu Cymdeithas yr Iaith yn ddraenen gyson yn fy ystlys yn y cyfnod hwn, ond rwy'n meddwl y byd o'r criw ifanc ac ardderchog yna. Oni bai amdanyn nhw a'u hymgyrchoedd buasai cyflwr yr iaith yn llawer iawn gwaeth heddiw.

Cafodd y pwnc ei wyntyllu mewn cyfarfod arbennig ym Mhafiliwn Eisteddfod Genedlaethol Aberystwyth 1992. Ymysg y siaradwyr roedd Archesgob Cymru, George Noakes, a Derec Llwyd Morgan, a oedd bryd hynny'n Athro Cymraeg Coleg y Brifysgol, Aberystwyth, y ddau'n condemnio'r hyn roeddem yn amcanu amdano yn ddidrugaredd. A minnau a John Walter Jones yn gorfod eistedd a gwrando ar hyn oll heb gyfle i ateb. Deuai'r ymosodiadau o bob cyfeiriad, a doedd y Babell Lên, yn flynyddol, ddim yn eithriad. Lluniwyd cwpled celfydd, a chreulon, gan un o feirdd Tan-y-groes, Ceredigion, yn y Babell:

> Beth yw diben yr henwr,
> Pasio deddf neu pasio dŵr?

Hwyl oedd o, ond roedd hefyd yn peri poen. Bu'n gyfnod annifyr yn fy hanes ond dwi'n hynod falch imi gael y cyfle. Byddai pobl yn ein dilyn o gwmpas Maes yr Eisteddfod yn herio ac yn bersonol gas. Gwnaem ninnau ein gorau i argyhoeddi pobl Cymru bod angen cefnogi'r Ddeddf er mwyn ceisio argyhoeddi'r Llywodraeth, a David Hunt yn arbennig, bod ei hangen. Cafwyd cwpled i'r iaith, yn y Babell Lên os wy'n cofio'n iawn, oedd yn disgrifio sut y teimlwn i ar adegau yn y cyfnod hwnnw:

> Mae poen yn ei chwmpeini
> A siom yn ei hymgom hi.

Er bod olynydd Peter Walker yn enedigol o Ddyffryn Ceiriog, ni chredaf i David Hunt fod yn wirioneddol o'n plaid. Etifeddu'r sefyllfa a wnaeth o gan ei ragflaenydd ac nid gormodiaith ar fy rhan fyddai awgrymu na adawodd ei farc ar y swydd fel y gwnaeth Nicholas Edwards a Peter Walker. Gyda'r cyfryngau'n llawn o'r ymateb dinistriol a difrïol a gafwyd ym Mhafiliwn Eisteddfod Genedlaethol Aberystwyth i'n hargymhellion am Ddeddf Iaith, cefais ddwyawr anodd yn dadlau â David Hunt yn ei swyddfa trannoeth y cyfarfod trychinebus hwnnw. 'Dach chi wedi methu,' meddai, 'a dydan ni, fel Llywodraeth, ddim am basio Deddf sy'n groes i ewyllys y bobol.' Oedd, roedd llawer o bobl yn disgwyl llawer mwy, ac yn sicr doedd yr hyn oedd yn bosib ar y pryd ddim cystal â'r hyn a ddymunem ni fel aelodau'r Bwrdd. Ond roedd eraill yn ein gweld yn mynd yn llawer rhy bell ac roedd rhaid i ni fynd gam wrth gam gyda'r Swyddfa Gymreig a derbyn cynghorion y Gweinidogion a'r staff ynglŷn â'r hyn a oedd yn bosib. Cyfaddefais wrth David Hunt inni fethu â darbwyllo'r genedl ond ein bod fel Bwrdd yn gwbl argyhoeddedig fod yn rhaid wrth Ddeddf newydd i fynd rhagom i gryfhau a gwarchod yr iaith. Pwysleisiais hefyd mai cam cyntaf unrhyw daith yw'r cam pwysicaf. O leiaf llwyddais i'w ddarbwyllo na ddylid rhoi'r gorau i'n bwriad o greu Deddf Iaith newydd ac fel Bwrdd aethom ymlaen â'r gwaith yn fwy egnïol nag erioed. Ac o'r cam cyntaf hwnnw daeth camre o bwys wedyn, ac felly rwy'n falch imi fod yn rhan o'r broses o godi ymwybyddiaeth o'r Gymraeg.

Cefais foddhad mawr wrth weld dileu y cymal yn Neddf

Uno 1536 yn gorchymyn bod yn rhaid i unrhyw un sy'n dal swydd o awdurdod yng Nghymru fedru'r Saesneg, yn ogystal â phob cyfeiriad arall a oedd yn gosod y Gymraeg mewn safle israddol i'r Saesneg yng Nghymru. Yr hyn a wnaethom, yn ymarferol, oedd dileu'r hyn oedd yn weddill o'r Ddeddf Uno, er na sylwodd hyd yn oed Wyn Roberts ar hynny. Dim ond un person a sylwodd sef yr Arglwydd Colwyn St Davids – Colwyn Philipps o Hwlffordd – Prif Chwip y blaid Dorïaidd yn Nhŷ'r Arglwyddi ar y pryd a Dirprwy Lefarydd y Tŷ wedi hynny. Ffoniodd fi, a gofyn a oeddwn yn sylweddoli'r hyn yr oeddem yn ei wneud. 'Ydw'n iawn,' atebais innau. 'Popeth yn iawn, felly,' atebodd yntau. 'Wna i ddim tynnu sylw at y peth.' Daethom yn ffrindiau mawr wedi hynny, ac rwy'n llwyr argyhoeddedig petai wedi byw'n hwy y buasai wedi ymuno â Phlaid Cymru. Deuthum i gysylltiad agos ag o wedi hynny pan oeddwn yn Gadeirydd y Grŵp Cynghori ar Sefydlu'r Cynulliad a daeth yn aelod o Gyngor Prifysgol Llanbedr Pont Steffan pan own i'n Llywydd ar y Coleg. Beth bynnag, mi gafwyd Deddf Iaith wedi llawer o drafod â swyddogion y Swyddfa Gymreig a thipyn o gyfaddawdu ar y ddwy ochr. Gwell tri chwarter torth na dim bara o gwbl i'r sawl sy'n newynu. Diolch i'r drefn fod Wyn Roberts yn Weinidog yn y Swyddfa Gymreig bryd hynny neu mi fyddai'r brwydro i gael Deddf wedi bod tipyn anoddach.

Yn ogystal â llunio Deddf Iaith 1993 llwyddodd y Bwrdd – a Bwrdd ymgynghorol oedden ni, bryd hynny – i gychwyn amryw gynlluniau. Ar awgrym John Walter Jones sefydlwyd y Fenter Iaith gyntaf yng Nghwm Gwendraeth, arbrawf a brofodd yn llwyddiant, ac o ganlyniad daeth y Mentrau Iaith yn rhan bwysig o fywyd Cymru. Sefydlwyd y gwirydd sillafu cyntaf a pherswadiwyd yr archfarchnadoedd i roi lle amlwg i'r Gymraeg. Perswadiwyd rhai cwmnïau i hysbysebu yn Gymraeg a chynhaliodd cwmni te adnabyddus arbrawf a brofodd fod hysbysebu yn y Gymraeg yn talu'i ffordd.

Un arall o argymhellion y Bwrdd Iaith ymgynghorol oedd ei wneud yn Fwrdd Iaith statudol a derbyniwyd yr argymhelliad. Gofynnodd David Hunt imi barhau yn y Gadair, ond wedi pum mlynedd o waith caled, gwrthodais. Bu'n gyfnod anodd yn fynych a bu'n loes bersonol weithiau o dderbyn beirniadaeth bersonol iawn oddi wrth rai y bûm yn eu hystyried yn gyfeillion agos.

Gofynnodd David Hunt imi awgrymu olynydd a chynigiais enw Dafydd Elis-Thomas. Credwn y byddai cael aelod blaenllaw o Blaid Cymru mewn swydd oedd yn atebol i'r Llywodraeth ac i Gymru yn dangos pwysigrwydd yr iaith a'i chodi uwchlaw gwleidyddiaeth plaid. Ac yn sicr roedd – ac mae – yr Arglwydd Elis-Thomas yn ddyn o allu diamheuol a bu'n Gadeirydd dylanwadol yn ystod ei gyfnod.

Mi gafwyd Deddf Iaith, ac enillwyd y frwydr. Ond mae'r rhyfel yn parhau a pheidied neb â meddwl nad oes yng Nghymru rai sy'n wirioneddol elyniaethus tuag at y Gymraeg. Ac oni cheir cefnogaeth ymarferol gan ba blaid bynnag sydd mewn llywodraeth yn y Cynulliad a hefyd gan drigolion Cymru, mae pwnc yr iaith yn mynd i barhau i fod yn boen yn ystlys y genedl. Trist gweld dileu'r Bwrdd yng nghoelcerth y cwangos. Pharhaodd 'for eternity' Peter Walker ddim yn hir iawn, ac mae hynny'n drueni yn fy marn i. Mi ddylai'r Llywodraeth fod wedi dysgu'r wers o weld canlyniadau diddymu'r Bwrdd Croeso a'r Asiantaeth Ddatblygu – camgymeriadau dybryd, ac wrth ddileu'r olaf gwelwyd yr ymwybyddiaeth o Gymru yn crebachu ledled y byd. Pam mewn difrif y penderfynwyd dileu Bwrdd yr Iaith? Mae gen i barch mawr i Meri Huws, y Comisiynydd Iaith, merch alluog iawn ac un sy'n ddiflino yn ei hymroddiad dros yr iaith. Ond a all hi fod yn ddigon annibynnol ar Lywodraeth y Cynulliad? Cawn weld. Mi aeth ymyrraeth y Llywodraeth – yn San Steffan a Bae Caerdydd – yn ormodol. Gwaith llywodraethau yw diffinio a blaenoriaethu'r hyn maen nhw'n ei ystyried yn bwysig, ond wedi hynny dylid gadael i'r arbenigwyr fwrw ymlaen â'r gwaith, yn hytrach nag ymyrryd yn ddiddiwedd. Yng ngeiriau'r Americanwyr, 'If it ain't broke, don't fix it.'

# PENNOD 10

# Teledu Mamon

YM 1992 DERBYNIAIS alwad ffôn gan Syr Mel Rosser, Cadeirydd Grŵp HTV. Roedd Cadeirydd HTV Cymru, Idwal Symonds, ar fin ymddeol, a'r un modd Cadeirydd HTV West. Yn ogystal â hynny, roedd Syr Mel ei hun yn ymddeol ymhen ychydig. Fy unig brofiad o ddarlledu, heblaw am gymryd rhan mewn llu o raglenni, oedd bod yn aelod o Gyngor Darlledu BBC Cymru. Dysgais lawer, er na chyfrannais lawer i'r Cyngor hwnnw. Cychwynnais fy nghyfnod o dair blynedd gyda Chyngor BBC Cymru ym 1979, tua diwedd cyfnod Dr Glyn Tegai Hughes yn y Gadair, a threuliais y rhan fwyaf o'm cyfnod dan gadeiryddiaeth ddoeth a difyr Alwyn Roberts. Rwy'n dal i gredu nad oedd a wnelo'r Cyngor Darlledu fawr â darlledu, ac nad oeddem fel aelodau'n cyfrannu ond y nesaf peth i ddim at waith a chyfeiriad BBC Cymru. Eto, bu'n Gyngor diddorol i fod yn aelod ohono ac mi fwynheais y profiad yn fawr.

Ymhlith yr aelodau y deuthum i'w hadnabod yn dda roedd Rosemary Butler, sydd bellach yn Llywydd y Cynulliad; Betty Campbell, prifathrawes Ysgol Gynradd Butetown, Caerdydd, dynes ardderchog yn dweud ei barn yn ddiflewyn-ar-dafod; y cyfaill doeth Meurig Rees; a'r annwyl Huw Lewis, Gwasg Gomer. Hefyd, roedd yn fraint cyfarfod â phobl fel Michael Brooke, Ysgrifennydd BBC Cymru a gŵr bonheddig gwirioneddol. Diddorol oedd sylwi bod perthynas ardderchog rhwng Owen Edwards, Rheolwr BBC Cymru yn ystod y rhan helaethaf o 'nghyfnod i ar y Cyngor, ac Alasdair Milne, Rheolwr

BBC yr Alban a benodwyd yn Gyfarwyddwr Cyffredinol y BBC ym 1982. Roedd gan Milne gydymdeimlad mawr â'r gwledydd Celtaidd, fel y gellid disgwyl gan Albanwr a ddysgodd siarad Gaeleg ac a fu'n bennaeth y Gorfforaeth yn yr Alban. Roedd ganddo feddwl uchel iawn o Owen Edwards ac mi geisiodd ei ddenu i swydd bwysig yn Llundain, ond nid oedd gan Owen unrhyw awydd symud o Gymru. Yng Nghymru, roedd gan y Gorfforaeth y rhyddid i fwrw ymlaen yn ôl gweledigaeth y Rheolwr a'i staff, a mawr oedd dyled Cymru i arweiniad a gweledigaeth Owen, nid yn unig yn y BBC ond wedyn yn S4C. Nid oeddwn yn ymwybodol o unrhyw ymyrraeth o Lundain yn y cyfnod hwnnw – yn dra gwahanol i heddiw.

Pwrpas galwad Mel Rosser oedd fy ngwahodd i fod yn aelod o Fwrdd HTV ac y byddwn yn cymryd swydd Cadeirydd HTV Cymru a Dirprwy Gadeirydd Grŵp HTV mewn chwe mis. Huw Davies oedd y Prif Weithredwr yng Nghymru, dyn a chanddo ddawn i greu rhaglenni da a diddorol a dyn rown i'n mwynhau ei gwmni yn fawr iawn. Ymhlith enwau adnabyddus eraill ar y staff roedd cewri fel Gwyn Erfyl, oedd yn cynhyrchu a chyflwyno rhaglenni ardderchog; Emyr Daniel, a oedd yn fy marn i yn un o'r cyflwynwyr gwleidyddol gorau a fu yng Nghymru erioed, a chanddo'r ddawn i fynd ar ei union at graidd y ddadl a thynnu'r wybodaeth allan; ac Elis Owen, teriar o ddyn newyddion. Gohebydd yn y stafell newyddion ar y pryd oedd Menna Richards, a ddaeth maes o law yn Brif Weithredwraig HTV Cymru a Rheolwraig BBC Cymru wedi hynny. Fe'i cofiaf fel dynes broffesiynol a phenderfynol a wyddai beth oedd ei angen a sut i'w gael.

Os nad oedd ymyrraeth o'r tu allan ar BBC Cymru, buan y gwelais fod yna lawer iawn o ymyrraeth ar HTV Cymru o gyfeiriad Bryste – ymyrraeth ormodol a diangen yn fy marn i. Byddem yn dadlau'n gyson wrth geisio amddiffyn ochr Gymreig y cwmni. Yn un o'r cyfarfodydd cyntaf oll i mi fynd iddo, cyn i mi gymryd y gadair, roedd aelod o Grŵp HTV wedi dod o Fryste â nifer o gyfarwyddiadau i ni, amryw yr ystyriwn hwy'n bur afresymol a dibwrpas, felly dechreuais ddadlau ag o. Ymhen ychydig dyma fo'n troi at Huw Davies gan ddweud ei fod am inni eu hesgusodi a gadawodd o a Huw y stafell am funud neu ddau. Dywedodd Huw wrthyf wedyn fod y dyn o Fryste am wybod 'Who is that little Welshman who is interfering with my missives?' Ron Wordley, dyn mawr â cheg fawr, oedd y dyn hwnnw o Fryste, gwerthwr hysbysebion a ddringodd i fod yn Rheolwr Gyfarwyddwr y cwmni, un heb lawer o gydymdeimlad â Chymru, ei hiaith na'i diwylliant. Chefais i fawr o fwynhad yn ei gwmni o tra oeddwn gyda HTV.

Gyda'r BBC, y nod oedd darparu gwasanaeth cyflawn a theg. Yn HTV, y nod oedd gwneud pres, ac roedd y diffyg egwyddorion yn fy mhoeni'n fawr. Roedd yna rai fuasai'n gwerthu eu neiniau am stori – pobl nad oeddent yn poeni dim am effeithiau'r hyn a ddatgelid. Fe'i cawn yn anodd dygymod â'r arfer mai newyddion drwg oedd y newyddion bob amser – 'if it bleeds, it leads' oedd yr arwyddair. Cofiaf fel yr enwyd bardd Cadair Eisteddfod Genedlaethol Abergwaun gan HTV cyn y seremoni, gan ysgogi'r cwpled hwn yn Ymryson y Beirdd y Babell Lên:

Ystyriwch cyn dweud stori
Y tu fas i HTV.

Roedd barusrwydd rhai o'r uchel swyddogion am arian ac elw personol yn fy mlino'n fawr, hefyd, ac roedd aelodau'r staff yn gweld sut roedden nhw'n gweithredu ac yn mabwysiadu'r un safonau. Mae'n lled wybyddus, rwy'n meddwl, bod HTV wedi manteisio i elwa'n sylweddol ar gorn S4C yn nyddiau cynnar y sianel Gymraeg – er i S4C lwyddo i ddial rhywfaint flynyddoedd wedi hynny. Rwy'n tybio i minnau dynnu llawer o bobl i fy mhen yn y dyddiau hynny, yn arbennig y rheini a drigent ochr arall i Fôr Hafren. Teimlwn fod y penaethiaid ym Mryste'n bur ddirmygus o ochr Gymreig y cwmni â phoblogaeth Cymru ychydig yn fyr o dair miliwn – tipyn is na gorllewin Lloegr. Ac wrth i gwmni teledu lloeren Sky dyfu a chystadlu am y deisen hysbysebu, bu raid cwtogi ar y gwariant ar raglenni a gwaethygodd y berthynas fwy fyth rhwng Cymru a hwy. Bu fy mlwyddyn olaf yn y cwmni'n un anodd. Roeddwn, hefyd, yn ymwybodol bod cynlluniau yn bodoli i gael gwared ar yr aelodau mwyaf Cymreig eu hagwedd o'r staff, gan gynnwys ymgyrch i gael gwared ar Huw Davies drwy ddulliau oedd, yn fy marn i, yn ymylu ar yr anghyfreithlon. Daeth fy nghyfnod o bum mlynedd yn HTV i ben ym 1997 a fedra i ddim dweud i'r cyfnod, yn arbennig y flwyddyn neu ddwy ddiwethaf, fod yn un hapus. Er hynny, trysoraf y cyfeillgarwch â nifer o aelodau'r Bwrdd, yn eu plith Syr Geraint Evans ar gychwyn fy nghyfnod, a hefyd y staff ar yr ochr Gymreig – Gwyn Erfyl, Huw Davies, Emyr Daniel a Janet Parry Jones, a gofiaf fel un a lwyddai'n rhagorol i gadw'r ddesgl yn wastad yn y swyddfa.

Bu Huw yn yr Unol Daleithiau fwy nag unwaith ar sgowt am syniadau i greu rhaglenni ac mi gafodd sawl profiad diddorol. Ar un ymweliad roedd Huw yn moduro yn Georgia pan gafodd ei stopio gan un o'r plismyn traffordd. Edrychodd y plismon ar ei drwydded a gweld y Gymraeg. 'Pa iaith yw hon, syr?' holodd. 'Cymraeg,' meddai Huw. 'Wel, wel,' meddai, 'roedd fy nain yn dod o Gymru.' Gwelodd Huw ei gyfle. 'Mae'n wlad arbennig o hardd, fe ddylsech chi ymweld â hi ac mi gaech groeso cynnes iawn yno.' 'Buasai hynny'n braf iawn, syr,' atebodd, 'yn braf iawn. Roedd fy nain arall yn dod o'r Almaen, a gobeithio gwnewch chi dderbyn mai ochr Almaenig y teulu sy'n eich bwcio am yrru'n rhy gyflym heddiw!' Mae eu cwrteisi'n ddihareb. Mi gefais innau brofiad eithaf tebyg yno ar wyliau gyda Sheila ac Eddie a Martha Rea. Teithio roedden ni o Denver i Yellowstone ac wedi oedi i weld ffenomen ddaearegol Tŵr y Diafol, gan aros braidd yn rhy hir wrth syllu ar y rhyfeddod hwnnw. Felly dyma roi'r droed i lawr i geisio gwneud iawn am yr amser a gollwyd. Gwelais gar yn dilyn o hirbell am beth amser ac yn y man dyma fo'n cyflymu ac arwyddo arnom i stopio. Un o heddlu'r ffordd fawr oedd o a'n tro ni oedd hi i brofi eu cwrteisi rhyfeddol. 'Wyddoch chi eich bod yn gyrru'n rhy gyflym, syr?' meddai. 'Roeddwn i'n mwynhau golygfeydd eich gwlad odidog a heb sylweddoli,' meddwn innau'n ymddiheurol. 'Ond buasech yn mwynhau harddwch ein gwlad odidog yn fwy fyth petaech yn gyrru'n arafach, syr,' atebodd. 'Hefyd, yn ein gwlad ni mae gynnon ni'r hawl i yrru'n gyflymach na'r hyn a ganiateir yma a doeddwn i ddim wedi sylweddoli fy mod yn symud mor gyflym,' meddwn innau gan roi cynnig arall arni. 'Beth yw'r cyflymdra hwnnw yn eich gwlad chi, syr?' holodd. 'Saith deg milltir yr awr,' meddwn innau. 'Wyddoch chi beth, syr, roeddech chi'n torri cyfraith eich gwlad chi eich hunan, hefyd,' meddai. Pan fyddwch mewn twll, nid yw'n arfer da i ddal i dyllu, felly dyma dalu'r $50 yn y man a'r lle. Ond chwarae teg iddo, dyma fo'n dweud mai fo oedd yr unig blismon ar y ffordd i Yellowstone y noson honno a'i fod o'n mynd i'r cyfeiriad arall!

Pan ddaeth fy nghyfnod yn HTV i ben, rhannwyd y dyletswyddau fu gen i, a gwahoddwyd Gerald Davies i fod yn Gadeirydd HTV Cymru ac Arglwydd Crucywel, Nicholas Edwards, i fod yn Ddirprwy Gadeirydd y Grŵp. Cawn ychydig o hwyl yn tynnu eu coesau y bu'n rhaid cael dau ohonyn nhw i lenwi fy hen swydd i. Byr fu cyfnod Gerald yng Nghadair HTV Cymru gan i'r cwmni gael ei lyncu'n gyfan gwbl gan United News and Media yn niwedd 1997 am £370 miliwn, ac ailenwyd y cwmni teledu masnachol sy'n darparu gwasanaeth i Gymru a gorllewin Lloegr yn ITV Wales & West ddiwedd 2006.

# PENNOD 11
# Academia

Bu 1992 YN gychwyn pennod arall ddiddorol, a newydd iawn, yn fy hanes. Derbyniais wahoddiad i fod yn Llywydd Prifysgol Cymru Dewi Sant, Llanbedr Pont Steffan, coleg prifysgol hynaf Cymru, ac o bosib y drydedd brifysgol yng Nghymru a Lloegr, ar ôl Rhydychen a Chaergrawnt, oedd â'r hawl i gyflwyno graddau. Cefais y profiad o fod ar Gyngor Coleg y Brifysgol, Bangor, a Choleg Harlech, a bûm yn un o lywodraethwyr Coleg Llangefni – profiadau dymunol bob un, ac felly hefyd fy nghyfnod yn Llywydd Prifysgol Llanbedr Pont Steffan. Keith Robbins oedd y Prifathro ac Is-ganghellor, a chofiaf yn dda mai yr eitem gyntaf ar agenda fy nghyfarfod cyntaf oedd enw'r coleg. Roedd rhai o'r farn fod yr enw, Prifysgol Cymru Dewi Sant Llanbedr Pont Steffan, yn rhy hir a chofiaf y bu dadl ffyrnig a hir ar y mater. Gofynnwyd i mi beth oeddwn i am ei wneud, ac atebais nad oeddwn i am wneud dim byd – eu lle nhw oedd penderfynu. Yn y diwedd penderfynwyd ar yr enw Prifysgol Cymru Llanbedr Pont Steffan. Erbyn heddiw mae'r enw wedi newid eto i Prifysgol Cymru y Drindod Dewi Sant, yn dilyn uno'r coleg â Choleg y Drindod, Caerfyrddin. Ac mae hynny'n fater o foddhad mawr i mi.

Profiad newydd i mi oedd canfod fy hun yng nghanol y byd academaidd a gweld bod yr ystyriaethau bob dydd yn dra gwahanol yn academia i'r hyn ydynt ym myd diwydiant a masnach. Yn y byd oedd yn bodoli, roedd Prifysgol Llambed yn rhy fach. Nid yn unig ni allai gynnig yr amrywiaeth cyrsiau roedd eu hangen ond roedd yn amlwg bod y llif arian yn annigonol, er gwaethaf nifer o hen waddolion. Roedd gynnon ni Drysorydd penigamp yn Gwynne Jones, ond er cystled proffesiynoldeb Gwynne, roedd hi'n anodd cael dau ben llinyn ynghyd mewn coleg cymharol fychan. Llwyddais i berswadio Lewis Evans, cyn-bennaeth Prydain y Giro Bank, i fod yn Gadeirydd y Pwyllgor Cyllid a bu ei wybodaeth arbenigol o'r byd hwnnw o fantais fawr inni ac yn gefn arbennig i mi yn ystod y cyfnod y bûm yno. Mae Lewis yn enedigol o Dregaron, bu'n Gadeirydd Bwrdd Cymru a'r Gororau Swyddfa'r Post a bu'n Gadeirydd Pwyllgor Cyllid yr Eisteddfod Genedlaethol. Mae'n dal yn ffrind da ac mae'r cythral yn fy nghuro wrth chwarae golff yn gyson! Roedd un o ddisgynyddion y teulu Harford, cyn-berchnogion stadau Falcondale a Ffynnonbedr, hefyd yn aelod o Gyngor y Coleg. Ei deulu o a roesai'r tir i adeiladu'r coleg yn hanner cyntaf y bedwaredd ganrif ar bymtheg. Ymddiddorai yntau'n fawr yn nhynged y coleg a bu ei gyfraniadau'n werthfawr yn ystod fy nghyfnod yn Llywydd.

Roedd cymhlethdodau ariannol diddorol, unigryw a dweud y gwir, i Brifysgol Llambed. Fel hen goleg Eglwys, datblygodd arbenigedd mewn diwinyddiaeth, astudiaethau crefyddau cymharol, astudiaethau Islamaidd a chrefyddau dwyreiniol eraill. Golygai hyn fod nawdd Moslemaidd o'r Dwyrain Canol yn dod i mewn i'r coleg, ond roedd amodau ar ble a sut i fuddsoddi'r arian hwnnw. Deuai'n fwy a mwy amlwg i mi fod y coleg yn rhy fychan i fedru cadw'i safle yn sefydliad addysgol o safon. Felly aethpwyd ati, gyda sêl bendith Cyngor Ariannu Addysg Uwch Cymru, i archwilio'r posibiliadau o uno Coleg y Drindod a Choleg Prifysgol Llambed, a gweld sut y gellid newid amcanion y coleg er mwyn rhoi gwell ystyriaeth i anghenion gwaith – creu coleg â'r nod clodwiw o baratoi'r myfyrwyr ar gyfer gyrfa yn hytrach na'r hen ddelfryd o addysg er mwyn addysg, er mor ganmoladwy yw hynny. Roeddwn am weld colegau fel Coleg Sir Benfro, Coleg Ceredigion a cholegau addysg bellach eraill yn rhan o'r cynllun. Cymeradwywyd ein nod gan Gyngor Ariannu Addysg Uwch Cymru, yn wir roedd cefnogaeth frwd i'r syniad. Roedd staff y Drindod yn awyddus iawn i weld uno'r ddau goleg a rhai o staff Llambed yn gefnogol, ond eraill yn elyniaethus iawn i'r syniad. Coleg oedd y Drindod ond roedd Llambed yn Brifysgol a chodwyd rhai lleisiau croch iawn yn erbyn yr uniad. Roedd yn siom fawr iawn i mi, i'r Prifathro Keith Robbins, i'r Arglwydd Colwyn St Davids a Lewis Evans pan wrthodwyd y cynnig. Mae, er hynny, yn foddhad personol i mi erbyn heddiw gweld gwireddu'r freuddwyd oedd gen i ac eraill ugain mlynedd yn ôl. Erbyn hyn mae mwy o golegau'n rhan o'r uniad – Coleg Ceredigion, Coleg Sir Gâr a Phrifysgol Fetropolitan Abertawe. Gofynnwyd imi barhau am ail gyfnod o chwe blynedd, ond gan na welwn unrhyw obaith bryd hynny o symud ymlaen i uno a datblygu addysg uwch yn ne-orllewin Cymru, penderfynais wrthod y cynnig. Ymddiswyddodd Colwyn St Davids a Lewis Evans pan ddaeth fy nghyfnod i yn Llywydd i ben.

Mae'r modd y gwnaeth yr hen golegau a oedd yn rhan o'r trefniant ffederal dorri cysylltiad â Phrifysgol Cymru yn achosi poen i mi hefyd. Ychydig iawn o sefydliadau cenedlaethol sydd gynnon ni, ac mae Prifysgol Cymru yn un o'r ychydig. Os yw system ffederal yn ddigon da i Brifysgol Llundain, Caergrawnt, Rhydychen a Chalifffornia, siawns nad yw'n ddigon da i ni. Yn ddiamau, yn fy marn i, bu'r duedd hon yn andwyol i addysg a delwedd Cymru. Nid oherwydd ei fod, o reidrwydd, yn golygu gostwng safon, ond roedd y brand yn werthfawr, yn effeithiol ac yn adnabyddus ledled y byd. Mae diflaniad unrhyw sefydliad Cymreig yn resyn ac yn achos gofid i mi. Mewn undod mae nerth, a phwy a ŵyr na welwn eto ailadfer y trefniant ffederal, i raddau o leiaf.

Pan ymddeolais o fod yn Llywydd Llambed, yn unol â'r arfer, comisiynwyd arlunydd i baentio darlun ohonof i'w osod gyda lluniau cyn-Lywyddion eraill y coleg. Yr arlunydd oedd Peter Edwards, Cymro o Groesoswallt. Daeth i'm gweld yn y Coety a buom yn sgwrsio a thrafod. Wedi hynny, euthum ag o i'r coleg i weld y darluniau o'm rhagflaenwyr, pob un mewn cap a gŵn euraid hardd ar furiau'r Hen Neuadd. Ar ein ffordd yn ôl dywedodd wrthyf na fedrai fy ngweld rhywsut yn y wisg honno. 'O ddarllen eich cofnod yn *Who's Who* rwy'n gweld fod gennych gariad angerddol tuag at bysgota,' meddai. 'Oes,' atebais innau. 'Oes dillad ac offer pysgota gennych chi?' gofynnodd. 'Bob amser,' atebais innau. Ac yn y man a'r lle, ar bont Nantgaredig, a minnau yn fy nghap llofft stabal, y dillad a'r gêr pysgota a'r enwair yn fy llaw, dechreuodd baentio llun ohonof. Mi gwrddon ni sawl gwaith wedyn yn ei stiwdio i'w orffen, a dyna'r darlun sy'n hongian ochr yn ochr â darluniau'r Llywyddion eraill yn yr Hen Neuadd yng Ngholeg Prifysgol Llambed. Dadorchuddiwyd y darlun noson fy nghinio ffarwél. Roedd hi'n noson ffurfiol, teis du ac yn y blaen, a phan welwyd y llun ohonof fi yn y gêr pysgota aeth rhyw 'waw' o syndod drwy'r lle. Tipyn o sioc i'r sefydliad mae'n debyg, ond i mi roedd yn llun ohonof yn fy nghynefin. Mi gomisiynwyd, hefyd, gywydd gan Idris Reynolds a oedd yn Llyfrgellydd y Coleg. Rwy'n eu gwerthfawrogi'n fawr iawn ac mae'r cywydd hefyd yn cyfeirio ataf fel pysgotwr.

Tua phedair blynedd yn ôl cefais wahoddiad gan Medwin Hughes, Is-Ganghellor Coleg y Drindod, Caerfyrddin, i fod yn Gadeirydd Eclectica Drindod Cyf., cwmni â'i fwrdd ei hun yn annibynnol ar y coleg. Y pwrpas yw datblygu agwedd fasnachol i'r coleg a fyddai'n broffidiol ac a fydd ar yr un pryd yn ddatblygiad sy'n gweddu ag amcanion a phwrpas prifysgol. Rhan o'r datblygiad hwn yw'r adeiladau sy'n gartref i Theatr Genedlaethol Cymru. Un arall o'm cyfeillion ar y Bwrdd yw Lewis Evans, sy'n gynfyfyriwr o Goleg y Drindod. Gyda'r holl drefniadau i uno'r Drindod, Prifysgol Cymru Llanbedr Pont Steffan, Prifysgol Fetropolitan Abertawe a'r colegau addysg bellach yn nhair sir y gorllewin, mae prosiect Eclectica'n cael ei ddal yn ôl i raddau nes bydd y trefniadau hynny wedi'u setlo. Mae'n bwysig ein bod yn gwybod beth sydd gan y Cynulliad a Leighton Andrews mewn golwg ar gyfer Prifysgol Cymru. A ydyw am weld ei hailgodi – gan fod Prifysgol Cymru'n rhan o uniad y Drindod Dewi Sant?

Rwy'n parhau i gredu bod y driniaeth a gafodd Prifysgol Cymru yn un o gamgymeriadau mwyaf y degawdau diweddar. Cychwynnwyd y pydredd gan hunanoldeb Caerdydd, ac yna'r hen golegau eraill yn dilyn fel defaid, gan dybio eu bod yn ddigon mawr i fynd eu ffordd eu hunain. Roedd Prifysgol Cymru yn eicon, fel y Llyfrgell Genedlaethol a'r Amgueddfa, ac yn adnabyddus ar draws y byd. Os oedd yna agweddau aneffeithiol, yna dylsid bod wedi mynd i'r afael â'r broblem, nid dileu rhywbeth gwerthfawr oherwydd gwendidau'r drefniadaeth reoli. Mae'n wir fod dau achos lle bu'r ochr weinyddol yn ddiffygiol a dau goleg heb fod cystal ag y dylsent fod. Gwnaed môr a mynydd o'r ffaith fod Prifysgol Cymru yn gwirio safonau a chyflwyno graddau i goleg yn y Dwyrain Pell oedd yn cael ei redeg gan ganwr pop. Ond nid oedd y canwr pop yn darlithio nac yn ymwneud dim ag ochr academaidd y coleg. Ac wrth gwrs, nid Prifysgol Cymru'n unig sy'n gwirio safonau colegau tramor. Mae'r Quality Assurance Agency (QAA) yn gwneud defnydd o brifysgolion yn Lloegr, hefyd, i sicrhau bod y safonau'n cael eu diogelu.

Pan heuwyd y stori ar hyd a lled y wlad gan Ohebydd Addysg BBC Cymru, Ciaran Jenkins, yn 2011, ni chafwyd yr holl wir ond dyna, yn aml, yw natur y cyfryngau. Manteisiodd Leighton Andrews, Gweinidog Addysg y Cynulliad, ar y cyfle a gyflwynwyd iddo gan stori Ciaran Jenkins i ddileu'r Brifysgol. Diddorol cofio nad oedd Prifysgol Cymru yn atebol i Leighton Andrews. Mae'r modd yr aeth Andrews ati i neidio ar war Prifysgol Cymru yn warthus yn fy marn i, heb sôn am ei driniaeth gywilyddus o Hugh Thomas, y Cadeirydd, a Marc Clement, Is-Ganghellor Prifysgol Cymru, sydd bellach wedi dychwelyd i Brifysgol Abertawe. Os oedd gwendidau yn y modd roedd Prifysgol Cymru yn cael ei gweinyddu, dylsid bod wedi mynd i'r afael â'r broblem honno. Mae'r sefyllfa bresennol yn gwbl anfoddhaol a chodir cwestiynau ynglŷn ag asedau Prifysgol Cymru – fel Canolfan Gregynog a Gwasg Gregynog, heb sôn am Wasg Prifysgol Cymru. Mae Gwasg Prifysgol Cymru yn sefydliad o'r pwys mwyaf i ni fel cenedl, eto fedra i ddim gweld unrhyw arwydd fod y Cynulliad na neb yn poeni am ei dyfodol.

Yn 2010 sefydlwyd Awen Cymru Cyf., cwmni cyfyngedig â'r holl gyfranddaliadau yn eiddo i Brifysgol Cymru. Pwrpas y cwmni oedd ystyried holl asedau Prifysgol Cymru a sut y gallesid defnyddio'r asedau hynny yn fasnachol a phroffidiol i ddwyn elw i'r Brifysgol. Cefais wahoddiad gan Hugh Thomas, Cadeirydd y Cyngor, i fod yn Gadeirydd iddo. Sefydlwyd Siop y Wasg yn y Stryd Fawr, Caerdydd, nid yn unig i werthu llyfrau Gwasg y Brifysgol ond hefyd i werthu pob math o bethau perthnasol i gyn-raddedigion. Ar hyn o bryd mae Awen, sy'n gweithredu hyd braich oddi wrth Gyngor y Brifysgol, yn bwrw ymlaen â chynlluniau cyffrous mewn amryw feysydd gan gynnwys prosiectau yn ymwneud â mannau yn y Dwyrain Canol, fel Abu Dhabi a Qatar, a hefyd yn Iwerddon. Rydyn ni'n edrych ar yr adnoddau sydd gynnon ni i weld pa fodd y gellir eu trefnu er sicrhau'r budd mwyaf ohonynt. Cofiwn fod gan Brifysgol Cymru alumni enfawr a dylid ceisio manteisio ar hynny. Un cynllun arbennig o gyffrous yw un gyda chwmni yn Awstralia sydd wedi datblygu dull arloesol o gynhyrchu dyfrdrydan, prosiect sydd yn debygol o gael ei ehangu ledled Ewrop, ond gyda phencadlys Ewropeaidd y cwmni yng Nghymru.

Nifer fechan o staff sydd i Awen: Stephen Owen, y Prif Weithredwr, y Dr Marcus Heuberger, y Rheolwr Trosglwyddo Technoleg, ac Ennis Akpinar, sy'n rhugl yn y Gymraeg, a fo sy'n gyfrifol am Siop Gwasg y Brifysgol. Mae Marc Clement, Hugh Thomas, Syr David Lewis a Grant Hawkins yn Gyfarwyddwyr i'r cwmni. Bu Syr David Lewis, sy'n hanu o Sir Gâr, yn Arglwydd Faer Llundain, ac roedd Grant Hawkins, hyd yn ddiweddar, yn Gadeirydd Target, cwmni o Gaerdydd sy'n gweithredu'n fyd-eang, yn darparu meddalwedd cyfrifiadurol i'r diwydiant gwasanaethau cyllid. Mae Syr David Lewis yn gyn-Gadeirydd cwmni cyfreithwyr rhyngwladol Norton Rose. Mae'r posibiliadau'n enfawr, ond gan mai Prifysgol Cymru yw'r unig gyfranddalwr mae'r dyfodol yn ansicr a'r cyfan yn dibynnu ar dynged y Brifysgol.

# PENNOD 12

# Cymru ac Iwerddon

RYWBRYD YM 1995 daeth un o'r galwadau ffôn annisgwyl hynny sy'n digwydd o bryd i'w gilydd. Fy hen gyfaill Dei Tomos, darlledwr ar faterion amaethyddol a gwledig nad oes gennyf ond y parch mwyaf at ei wybodaeth a'i ddawn, ac un a fu'n gyfaill ers ei ddyddiau cynnar gyda'r Urdd, oedd ar y pen arall. Gofynnodd imi a fuaswn yn fodlon ei gyfarfod am sgwrs dros damaid o ginio. Cytunais gan ddisgwyl y byddai am drafod rhyw bwnc ar gyfer rhaglen radio. Ond na, roedd am siarad â mi yn rhinwedd ei swydd yn Gadeirydd Ymgyrch Diogelu Cymru Wledig. Gofynnodd imi beth oedd fy marn am felinau gwynt a dywedais eu bod, o'u lleoli'n ddihitio, yn anharddu cefn gwlad ond bod lle iddynt o roi yr ystyriaeth lawnaf i'w lleoliad. Rown i hefyd o'r farn eu bod yn annibynadwy a heb fod yn rhy effeithlon. Dywedodd Dei mai dyna'i agwedd yntau a gofynnodd a fuaswn yn ystyried bod yn Llywydd y gymdeithas. Gwyddwn yn iawn am waith da'r gymdeithas a chan fod cefn gwlad Cymru'n bwysig i mi, cytunais, a rhwng 1995 a 2001 bûm yn Llywydd Ymgyrch Diogelu Cymru Wledig. Mae'r gymdeithas yn gwneud gwaith arbennig o dda drwy godi ymwybyddiaeth am broblemau cefn gwlad ond heb yr arian angenrheidiol i fod yn ddylanwad gwir effeithiol.

Treuliais gyfnod hapus iawn gyda'r gymdeithas a rhaid canmol dylanwad Dei, a lwyddodd i sicrhau dwyieithrwydd naturiol o'i mewn. Cymdeithas yw hi sy'n tueddu, mwya'r piti, i ddenu mwy o fewnfudwyr na Chymry cynhenid i rengoedd ei haelodau. Mae'n rhaid imi hefyd dalu teyrnged i'r diweddar Merfyn Williams, Cyfarwyddwr y gymdeithas yn ystod fy nghyfnod yn Llywydd. Gŵr diymhongar, egnïol a hynod effeithiol mewn sawl cyfeiriad. Bu farw yn llawer rhy ifanc. Y llynedd (2012) cymeradwyodd y Llywodraeth yn San Steffan fferm wynt enfawr Pen y Cymoedd uwchben pentref Glyncorrwg a bydd 76 o dyrbeini wedi'u codi yno erbyn 2016. Mae hyn, yn fy marn i, yn benderfyniad gwarthus – Tryweryn arall, a neb yn codi llais i'w wrthwynebu heblaw am drigolion yr ardal. A dyna sy'n digwydd ar draws cefn gwlad Cymru oherwydd mai yn San Steffan y gweir y penderfyniadau. O leiaf mae trigolion Powys yn uchel eu llais yn eu gwrthwynebiad i'r ffermydd gwynt a'r peilonau y bwriedir eu codi ar draws un o gymoedd harddaf Cymru. Mae'n rhaid i'r Cynulliad gael y gair olaf mewn materion o'r math hwn; nid penderfyniad i griw o bobl yn Llundain, na fu'r mwyafrif ohonyn nhw yn agos i Bowys erioed, yw hyn.

Wedi llofruddiaeth Christopher Ewart-Biggs, Llysgennad Prydain i Iwerddon, yn Nulyn ym 1976 gan y Provisional IRA, roedd perthynas Prydain ag Iwerddon ar ei gwaethaf. Eto, bu llywodraethau'r ddwy wlad yn ddigon doeth i sefydlu corff bychan i ystyried a thrafod pob math o bynciau a oedd o ddiddordeb neu'n berthnasol neu o bwys ac yn fygythiol i'r ddwy wladwriaeth. Sefydlwyd y British–Irish Encounter ym 1983 a chefais fy ngwahodd i gynrychioli Cymru ar y Bwrdd o tua 1995 i 2004 gan ddilyn y disglair Richard Wyn Jones, sydd bellach yn Athro Gwleidyddiaeth ym Mhrifysgol Caerdydd.

Byddem yn trafod pob math o bynciau ac yn adrodd yn ôl yn uniongyrchol i'r Taoiseach yn Iwerddon a Phrif Weinidog Prydain. Roedd aelodau'r Bwrdd yn cynnwys cynrychiolaeth ddiwylliannol, wleidyddol, economaidd a chrefyddol o Iwerddon a Phrydain. Nifer fechan o staff oedd gan y ddwy ochr, gweithwyr cydwybodol a phroffesiynol iawn. Bryd hynny y gwelais pa mor drylwyr a chydwybodol oedd gweision sifil Iwerddon. Mae'n bryd cael Gwasanaeth Sifil ar wahân i Gymru fel nad yw'r gweision sifil yn gweld penodiad i'n Cynulliad yn gam at bethau uwch yn Lloegr.

Byddem yn cyfarfod ym Mhrydain ac Iwerddon am yn ail. Yn naturiol, roeddwn i'n awyddus iawn i ni gael cyfarfod o sylwedd yng Nghymru ac mi ddigwyddodd hynny. Yn 2001 trefnais gynhadledd yng Nghaerdydd ar y thema Diwylliant Antur (Enterprise Culture). Rhoddwyd y brif araith gan Rhodri Morgan, ac yn ei ffordd unigryw ei hun mi osododd Rhodri yn gelfydd iawn yr hyn ddylasai'r gynhadledd ei drafod. Ymysg y siaradwyr roedd Tyrone O'Sullivan, arweinydd ymgyrch lwyddiannus y gweithwyr i brynu Glofa'r Twr ym 1995, ac mi gafodd yntau groeso mawr. Siaradwyr eraill oedd y darlledwr Vincent Kane a Malcolm Miller, Prif Weithredwr Pace Micro Technology, y cwmni ddyfeisiodd y cymhwysydd teledu digidol (digital TV adapter). Bu'r gynhadledd yn llwyddiant mawr. Cofiaf gyfarfodydd ym Melffast, hefyd, ac un arbennig o danllyd. Dro arall rwy'n cofio Keith Robbins, Prifathro Prifysgol Llanbedr Pont Steffan a hanesydd ardderchog, yn rhoi darlith ar hanes yr Urdd Oren mewn cynhadledd yn Cork, ac yn dweud na fedrai ddeall pam roedd dynion deallus a gwar yn mynnu parhau i gynnal eu gorymdeithiau blynyddol. A dyma un ohonyn nhw'n gweiddi allan: 'That's the f... ing trouble, you don't f... ing understand.' Ac mae'n anodd dallt. Cofiaf drafod pynciau fel trafnidiaeth, busnes, ynni, economi'r ddwy wladwriaeth a sut y gellid ymdopi â chymdeithas sy'n heneiddio.

Mae'n ddychryn meddwl erbyn 2020 mai dim ond traean o'r boblogaeth fydd yn gyfrifol am gynhyrchu'r cyfoeth i gynnal y gweddill ohonom, a hanner y boblogaeth gyfan dros 65 oed. Fel mae pethau ar hyn o bryd, bydd plentyn a enir eleni yn gorfod gweithio nes ei fod yn 77 oed cyn ymddeol, a bydd gofal dros yr henoed yn cynyddu'n sylweddol. Am y tro cyntaf yn ein hanes, bydd safon byw y genhedlaeth nesaf yn is na'r un bresennol. Hyd yma, y duedd yw bod pethau'n gwella mymryn o genhedlaeth i genhedlaeth, ond rŵan, hyd y gwela i, bydd y sefyllfa'n gwaethygu. Y rhai fydd yn wynebu'r problemau hynny fydd pobl ifanc ein cyfnod ni ac yn y flwyddyn 2000 aeth British–Irish Encounter â chriw o bobl ifanc i drafod 'Tyfu i Fyny yn y Gymdeithas Heddiw' i Gaeredin, lle cawsom fenthyg adeiladau'r Senedd gogyfer â'r trafod. Roedden nhw'n griw o bobl ifanc gwirioneddol ardderchog o bob rhan o Brydain ac Iwerddon a'r rheini'n codi ein calonnau wrth wrando arnyn nhw'n trafod. Cafwyd cyfraniad arbennig gan gynrychiolwyr Cymru. Problem arall y genhedlaeth sy'n codi yw bod gofalaeth deuluol yn llawer llai nag oedd oherwydd bod y gymdeithas glòs oedd gynnon ni wedi diflannu i raddau helaeth. Mewn cynhadledd arall yn trafod enciliad Cristnogaeth, dwi'n cofio'r anffyddiwr disglair Richard Dawkins yn ein hannerch. Dadleuwr penigamp ac yn rhesymu'n odidog – ond mi gafodd ei lorio'n llwyr mewn dadl gan leian fach dawel, ddiymhongar.

Y drefn oedd ein bod yn cynnal dwy neu dair cynhadledd y flwyddyn yn ogystal â phedwar neu bump o gyfarfodydd o gwmpas y bwrdd. Roedd gynnon ni ddau Gadeirydd. Yr un Prydeinig oedd Sir David Blatherwick, cyn-Lysgennad Prydain i'r Aifft, dyn dymunol iawn a chadeirydd da. Y Cadeirydd Gwyddelig oedd Terence Brown, Athro Llenyddiaeth Eingl-Wyddelig Coleg y Drindod, Dulyn. Ar ei ôl o daeth Dorothea Melvin, Cadeirydd y corff adnoddau diwylliannol Cultures of Ireland a Phennaeth Materion Cyhoeddus yr Abbey Theatre, gwraig y bardd a'r ysgolhaig o Ogledd Iwerddon, Gerald Dawe.

Roedd yr aelodaeth yn cynnwys pobl arbennig iawn fel Kevin Bonner, cyn-uwch was sifil a fu'n gyfrifol am ddylanwadu ar newid cwricwlwm ysgolion Iwerddon. Roedd yno ymgynghorwyr busnes, pobl o fyd diwydiant, pobl academaidd ac o fyd addysg, newyddiadurwyr a bargyfreithwyr – ystod eang o dalentau a phrofiad.

Pan gefais wahoddiad i ymuno â'r Bwrdd roeddwn yn poeni a fuaswn i'n ffitio i mewn yng nghanol yr holl arbenigwyr hyn, ond ymhen dim o dro roeddwn wrth fy modd ac yn mwynhau fy hun yn rhyfeddol. Yn y cyfarfodydd dilynwyd Rheol Chatham House, sef bod pob un yn cael mynegi barn yn rhydd ac er y cofnodid popeth a ddywedid ni chynhwysid enw'r sawl a'i dywedodd. Mantais y rheol yw ei bod yn caniatáu i gyfranwyr siarad a mynegi barn yn ddilyffethair, barn nad oedd o reidrwydd yn adlewyrchu agwedd y sefydliad roedd ef neu hi'n aelod ohono neu'n ei gynrychioli. Roedd, felly, yn annog trafodaeth agored, heb i unrhyw gyfrannwr boeni y byddai'n cael ei ddyfynnu'n gyhoeddus. Mae'n ddull defnyddiol a ddefnyddir yn gyffredin i drafod gwaith ymchwil.

Wrth i fy nghyfnod ddod i ben awgrymais fod Henry Jones-Davies o Nantgaredig, cyhoeddwr y cylchgrawn *Cambria* ac arbenigwr ar olew a'r Dwyrain Canol, yn cymryd fy lle. Yn anffodus, dilëwyd y British–Irish Encounter gyda'r mynegiant arferol o werthfawrogiad y medr gwleidyddion ei roi yn ddiffuant a graenus. Rwy'n argyhoeddedig ei fod yn gam gwag. A dweud y gwir, haedda'r ddwy Lywodraeth gael eu condemnio oherwydd bu'r corff yn ddiwyd iawn dros y blynyddoedd gan gyflwyno ymchwil a syniadau amhrisiadwy ar gost oedd y nesaf peth i ddim iddyn nhw. Roeddem yn rhydd i wahodd arbenigwyr mwyaf y byd yn eu meysydd – pobl allweddol a ddeuai i'n hannerch ar bynciau'r dydd a rhannu eu gweledigaeth o'r dyfodol am ddim mwy na chostau teithio a llety. Câi'r Llywodraeth ffrwyth yr anerchiadau a'r trafodaethau hynny am ddim. Roedd yn wrthun o beth. Ond dyna, yn rhy aml, fydd gwleidyddion yn dueddol o'i wneud. Cyfraf hi'n fraint imi fod yn rhan o'r corff unigryw yma.

Roeddwn eisoes yn adnabod Iwerddon yn bur dda am y byddwn yn mynd yno i bysgota, yn amlach na pheidio i Ballina yn Swydd Mayo, ar afon Moy – lle byddai, 35 mlynedd yn ôl, fwy o eogiaid nag mewn unrhyw afon yn Ewrop. Mae'n dal i fod yn afon wych am eog ond bellach ni chaniateir i unrhyw bysgotwr gymryd mwy na dau eog y dydd ohoni. Daeth

Encounter â mi i gysylltiad agosach â'r ynys a dod i adnabod y diwylliant a'r bobl yn well a gwneud llawer o ffrindiau. Mae rhyw ddoethineb arbennig yn perthyn i bobl rhai rhannau o Iwerddon a chefais y cyfle i ddod i'w adnabod a'i werthfawrogi. Bu'n gyfnod hapus a roddodd fwynhad personol mawr i mi. Petaswn i ddim yn Gymro yna mi hoffwn fod yn Wyddel. Sôn am bysgota, rwy'n cofio clywed am dri physgotwr, dau ohonyn nhw'n gyfeillion personol i mi, allan ar Lough Conn yn Mayo pan gododd tipyn o wynt. Mae Lough Conn tua naw milltir o hyd a thua pum milltir o led, a phan gwyd gwynt cryf yno mae'r tonnau cymaint â thonnau'r môr ac felly roedd hi y diwrnod arbennig hwnnw. Morwr sâl oedd un ohonyn nhw ac ymhen dim roedd yn pwyso dros ymyl y cwch yn chwydu i'r dŵr – ac wrth wneud hynny collodd ei ddannedd gosod. Yn slei bach, dyma un o'r lleill yn rhoi ei ddannedd gosod ei hun ar fachyn ei enwair a chymryd arno ei fod wedi dal pysgodyn. Yn y man dyma fo'n tynnu'r bachyn a'r dannedd o'r dŵr. 'Duwcs, dwi wedi dal dy ddannedd gosod di, hwda,' mynte'r tynnwr coes. Dyma'r llall yn eu rhoi yn ei geg. 'Nid fy nannedd i ydi rhain,' meddai, a'u lluchio nhw 'nôl i'r dŵr!

Dysgais lawer yn y cyfnod hwn am lwyddiant y teigr Celtaidd. Mae'n wir i bethau fynd yn flêr yn ddiweddar, ond bai'r banciau a'u barusrwydd nhw oedd hynny, fel mewn amryw wledydd eraill. Cafodd yr addysg yn y Weriniaeth ei theilwra ar gyfer yr adrannau o ddiwydiant sy'n cynhyrchu cyfoeth. Cynhaliwyd pob math o drafodaethau i benderfynu pa sgiliau fyddai eu hangen mewn deng mlynedd ac yna newidiwyd cwricwlwm yr ysgolion a'r colegau fel bod gan y wlad a'r bobl y gallu a'r cymwysterau i ymgymryd â'r gwaith a fyddai'n debygol o fod mewn bodolaeth yn y dyfodol. Bûm yn annog Medwin Hughes, Is-Ganghellor a Phrifathro Prifysgol Cymru y Drindod Dewi Sant, i ymchwilio i anghenion Cymru'r dyfodol ac mi rydw i'n hyderus y bydd ei ymateb i'r her yn egnïol a phwrpasol. Mae angen dod â'r Cynulliad, diwydianwyr, undebau, y CBI a'r prifysgolion at ei gilydd i wneud yr union beth a wnaeth Iwerddon, sef trafod a dod i benderfyniad ynghylch beth fydd ei angen ar Gymru mewn deng mlynedd, a newid ein cwricwlwm i ddarparu'r hyn sydd ei angen. Os na wnawn ni, bydd Cymru ar ei cholled yn sylweddol iawn ac unwaith yn rhagor mi fydd diwydiannau'n denu mewnfudwyr o arbenigwyr.

Corff arall y cefais y cyfle i wasanaethu arno oedd Cyngor Rheolaeth Prydain (British Management Council). Daeth y gwahoddiad i fod yn rhan o'r corff o ganlyniad i'r dulliau blaengar o reoli a ddatblygwyd gan Ddŵr Cymru yn y cyfnod 1991-3 ac a gychwynnwyd ym 1985 – gweler y cynllun 'partneriaeth er elw i bawb' ym mhennod 8, tt. 117-19. Fy nod yn ystod fy nghyfnod yn Gadeirydd Awdurdod Dŵr Cymru, a Dŵr Cymru Cyf. ar ôl preifateiddio, oedd sicrhau gwell cyd-dynnu rhwng cyflogwyr a'r gweithlu. Sut y gellid gwella'r bartneriaeth a sicrhau cytundeb parhaol heb amharu ar effeithlonrwydd y cwmni? Dyna, wrth gwrs, nod Cyngor Rheolaeth Prydain.

Trafodwyd mewn un cyfarfod a ddylid cael cyngor ar wahân i bob un o'r gwledydd Prydeinig, ac yn naturiol bûm yn dadlau'n gryf o blaid hynny. Y canlyniad fu i'r Cadeirydd ofyn imi fynd i ffurfio un i Gymru. Hynny fu, a chyda chymorth y Llywodraeth mi ffurfiwyd Cyngor Rheolaeth Cymru a bûm yn Gadeirydd arno am dair blynedd. Cafwyd aelodaeth gref o wahanol adrannau o fyd busnes a diwydiant. Llwyddwyd i ddal i gadw perthynas agos â Bwrdd Rheolaeth Prydain ac yn naturiol deuthum i adnabod nifer o undebwyr yn dda, yn arbennig George Wright, Ysgrifennydd cyntaf Cyngres Undebau Llafur (TUC) Cymru. Roedd George yn siaradwr huawdl ac yn ddadleuwr digyfaddawd a fedrai resymu'n dda, nid fy mod yn cytuno ag ef bob amser, ond ni ellid byth feirniadu'i resymeg na'i ddycnwch. Byddem yn cael cyfarfodydd anffurfiol o dro i dro i drafod materion oedd yn berthnasol ar y pryd, neu i gael sgwrs am bethau'n gyffredinol. Yn anochel, byddem yn trafod sut roeddem

ni'n dau wedi llwyddo, neu wedi methu, mewn cyfweliadau
teledu, yn enwedig y rhai hynny pan fyddai Vincent Kane
wrth y llyw. Y tro cyntaf imi gael fy holi gan Vincent oedd ym
1962 pan oeddwn yn Ddirprwy Reolwr Cwm Rheidol. Daeth
Owen Edwards yno i'm cyfweld yn Gymraeg a Vincent Kane
yn Saesneg. Byddai Vincent bob amser yn ceisio gosod magl
i 'nal i ond lwyddodd o ddim erioed, er y byddai yn fy rhoi
drwy'r felin bob amser. Heddiw pan welwn ein gilydd mae
dwyn atgofion yn troi'n chwerthin o'r naill du a'r llall. Ac o
sôn am gyfweliadau, cofiaf yr Athro Tom Parry – Syr Thomas
Parry wedi hynny – yn cyfeirio yn *Y Cymro* at y cyfweliad
hwnnw a wnes gydag Owen Edwards a dweud mor braf
oedd clywed rhywun yn medru trafod materion peirianyddol
yn Gymraeg. Cyfeiriodd David Lloyd Hughes, un o'm cyd-
reolwyr yn Aliwminiwm Môn flynyddoedd wedyn, ataf yn ei
lyfr *Holyhead – a Story of a Port* fel 'un a fedrai drin materion
peirianyddol astrus yn y Gymraeg a hynny mewn modd a oedd
yn ddealladwy i bawb'. Rwy'n ymfalchïo yn eu tystiolaeth.

Mae'n dda gen i ddweud bod Cyngor Rheolaeth Cymru'n
parhau i fod o dan Lywodraeth y Cynulliad. Diddorol nodi,
hefyd, mai anaml y clywn bellach am anghydfod neu streic
sy'n fygythiad i gymdeithas – heblaw am yrwyr y tancars
tanwydd a British Airways. Mae cyd-dynnu'n gweithio. Mae'n
dra gwahanol i'r hyn a gofiaf yn y chwedegau, sef fy nyddiau
cynnar mewn diwydiant, a'r degawd a hanner wedi hynny.
Buaswn yn hoffi meddwl bod a wnelo Cyngor Rheolaeth
Cymru rywfaint â hynny.

# PENNOD 13

# Grŵp Ymgynghorol y Cynulliad

YN DILYN BUDDUGOLIAETH agos refferendwm 1997 derbyniais alwad gan Ron Davies yn fy ngwahodd i gadeirio Grŵp Ymgynghorol i baratoi canllawiau ar gyfer sefydlu'r Cynulliad Cenedlaethol – y National Assembly Advisory Group. Roeddwn wedi bod yn weithgar gyda'r Ymgyrch Ie, gan gynrychioli'r safbwynt diwydiannol gystled fyth ag y medrwn i. Bryd hynny y deuthum i adnabod Leighton Andrews, a weithiodd yn galed iawn dros yr ymgyrch. Bu'r ymgyrch yn un hynod o gynhyrfus a chyffrous ac anghofia i byth yr ymlawenhau pan ddaeth y canlyniad o Gaerfyrddin a sylweddoli ein bod ni wedi ennill. Rhoddodd Sir Gâr arweiniad da i'r genedl sawl tro, ond doedd yr un yn bwysicach na hwn. Eto, fedrwn i'n bersonol ddim llai na gofidio bod bron hanner y rhai hynny a bleidleisiodd yn gwrthwynebu'r syniad o gael Cynulliad. Rydyn ni fel cenedl wedi'n mwydo mewn taeogrwydd yn rhy hir. Bellach, yn ôl yr arolygon barn, mae dwy ran o dair o bobl Cymru yn cefnogi'r Cynulliad, ac yn hynny o beth bu'r Cynulliad, pa mor feirniadol bynnag ohono yr ydym am fod, yn llwyddiant. Wedi'r cwbl, cymerodd ganrifoedd lawer i Senedd San Steffan dyfu i fod yn ddylanwad effeithiol ar fywydau pobl.

Yr hyn a fynnai Ron Davies oedd inni edrych yn ofalus ar gynnwys Mesur Llywodraeth Cymru ac ar y cwestiynau y byddai'n rhaid eu hateb cyn y gellid sgrifennu Rheolau Sefydlog y Cynulliad. Roedd yn galw am gymorth i baratoi canllawiau i'r Comisiwn Rheolau Sefydlog a llunio argymhellion a fyddai, ymysg pethau eraill, yn cyfrannu at sefydlu Cynulliad democrataidd, effeithiol, effeithlon a chynhwysol, ac yn ennyn cefnogaeth pobl Cymru a pharch pobl y tu allan i Gymru. Roedd y prif reolau ynglŷn â sut y byddai'r Cynulliad yn gweithredu wedi'u nodi ym Mesur Llywodraeth Cymru a oedd eisoes dan drafodaeth gan y Senedd yn Llundain. Ond ni chynhwyswyd nifer o'r rheolau manwl yn y Mesur. Ein swyddogaeth ni oedd canolbwyntio ar egwyddorion allweddol a sylfaenol – nid penderfynu polisïau. Gosod canllawiau y gwahanol swyddi – y Llywydd, y Prif Weinidog, y Gweinidogion eraill a Chadeiryddion y gwahanol bwyllgorau. Buom yn ystyried gwaith y pwyllgorau pwnc, nifer y pwyllgorau rhanbarth fyddai eu hangen, sut y dylai'r Cynulliad drafod a chraffu ar is-ddeddfwriaeth a sut y medrai'r Cynulliad sicrhau bod pobl yn rhan o'r drefn. A pheidied neb â meddwl mai dibwys yw is-ddeddfwriaeth; os yw deddfwriaeth yn effeithio ar fywyd pobl, mae'n ddeddfwriaeth hollbwysig.

Roeddem yn awyddus i ddileu llawer o'r arferion sy'n nodweddu Senedd San Steffan, fel y cyfarfodydd hwyr sydd yn gymaint o dreth ar fywydau pobl. Ein hargymhellion oedd y dylai'r Cynulliad weithio oriau gwaith neu swyddfa arferol. Byddai hyn o gymorth i Aelodau a'r staff gydbwyso'u gwaith â chyfrifoldebau teuluol a chyfrifoldebau eraill. Mae gen i gof i mi drafod hyn gyda Barry Jones, a fu'n Aelod Seneddol Llafur dros Ddwyrain Sir y Fflint ac, wedi adrefnu 1983, dros Alun a Glannau Dyfrdwy. Bu Barry, sydd bellach yn aelod o Dŷ'r Arglwyddi, yn Is-Ysgrifennydd Gwladol yn y Swyddfa Gymreig rhwng 1974 a 1979. Dywedodd wrthyf sut y treuliodd flynyddoedd mewn fflat un stafell wely yn Llundain a phrin y bu iddo weld ei blant yn tyfu. Fedrwn i yn fy myw weld bod hynny'n iawn. Gwyddwn, wrth gwrs, am y pwysau a roddid ar Aelodau Seneddol i ddychwelyd i'r Tŷ i bleidleisio. Yn rhai o'r tai bwyta o gwmpas San Steffan ceir cloch sy'n canu ddeng munud cyn pob pleidlais a lawer gwaith, pan oeddwn yn Gadeirydd Dŵr Cymru ac yn cael cyfarfod anffurfiol gydag un o arweinyddion y pleidiau gwleidyddol, byddai'r gloch yn canu a'r Aelod yn llowcio'i fwyd a rhuthro'n ôl i'r Senedd. Roeddem ni yn NAAG am weld rhyw drefn well na hynny.

Ein bwriad oedd gweld ffurfio Cynulliad a fyddai'n agored ei weithrediadau a chynhwysol â'r Aelodau i gyd, yn arbennig aelodau o bleidiau lleiafrifol, yn cael y cyfle i ddylanwadu ar waith a phenderfyniadau'r Cynulliad, yn enwedig drwy'r pwyllgorau craffu. Gwelem hyn yn welliant ar y model cabinet sy'n tra-arglwyddiaethu yn San Steffan, ac mewn llywodraeth leol o ran hynny. Gwnaeth y grŵp yn glir y dylai'r Cynulliad drin y Gymraeg a'r Saesneg ar y sail eu bod yn gyfartal ac y dylid mabwysiadu ac ymestyn cynllun iaith Gymraeg y Swyddfa Gymreig fel ag yr oedd; y dylid gallu defnyddio Cymraeg a Saesneg yn nadleuon y Cynulliad a chyfarfodydd pwyllgor; ac y dylai'r cyhoedd gael defnyddio Cymraeg a Saesneg wrth gyfathrebu â'r Cynulliad. Roedd hyn yn golygu darparu cyfieithu ar y pryd a bod yr holl bapurau, a oedd i'w cyflwyno i'w hystyried gan yr Aelodau mewn sesiynau llawn a chyfarfodydd pwyllgor ar gael yn Gymraeg a Saesneg. Bu llawer o drafod ar hyn a daeth dirprwyaeth o Gymdeithas yr Iaith Gymraeg ataf i fynegi eu barn ar y pwnc – criw ardderchog o bobl ifanc o dan arweiniad Sian Howys. Mae gen i feddwl mawr o'r Gymdeithas ac mae dyled Cymru i'w hymdrechion diflino dros yr iaith yn enfawr. Yn y cyfarfod cyflwynodd y ddirprwyaeth gopi o'r *Beibl Cymraeg Newydd* i mi. Y tu mewn roedden nhw wedi sgrifennu: 'Cyflwynedig i John Elfed Jones, enghraifft o gyfieithu Cymraeg a sicrhaodd ddyfodol i'r iaith, gan aelodau Cymdeithas yr Iaith Gymraeg.' Neges ddiflewyn-ar-dafod yn pwysleisio bod angen sicrhau y byddai popeth yn ein Cynulliad yn ddwyieithog.

Un o'n hargymhellion oedd bod Aelodau'n gorfod datgan buddiannau ariannol a buddiannau o bob math heb fod yn ariannol, gan gynnwys aelodaeth o'r Seiri Rhyddion. Dogfen drafod oedd hon a gyhoeddwyd gynnon ni a chofiaf yn dda imi orfod wynebu cynrychiolaeth o'r Seiri Rhyddion – nid yn unig o Gymru ond ledled Prydain. Ein dadl sylfaenol oedd bod y Seiri Rhyddion yn gymdeithas gudd, a bod hynny'n creu'r argraff bod ganddyn nhw rywbeth i'w guddio – nid ein bod yn feirniadol o'r Seiri Rhyddion o gwbl. Wedi cyflwyno'n hadroddiad, roeddem yn argymell pobl i fynegi barn arno a chynhaliwyd cyfarfodydd ledled Cymru. Cafwyd nifer o gyfarfodydd hynod ddiddorol ac roedd hi'n hawdd gweld lle roedd cefnogaeth gref i'r Cynulliad a llefydd eraill digon dihitio eu hagwedd. Mor drist oedd gweld rhannau o Gymru mor ddi-asgwrn-cefn fel na allent ddychmygu sefyll ar eu traed eu hunain. Un peth calonogol, serch hynny, oedd canfod cymaint oedd y brwdfrydedd ymhlith y cymunedau ethnig, a chofiaf eu clywed yn datgan nifer o weithiau mor braf fuasai gweld y gwleidyddion yn gwneud yr hyn a wnaethon ni. Atgyfnerthodd hyn fy marn mai rhai digon dihitio yw nifer fawr o'n gwleidyddion.

Diddorol, heddiw, yw bwrw golwg yn ôl dros aelodau'r Grŵp Ymgynghorol – un cynhwysol iawn â chynrychiolwyr o'r pedair prif blaid wleidyddol yng Nghymru, sef Nick Bourne (Ceidwadwyr), Helen Mary Jones (Plaid Cymru), Eluned Morgan (Llafur) a Kirsty Williams (Democratiaid Rhyddfrydol). Bu ambell un, fel Nick Bourne, yn ymgyrchu yn erbyn sefydlu'r Cynulliad ond erbyn hyn tybiaf ei fod wedi'i achub! Yr aelodau eraill oedd y diweddar annwyl Ioan Bowen Rees, cyn-Brif Weithredwr Cyngor Gwynedd, datganolwr, aelod effeithiol iawn o'r grŵp, ac fel minnau'n fynyddwr brwd; Marjorie Dykins o Wrecsam, Cadeirydd Cyngor Gweithredu Gwirfoddol Cymru ac aelod hynod effeithiol arall; Ken Hopkins, cyn-Gyfarwyddwr Addysg Rhondda, ac Ysgrifennydd Plaid Lafur Etholaeth Rhondda a Chadeirydd Comisiwn Polisi Plaid Lafur Cymru; Mari James, a fu'n gweithio yn Llundain yn uwch-reolydd ym maes cysylltiadau â'r Llywodraeth ac adfywio trefol ac un arall weithgar gyda'r Ymgyrch Ie; Howard Marshall, Uwch-swyddog Rhanbarthol

UNSAIN yn y Gogledd; Joyce Redfearn, Prif Weithredydd Cyngor Sir Fynwy; Is-Iarll Tyddewi, Colwyn St Davids, y soniais droeon amdano eisoes; Ray Singh, Comisiynydd Cydraddoldeb Hiliol Cymru ac Aelod o Gyngor Cysylltiadau Hiliol Cyngor y Bar; ac Ian Spratling, Is-Gadeirydd CBI Cymru a Phrif Weithredydd Wolff Steel. I sicrhau bod 'na drefniant gweinyddol effeithiol roedd nifer fechan o weision sifil, ac mae'n deg dweud iddynt wneud eu gwaith yn frwdfrydig, a da oedd eu cwmni a'u cyngor.

Gwneuthum yn glir nad oeddwn am dderbyn unrhyw sylwadau a wnaed yn enw unrhyw blaid wleidyddol – eu barn fel unigolion roeddwn i'n ei cheisio. Ar y cychwyn dywedodd Mari James ei bod am fy ngalw'n 'Chair', nid 'Chairman'. Dywedais mai rhywbeth i eistedd arno oedd 'Chair'. Felly, câi fy ngalw'n 'Cadeirydd', gan fod y teitl hwnnw'n ddi-ryw. Hynny fu. 'Cadeirydd' fûm i wedi hynny trwy'r holl gyfnod o drafod. Dadleuai Helen Mary Jones yn rhesymegol iawn yn erbyn y trefniant yn San Steffan lle na cheid unrhyw ystyriaethau teuluol. Llwyddwyd yn ardderchog i gael consenws ar y gwahanol faterion, er y bu trafod digon tanllyd ar rai o'r materion dan sylw. Diddorol nodi, gyda llaw, bod tri o aelodau'r grŵp wedi mynd rhagddynt i fod yn Aelodau o'r Cynulliad – Nick Bourne, Helen Mary Jones a Kirsty Williams. Un nerfus oedd Kirsty ar y cychwyn, ond magodd hyder a thyfodd i fod yn aelod gwerthfawr o'r grŵp ac i fod yn arweinydd ei phlaid maes o law. Dangosodd Ray Singh – sy'n farnwr, bellach – ei frwdfrydedd heintus dros sicrhau cynrychiolaeth ethnig o fewn y Cynulliad. Yr unig un a oedd yn peri trafferth i mi oedd Eluned Morgan, a wnâi ei gorau i gael ei ffordd ei hun – hyd yn oed pan fyddai'r gweddill yn gytûn byddai yn anghytuno. Pan fethai, âi i gwyno wrth Ron Davies, ond er tegwch i Ron, byddai'n dweud wrthi am drafod unrhyw gŵynion gyda mi.

Mi ddaeth y gwaith i ben ac mi gyflwynwyd ein hadroddiad i'r Ysgrifennydd Gwladol, Ron Davies. Mi dderbyniodd yntau'r argymhellion yn eu crynswth. Wedi i'n gwaith ni fel grŵp ddod i ben trefnais ginio gyda'r nos i'r aelodau – fy ffordd i o ddiolch iddynt am eu cyfraniad diflino – yn y Cardiff and County Club. Mae'r clwb yn lle gwych am fwyd, ond feddyliais i ddim am ganlyniadau posib y trefniant. Daeth Helen Mary Jones ataf i ddwaud ar unwaith na fedrai hi ddod am nad yw'r clwb yn agored i ferched fod yn aelodau. Dywedais wrthi fod hynny'n ddigon teg a 'mod i'n parchu ei rhesymau, er bod yna Oxbridge Ladies Club yn Llundain a chawn innau ddim bod yn aelod o hwnnw na bod yn aelod o Ferched y Wawr na Sefydliad y Merched o ran hynny. Teimlai na fyddai'r corff roedd hi'n Ddirprwy Gyfarwyddwr arno, sef Comisiwn Cyfleoedd Cyfartal Cymru, yn cymeradwyo petai hi'n mynd i'r clwb. Hynny fu. Mi dderbyniodd pawb arall y gwahoddiad i gyd-giniawa. Yna, ar brynhawn y cinio, daeth Mari James ac Eluned Morgan ataf i ddweud na fydden nhw'n dod i'r cinio chwaith ar fater o egwyddor. Yn ogystal â hynny, byddent yn picedu'r cinio a byddai Glenys Kinnock yn debygol o ymuno â nhw. Roeddwn i'n synnu ac yn siomedig bod Mari James wedi ymuno â nhw. Mae gennyf barch mawr i Mari a bu ei chyfraniad o bwys mawr yn y trafodaethau a fu, a dwi'n falch o ddweud ein bod yn dal yn gyfeillion. Beth bynnag, bu'r tair mewn cysylltiad â'r *Western Mail* gan wneud sylwadau cyhuddgar am y clwb ac o ganlyniad ymunodd pobl flaenllaw eraill o dde Cymru yn y ffrwgwd. Euthum cyn belled â chynnig ymddiswyddo o'r clwb am i mi, yn hollol ddifeddwl, ddwyn yr hyn y gellid ei ystyried yn anfri arno. Gwrthododd Bob Edwards, Cadeirydd y clwb, dderbyn fy ymddiswyddiad gan ddweud nad oedd gen i ddim i ymddiheuro amdano. Roedd yr hyn a wnaeth Mari James yn peri poen – doeddwn i ddim yn synnu cymaint am Eluned Morgan. Beth bynnag, credais mai dyna fyddai diwedd y mater. Nid felly. Un o aelodau cynnar y Cynulliad oedd y ddiweddar Val Feld, a benodwyd yn Gadeirydd Pwyllgor Cydraddoldeb y Cynulliad. Bryd hynny, roedd yr Amgueddfa Genedlaethol yn rhoi ar fenthyg luniau safonol iawn i'w hongian ar furiau'r clwb. Y peth cyntaf wnaeth

Val Feld oedd gwahardd cyrff cyhoeddus fel yr Amgueddfa Genedlaethol rhag cynnig benthyciadau i gyrff nad oeddent yn gweithredu polisïau cyfartal. Roedd hyn yn drueni gan fod cynifer o ddarluniau yn yr Amgueddfa Genedlaethol nad ydynt yn gweld golau dydd o un pen blwyddyn i'r llall.

Heblaw am y digwyddiad anffodus hwnnw bu fy nghyfnod yn cadeirio Grŵp Ymgynghorol y Cynulliad Cenedlaethol yn brofiad unigryw ac yn un a fwynheais yn fawr. Roedd Ron Davies yn falch iawn o'r gwaith a wnaethom ac rwy'n meddwl inni lwyddo i greu yr hyn a fu'n gonglfaen i strwythur y Cynulliad. Roedd Ron yn wleidydd o weledigaeth arbennig ac mi wyddai'n iawn pa fath o Gymru roedd o am ei weld yn yr ugeinfed a'r unfed ganrif ar hugain. Oni bai am yr hyn ddigwyddodd iddo, pwy a ŵyr pa fath o Gynulliad fyddai gynnon ni heddiw. Un o'r problemau gawson ni oedd ceisio esbonio i'r cyhoedd pam yr oedd yr Alban yn cael Senedd a Chymru'n cael dim ond Cynulliad – er nad mater i ni oedd hwnnw. Y gwir am hynny oedd ei fod yn adlewyrchu'r gwahaniaeth yn y pleidleisiau dros ddatganoli yn y ddwy wlad. Cefais fy ngwahodd i ymddangos o flaen Pwyllgor y Senedd yn San Steffan a bûm yn dadlau'n galed yn erbyn y gwahaniaeth sylweddol yng nghyflogau Aelodau Senedd yr Alban a chyflogau Aelodau'r Cynulliad. Ni chredwn chwaith fod y gwahaniaeth yn niferoedd yr Aelodau'n deg. Mae gan yr Alban 129 o Aelodau i gynrychioli gwlad gyda phoblogaeth, bryd hynny, o ychydig dros bum miliwn, tra nad oedd gan Gymru ddim ond 60 i gynrychioli bron dair miliwn. Ond yn ofer. Unwaith eto, roeddwn yn gweld Cymru'n cael llai na chwarae teg.

# International Greetings ac elusen y plant dyslecsig

BORE DYDD MAWRTH ym mis Mawrth 1995 oedd hi pan ges i alwad gan un o ymgynghorwyr ariannol KPMG yng Nghaerdydd, Cymro Cymraeg, yn fy ngwahodd allan i ginio, ac mi dderbyniais y cynnig heb feddwl llawer iawn am y peth. Ar ôl i ni gyfarfod cefais wybod beth oedd o eisiau – does dim o'r fath beth â chinio am ddim! Roedd bachgen ifanc o Sweden, Anders Hedlund, wedi sefydlu cwmni creu papur lapio yn Ystrad Mynach ym 1979, cwmni oedd wedi tyfu'n llwyddiannus iawn. Roedd y cwmni yn darparu papur lapio, cracyrs Nadolig, rubanau addurno a chardiau cyfarch, ac yn awr roedd Anders am arnofio'i gwmni ar y farchnad stoc. Fel y person a fu ynghlwm ag arnofio'r cwmni Cymreig mwyaf ar Farchnad Stoc Llundain, sef Dŵr Cymru, tybiai KPMG y buaswn yn berson addas i'w helpu a'i gynghori.

Sefydlwyd International Greetings yn wreiddiol mewn hen faddondy pwll glo yn Ystrad Mynach gan gyflogi naw o ferched ar y cychwyn, ond erbyn 1995 roedd wedi tyfu'n sylweddol. Roedd teulu Anders yn Sweden yn y busnes cynhyrchu papur lapio anrhegion – cwmni a sefydlwyd gan ei daid, a'i barhau gan ei dad a'i frawd, a'i frawd sydd erbyn hyn yn rhedeg y busnes yn ei wlad enedigol. Penderfynu ymsefydlu yng Nghymru wnaeth Anders, lle cafodd bob croeso a chymorth ac yntau yn ddim ond 19 oed. Cychwynnodd y busnes yn Ystrad Mynach gan ddefnyddio hen offer cynhyrchu papur lapio a gafodd gan ei dad. Ymhen amser agorodd ffatri gwneud rubanau yn y Rhondda ac wedi hynny prynodd gwmni gwneud cracyrs Nadolig.

Aeth Anders i bartneriaeth yn gynnar gyda Nick Fisher, Cymro o'r un oed ag o oedd yn farchnatwr heb ei ail – cyfuniad campus o ddau allu. Siopau ac archfarchnadoedd Prydain – Boots, Tesco, Sainsbury, Woolworth a W. H. Smith – oedd prif gwsmeriaid sylweddol iawn y cwmni. Yn ystod yr un cyfnod roedd y cwmni'n ehangu dros y byd. Gan 'mod i'n siarad tipyn go lew o Swedeg, diolch i'r cyfnod a dreuliais yn Sweden, daeth Anders a minnau'n ffrindiau da a phenderfynwyd gosod y cwmni ar Farchnad Buddsoddi Amgen (Alternative Investment Market) y Farchnad Stoc. Dyna'r ffordd symlaf o arnofio cwmni stoc a'r rhataf, a lawnsiwyd y cwmni'n llwyddiannus iawn. O dipyn i beth prynwyd cwmnïau tebyg fan hyn a fan draw a datblygwyd mewn mannau eraill nes bod gynnon ni gwmnïau a ffatrïoedd cynhyrchu ar draws y byd gan gynnwys yn China, America, Yr Iseldiroedd, Awstria ac Awstralia. Erbyn hynny roedd y cwmni'n cyflogi 3,000 o bobl. Roedd pethau'n mynd yn dda a thyfodd fy nghyfeillgarwch ag Anders. Bûm yn Gadeirydd International Greetings Cyf. o 1996 hyd 2007 – ar ôl cytuno i fod yn Gadeirydd am chwe blynedd! Yn y cyfnod hwnnw cododd gwerth cyfranddaliadau'r cwmni o £1.76 pan lawnsiwyd y cwmni i £4.70. Bu'n gyfnod cyffrous, gyda'r cwmni'n gwneud elw da a'r gweithwyr a'r cyfranddalwyr yn fodlon iawn. Unwaith eto, dyma gyfnod hynod hapus yn fy ngyrfa. Does dim amheuaeth, dwi wedi bod yn lwcus.

Nid yn unig mae Anders Hedlund yn ddyn busnes penigamp a hynod lwyddiannus ond mae stori arall i'w fywyd. Mae'n ddyslecsig, fel ei dad, a'i fab Scott. Mae'n cyfaddef mai ei flynyddoedd yn yr ysgol oedd cyfnod anhapusaf ei fywyd. Roedd yr athrawon yn ei gyhuddo o fod yn dwp ac yn ddiog a'i fod yn tarfu ar y dosbarth. Ond wyddai o ddim ei fod yn ddyslecsig – ddim nes i Scott gael ei ddiarddel oherwydd ei ymddygiad o bum ysgol, gan gynnwys Millfield. Aeth Anders a'i wraig, Lynne, merch fferm sy'n hanu o Fro Morgannwg, i chwilio am help, ond doedd yr awdurdod addysg ddim am wrando. Yn y diwedd gwnaed asesiad o gyflwr Scott gan arbenigwr ar ddyslecsia a ddywedodd fod deallusrwydd a gallu llafar y bachgen yn uchel iawn, ond fod ei allu darllen yn isel. Teimlai Anders fod yr arbenigwr yn disgrifio'i gyflwr o ei hun.

Talodd am addysg un-i-un i Scott a bu'r newid yn syfrdanol. Yn 16 oed pasiodd nifer fawr o bynciau TGAU, pob un ar y lefel uchaf. Yn yr un flwyddyn llwyddodd i basio pedwar pwnc Lefel AS a thri phwnc Lefel A – Economeg, Busnes a'r Gyfraith – pob un ohonyn nhw â graddau A. Roedd ei allu'n syfrdanol. Yn groes i 'nghyngor i, gwnaed cais iddo fynd i un o brifysgolion Cymru ond fe'i gwrthodwyd. Fe'i derbyniwyd gan un o brifysgolion Lloegr ond profodd hynny'n fethiant. Lle cynt byddai Scott yn cael addysg un-i-un, rŵan un mewn cannoedd oedd o, ac ar goll. Ni fedrai gymdeithasu'n hawdd a threuliai ei amser mewn clybiau nos. Tynnodd Anders y bachgen o'r Brifysgol a threfnodd waith iddo gyda chwmni arall, er mwyn ennill profiad. Bellach mae'n dangos yr un gallu â'i dad i weld a chreu cyfle.

Erbyn hyn roedd Anders yn gwybod llawer iawn am gyflwr dyslecsia. Mae'n debyg bod un o bob deg person yn diodde rhywfaint o'r cyflwr, a dywedir bod y carchardai'n llawn pobl sy'n methu darllen a sgrifennu, a nifer go dda ohonyn nhw'n ddyslecsig. Ym marn Anders, mae'n debygol iawn bod yna stôr dihysbydd o dalentau mewn lleoedd o'r fath y dylasai'r Llywodraeth eu harchwilio er budd y gymdeithas yn gyffredinol. Mae'n drist meddwl y gall llawer iawn o'r bobl hyn fod yn rhyfeddol o alluog a neb yn gwybod hynny. Mae Anders ei hun yn enghraifft ardderchog; un arall yw'r cyn-yrrwr ceir rasio Jackie Stewart, a hefyd Syr Richard Branson a sefydlodd gwmni Virgin. Mae gennyf gyfaill arall ym Mhen-y-bont sy'n ddyslecsig a chanddo gwmni hynod lwyddiannus. 'Tydw i'n fawr o un am ddarllen na sgrifennu,' medd Howard, 'ond dwi'n gallu cyfri'n dda dros ben!' Ar sail ei brofiadau ei hun a'i brofiadau'n ceisio helpu Scott, penderfynodd Anders sefydlu ysgol arbennig yng Nghymru ar gyfer plant dyslecsig.

Gofynnodd Anders i mi fod yn Gadeirydd Llywodraethwyr yr elusen a sefydlodd o'r enw Tomorrow's Generation. Un arall o aelodau'r Ymddiriedolwyr yw Caron Jones, tad Carwyn Jones, Prif Weinidog Cymru. Cafwyd trafodaeth â Choleg y Drindod, Caerfyrddin, a chyda phrifathrawes ysgol oedd o dan ofal y coleg a chanddi adeilad gwag lle bwriedid sefydlu uned llawn-amser ar gyfer plant dyslecsig i'w rhedeg a'i hariannu gan yr elusen. Roedd Is-Ganghellor y Brifysgol, Medwin Hughes, a phrifathrawes yr ysgol yn frwd o blaid y syniad ac yn gweld cyfle i hyfforddi athrawon a fyddai'n dysgu sut i adnabod nodweddion ac addysgu plant sy'n ddyslecsig. Yn anffodus, ni chafwyd sêl a bendith yr awdurdod addysg i sefydlu'r uned. Yn y diwedd aeth Anders ati i sefydlu ysgol wirfoddol, eco-gyfeillgar, sy'n darparu addysg i blant dyslecsig yn ystod y gwyliau. Codwyd adeilad ar ddarn o dir sy'n eiddo iddo wrth ymyl ei gartref yn Llys-faen, Caerdydd, a lawnsiwyd Tomorrow's Generation School yn 2010. Erbyn hyn mae 100 o blant ar y llyfrau. Defnyddir Lexion, dull blaengar a ddefnyddir yn y mwyafrif o ysgolion Sweden i asesu cyraeddiadau posib plant, ac mae'n hynod lwyddiannus. Ein gweledigaeth, fel elusen, yw bod yr ysgol yn cael ei datblygu i fod yn llawn amser, a sefydlu ysgolion yn gysylltiedig â hi ledled Prydain. Mae llwyddiant Tomorrow's Generation yn ddiamau. Tystiolaeth y rhieni yw bod y newid yn agwedd y plant wedi dim ond wythnos o fynychu'r ysgol yn rhyfeddol. Mae'r plant yn amlwg yn hapusach a mwy hyderus. Fel y dywed Anders, mae gan bob un yr hawl i deimlo'n hapus ac yn hyderus.

# Merlin Maddock, Menter Mantis a Thrawsnewid

BU BYWYD YN hynod garedig yn fy nghyflwyno i gyfoeth o gymeriadau rhyfeddol. Pobl ddawnus, alluog ac ambell un y tu hwnt o egsentrig. Un o'r rheini yw Merlin Maddock o Bontycymer. Galwodd John Evans, hen gyfaill, i'm gweld rai blynyddoedd yn ôl. Bu John yn gweithio i'r cwmni adeiladu a pheirianneg sifil Andrew Scott Cyf., Castell-nedd – cwmni adeiladu allweddol wrth godi Aliwminiwm Môn. Erbyn hyn roedd John wedi gadael y cwmni ac wedi sefydlu ei gwmni ei hun yn casglu ac ailgylchu gwastraff. Roedd o am imi ddod gydag o i gyfarfod Merlin Maddock ym Mhontycymer. Mae Merlin yn ddyfeisiwr rhyfeddol, a'r pryd hwnnw roedd wedi dyfeisio system o wahanu dŵr ac olew. Doedd hi ddim yn system fedrai adfer trychineb fel y *Torrey Canyon*, ond roedd yn effeithiol iawn pe digwyddai rhai galwyni o olew lifo i mewn i afon neu gamlas. Penderfynwyd sefydlu cwmni, a sicrhau help y bargyfreithiwr Cynric Lewis, un o arbenigwyr gorau Ewrop ar gyfraith patentau, ac a oedd eisoes yn gyfaill i Merlin. Felly y sefydlwyd Menter Mantis Cyf. a bûm yn Gadeirydd y cwmni o 1999 hyd 2004. Yn anffodus, nid oedd gynnon ni'r cyfalaf digonol i ddatblygu'r cwmni yn fasnachol fel yr haeddai – hen stori gyfarwydd – ac mi werthwyd Menter Mantis Cyf. i gwmni o Awstralia a'i datblygodd yn llwyddiannus.

Mae'n debyg i nifer fawr o Gymry ddod yn gyfarwydd ag enw Merlin Maddock fel gwneuthurwr telynau, ac roedd yn un o'r rhai cyntaf yn y cyfnod diweddar i wneud telynau teires. Nid gormodiaith yw dweud mai fo sefydlodd Telynau Morgannwg, a chynhaliwyd yr ysgol undydd gyntaf yn y Tabernacl, Pontycymer, ym 1982, ddeng mlynedd ar hugain yn ôl i llynedd (2012). Roedd yn ddiwrnod gwlyb, yn ôl yr hanes, ac ymysg y bwcedi a oedd yn dal y diferion dŵr o'r to yr amlygai'r telynorion a'r telynoresau ifanc eu talentau. Wrth i'r cyrsiau ddod yn fwyfwy poblogaidd bu raid eu symud i'r Coleg Cerdd a Drama yng Nghaerdydd. Ond Merlin oedd yr ysbrydoliaeth, fel mae Meinir Heulyn a Gillian Green, dwy o drefnwyr ac athrawon yr elusen, yn cydnabod.

Cafodd Merlin ei hyfforddi'n beiriannydd adeiladu trenau a defnyddir nifer o'i ddyfeisiadau mewn trenau hyd y dydd heddiw. Mae hefyd yn ddyn direidus iawn. Flynyddoedd yn ôl adeiladodd gar, *drop-head coupé* gydag allwedd fawr yn sticio allan o'r cefn a honno'n troi'n araf wrth i'r car fynd ar hyd y ffordd – fel petasai'n degan wedi'i weindio. Gwisgai Merlin helmed awyrennwr am ei ben wrth yrru ac wrth ei ymyl roedd model siop ddillad (*mannequin*) a chanddi wallt hir golau yn chwythu yn y gwynt, un fron yn sticio allan dros ei ffrog a thelyn fach yn ei chôl! Bu'n agos iddo achosi sawl damwain wrth i yrwyr loriau gael eu cynhyrfu gan yr olygfa. Yn y diwedd, cafodd yr heddlu air tawel ag o gan awgrymu'n garedig iddo roi'r gorau i gario'r fodel o gwmpas yn ei gar. Un arall o'i gampau fu reidio'i feic *penny-farthing* o Bontycymer i Bont Hafren i godi arian tuag at achosion da. Dros y blynyddoedd mi gododd yn agos i £250,000 at wahanol elusennau.

Bu ei iechyd yn fregus ers blynyddoedd ac wedi treulio cyfnod yn yr ysbyty un tro anfonodd lith at Win Griffiths, Cadeirydd Ymddiriedolaeth Bro Morgannwg y Gwasanaeth Iechyd, yn amlinellu holl ddiffygion yr ysbyty o safbwynt glendid a'r hyn roedd angen ei wneud i atal heintiau rhag lledu. Roedd ei ddadansoddiad a'i resymu'n ardderchog. Dro arall yn yr ysbyty, ac yntau'n gorfod llyncu nifer fawr o dabledi ar wahanol adegau bob dydd, fedrai o ddim peidio â meddwl am syniad newydd. Dyfeisiodd beiriant i sicrhau bod claf, yn yr ysbyty neu gartref, a oedd yn yr un sefyllfa ag o, yn cymryd y tabledi iawn, yn y niferoedd cywir ac ar yr adegau priodol. Dyna'r diweddaraf o nifer o brosiectau y bûm yn cydweithio arnyn nhw â Merlin. Cawn weld pa lwyddiant gawn ni gyda hwn. Yn sicr, does dim dyfais debyg ar y farchnad ac mi all fod yn gaffaeliad mawr, yn arbennig i ysbytai.

Gŵr arall fydd yn ymweld â Sheila a minnau o dro i dro yw'r Tad Deiniol, gŵr o Fôn sy'n offeiriad yn yr Eglwys Uniongred ym Mlaenau Ffestiniog. Mae'n ymgyrchydd brwd dros adnewyddu'r ardal drwy wella'r rheilffordd o Gyffordd Llandudno i'r Blaenau a chludo'r gwastraff llechi oddi yno. Mae gwerth i'r hen wastraff ond nid yw'n economaidd i'w gludo oddi yno gan fod y systemau rheilffyrdd a'r ffyrdd mor ddiffygiol. Un tro pan ddaeth y Tad Deiniol i aros atom euthum ag o i ymweld â Merlin. 'Come in, Bish!' oedd cyfarchiad cynnes y dyfeisiwr. Holodd Deiniol ef am gapeli'r ardal, a gofyn a oedd yna rai gwag gan fod ganddo awydd agor Eglwys Uniongred yn un o ardaloedd dirwasgedig y De gogyfer â nifer fawr o Indiaid a oedd yn aelodau o'i enwad yn ne Cymru. Roedd yn dipyn bach o syndod pan wahoddodd Merlin ni, er ei fod braidd yn wrth-grefyddol, i ymweld â'r Tabernacl sy'n agos i'w gartref. 'Mae'r goriad gen i yn fy mhoced,' meddai Merlin. I mewn â ni. 'Ydy'r organ yn gweithio?' holodd Deiniol. 'Yn berffaith,' atebodd Merlin, 'dach chi am roi cynnig arni?' Gyda'r Tad Deiniol wrth yr organ yn chwarae'r hen emynau Cymraeg a Merlin yn y pwlpud yn eu morio nhw yn llawn arddeliad, roedd hi fel petai'r Diwygiad wedi cyrraedd. Sôn am ddiwygiad, dywedodd Merlin wrthyf y byddai'r diwygiwr, Evan Roberts, yn arfer lletya yn nhŷ ei fam pan oedd ar ei deithiau yn ystod diwygiad 1904–05. 'Diawl dauwynebog oedd o,' yn ôl Merlin, 'a chythral am y merched,' sy'n wybodaeth ddiddorol am y cymeriad enigmataidd hwnnw.

Bu busnes arall y cefais wahoddiad i fod yn rhan ohono

yn un pleserus iawn gan iddo ddod â mi'n ôl i fy henfro ac i le a fu'n rhan o fy hanes. Pan gaewyd Atomfa Trawsfynydd ym 1991, a phan ddechreuwyd ar y gwaith o ddadgomisiynu'r orsaf ym 1993, cyflwynodd perchnogion yr atomfa, sef Magnox Cyf., rai o'r asedau i'r gymuned. Y bwriad oedd ceisio sicrhau na fyddai'r pentre'n edwino gyda diflaniad yr atomfa a bod gobaith sefydlu gwaith ar gyfer y trigolion. Sefydlwyd Trawsnewid i fanteisio ar y cyfleon hyn a chefais wahoddiad i fod yn Llywydd y gymdeithas. O'r asedau hynny, yr amlycaf oedd Llyn Trawsfynydd, ac i ddatblygu'r llyn ar gyfer twristiaeth prynwyd un o'r cychod camlas hynny sy'n gyffredin yn yr Iseldiroedd. Gyda'r to gwydr, gellir defnyddio'r cwch, a fedyddiwyd yn *Mared*, i gludo ymwelwyr ar draws y llyn ymhob tywydd. Sheila gafodd y fraint o lawnsio *Mared*, a hynny ar ddiwrnod digon garw, a defnyddio potel o siampaen yn y dull traddodiadol. Wyddech chi fod poteli arbennig i'w cael at y pwrpas hwn, wedi'u gwneud o siwgwr i sicrhau eu bod yn torri'n hawdd?

Ymysg y datblygiadau a ddaeth yn sgil y trefniant hwn addaswyd hen adeilad y co-op yn Ganolfan Dreftadaeth a Hostel Llys Ednowain, sy'n cynnwys amgueddfa ardderchog a lle i ryw ugain o bobl fwrw noson, gyda chyfleusterau cyffyrddus, ond syml, am bris rhesymol iawn. Mae'r lle'n boblogaidd iawn gan feicwyr, gan ei fod yn gyfleus i ganolfan beicio mynydd Coed y Brenin, sef un o'r llwybrau beicio mynydd gorau ac enwocaf ym Mhrydain ac a estynnwyd gan Trawsnewid.

Cyflwynwyd hefyd hen labordai'r atomfa i ofal Trawsnewid, ac fe'u haddaswyd yn swyddfeydd ar gyfer y gymuned a'r rhain eto'n fodd i ddenu pobl a gwaith i'r ardal.

Braint a phleser mawr fu cael bod yn rhan o'r prosiect diddorol a chyffrous hwn a dod i adnabod dynion brwd fel y Cynghorydd John Isgoed Williams o Gyngor Cymuned Trawsfynydd, Cadeirydd y Pwyllgor, a Keith O'Brien o Awdurdod Parc Cenedlaethol Eryri. Mae Trawsnewid yn enghraifft wych o sut y gall cymdeithas fwrw ati i helpu cynnal yr economi leol.

Ni fedraf honni i bob bwrdd a chorff y bûm yn aelod ohonynt – er yn fynych yn brofiad y tu hwnt o bleserus – fod o fawr fudd i neb. Yn achos dau fwrdd y bûm yn aelod ohonynt, euthum cyn belled â sgrifennu at eu cadeiryddion yn Llundain a dweud, er cymaint y mwynhad a gawn yn eu ciniawau, fy mod yn bendant o'r farn eu bod yn wastraff ar amser ac arian. Ac yn wir, dilëwyd y ddau fwrdd hynny ar sail fy llythyron – er gofid, efallai, i'm cyd-aelodau os nad i'r staff oedd yn gorfod trefnu a darparu ar gyfer y cyfarfodydd hynny. Un o'r cyrff hynny oedd Bwrdd Cymru Cymdeithas Adeiladu Nationwide. Mi ddysgais lawer iawn am winoedd yng nghwmni'r Iarll Lisburne, Ardalydd Môn a Syr Harry Llewellyn. Y diweddar Gomander Huw Ceiriog Lloyd-Williams, Cymro Cymraeg a fagwyd yn Llanddewibrefi, oedd pennaeth y Nationwide yng Nghymru ar y pryd, gŵr annwyl a hynaws, Rhyddfrydwr a chefnogwr tanbaid i'r iaith Gymraeg. Ceisiai bob amser benodi Cymry Cymraeg i swyddi o fewn y Gymdeithas. Ymddeolodd i fyw ym Mhlas Trefilan, Tal-sarn, Ceredigion, a bu'n aelod o Gyngor Coleg Llanbedr Pont Steffan yn ystod cyfnod fy Llywyddiaeth. Daethom yn gyfeillion mawr ac roedd yn gymeriad difyr ac ardderchog. Yn ystod ei flynyddoedd ym Mhlas Trefilan ef oedd y Siôn Corn bob Nadolig pan gynhelid parti mawr i'r plant yn y dafarn yn Nhal-sarn. Byddai Huw yn llythrennol yn dod i lawr drwy'r simne i'r parti.

Y corff arall y bûm yn gyfrifol am ei ddiddymu oedd Bwrdd Cymru Banc y NatWest yn ystod cadeiryddiaeth George Williams, a fu'n Uchel Siryf Morgannwg ac Arglwydd Raglaw Morgannwg Ganol.

# PENNOD 16

# Y Coety – fy nghartref bellach

CEFAIS WAHODDIAD, NA, cefais orchymyn yn wir, i fod yn Gadeirydd Pwyllgor Gwaith Eisteddfod Bro Ogwr 1998. Daeth galwad ffôn oddi wrth y Parch. W. Rhys Nicholas, Porth-cawl, yn *dweud* wrthyf ei fod am imi fod yn Gadeirydd y Pwyllgor Gwaith. Roedd yn anodd, yn amhosib yn wir, gwrthod un a chennyf gymaint o barch ato. Fe'i derbyniais. Cafwyd gweithgor heb ei ail, a chyda chefnogaeth Elfed Roberts, y trefnydd, aeth y trefniadau'n rhyfeddol o hwylus a chafwyd Eisteddfod ardderchog. Codwyd cronfa a hynny'n weddol ddidrafferth ac ni ellid cael gwell lleoliad na chaeau Coleg Amaethyddol Pen-coed ar gyrion Pen-y-bont. Ffurfiwyd Côr yr Eisteddfod dan arweiniad meistrolgar Alun John, sy'n wreiddiol o Bontycymer. Ychydig wedi'r Eisteddfod cefais gais i fynd i gyfarfod mewn capel ym Mhen-coed, lle roedd aelodau'r côr wedi ymgynnull gan gyhoeddi eu bod yn awyddus i barhau, ac mae'n dda gallu dweud bod y côr, Côr Bro Ogwr, yn dal i ffynnu. Gwahoddwyd fi i fod yn Llywydd a bûm yn y swydd am ddeng mlynedd cyn trosglwyddo'r awenau i Carwyn Jones, Prif Weinidog ein Cynulliad. Mae'r côr bellach yn un o gorau mwyaf Cymru ac ymhlith goreuon ein gwlad. Gwaddol arall i'r Eisteddfod honno yw'r cynnydd mawr a fu yn nifer y rhai sy'n dysgu Cymraeg yn yr ardal, diolch i ymwybyddiaeth newydd o'r iaith a godwyd dros gyfnod y Brifwyl a blynyddoedd y paratoi. Yn yr Eisteddfod honno cyflwynodd Sheila a minnau y Gadair er cof am ein

179

rhieni, ond er siom fawr inni'n dau ni chafwyd teilyngdod. Mae hi'n gadair neilltuol o hardd, wedi'i chynllunio gan Tom Price, athro a chrefftwr hynod o fedrus yn wreiddiol o Sir Fôn, gyda hen bont Pen-y-bont ar Ogwr wedi'i cherfio yn rhan o'i haddurn. Er y siomedigaeth fawr i ni'n dau nad oedd yr un awdl yn deilwng o'r Gadair y flwyddyn honno, mi benderfynwyd ei chyflwyno i'r Cynulliad ac fe'i derbyniwyd ar ran y sefydliad gan Ron Davies, gŵr a haedda'r clod mwyaf am greu ein Senedd. Yn Eisteddfod Bro Ogwr, hefyd, y cafodd Ron ei urddo'n aelod o'r Orsedd, gan wisgo'r Wisg Wen.

Dod i fyw i'r Coety, i'r Tŷ Mawr – tŷ y cyfeirir ato yn *Y Gwyddoniadur* fel tŷ braf o'r unfed ganrif ar bymtheg – fu'n fodd i ni ailgydio mewn rhai hen arferion. Pan own i'n byw yn Swch roedd y Capal Bach yn bwysig i mi, ac yn wir bu'r capel yn bwysig i mi dros ran helaethaf o 'mywyd, ond mi fu 'na gyfnod pan na fyddwn yn mynychu capel. Gan fod gofynion gwaith yn hynod drwm pan oeddwn yn byw yn Sir Fôn, am ryw ddeng mlynedd doeddwn i na'r teulu ddim yn mynychu unrhyw gapel. Yn hunanol, roeddwn am dreulio hynny o oriau sbâr oedd gen i yn chwarae efo Bethan a Delyth a cheisio bod yn rhan o'u datblygiad nhw. Mor sydyn mae arferiad dros dro yn dod yn barhaol. Heddiw, mae Sheila a minnau yn hynod ffodus o fod yn aelodau yng Nghapel Tabernacl, Pen-y-bont ar Ogwr – cymdeithas groesawgar o bobl o bob rhan o Gymru, dan arweiniad gweinidog arbennig iawn, y Parch. Hywel Wyn Richards. Er mai capel yr Annibynwyr ydi Capel Tabernacl, mae'n hynod o eciwmenaidd ac mae aelodau o bob enwad yn aelodau yno. Mae'n hen bryd i'n capeli ni roi o'r neilltu y gwahaniaethau gwirion sydd wedi rhannu cymunedau am rhy hir o lawer. Ac os mai dan arweiniad Hywel Wyn Richards y cynhelir y gwasanaethau, mae unigolion parod iawn yn aelodau yno hefyd a braint yw cael eu galw'n ffrindiau. Deuthum yn rhan o'r cymdeithasau lleol, clòs, trwy'r gymdeithas Gymraeg gref sydd ym Mhen-y-bont a Phorth-cawl: cylchoedd cinio y dynion a'r merched, Capel y Tabernacl ym Mhen-y-bont a

Chymdeithas Lenyddol Porth-cawl. A bellach mi fydda i a Sheila'n eithaf ffyddlon yn oedfa bore'r Sul yn y Tabernacl, ac yn falch iawn i ni ailafael yn yr arferiad.

Ymhlith ein ffrindiau niferus yn y capel mae Meirion Jones, yn enedigol o Langwm, un a fu'n gweithio i'r Awyrlu yn Sain Tathan. Mae o a'i wraig, Ros, yn gwneud cyfraniad mawr i gynnal a chadw'r Tabernacl gan godi cywilydd mawr arna i a nifer ohonom. Mae Meirion yn dipyn o olffiwr, hefyd. Daethom, hefyd, yn gyfeillion mawr â Richie Thomas, cyn-Ddirprwy Brif Gwnstabl De Cymru, a'i wraig Jean; Caron Jones a'i ddiweddar briod Janice, sef rhieni ein Prif Weinidog, Carwyn Jones; a Hugh Thomas, cyn-Brif Weithredwr Morgannwg Ganol a Llywydd Llys yr Eisteddfod Genedlaethol, a'i briod Beryl, sy'n enedigol o Benrhyndeudraeth.

Côr arall a ddaeth yn rhan o fy mywyd ac yr wyf yn Llywydd arno yw Cantorion Coety, côr a sefydlwyd yn 2007 ac sy'n canu yn y Gymraeg yn unig. Daw'r aelodau o gylch ehangach na'r Coety ond yma, yng Nghapel Gilead, maen nhw'n cyfarfod ac yn ymarfer. Côr o gantorion profiadol ydyn nhw, 25 ohonynt, bron i gyd yn Gymry Cymraeg, er bod yn eu plith rai dysgwyr sy'n awyddus i loywi eu Cymraeg. Er gwaethaf y ffaith eu bod yn gôr cymharol fychan maen nhw'n gôr safonol, a nhw gafodd y fraint o ganu yn seremoni sefydlu Cadeirydd newydd Cyngor Bwrdeistref Sirol Pen-y-bont ar Ogwr y llynedd.

Er fy mod i'n drigain oed cyn gafael mewn clwb golff am y tro cyntaf, rwy'n olffiwr brwd erbyn hyn, er nad ydw i'n fawr o giamstar ar y gêm od 'ma sy'n gafael mewn dyn. Maen nhw'n dweud bod golff a gwleidyddiaeth yn gwneud twyllwyr a chelwyddgwn o'ch ffrindiau gorau, ond mi alla i dystio a'm llaw ar fy nghalon na fu i'r naill na'r llall fy nhemtio i fod yn anonest. Am bysgota, os cewch chi'r awydd i ymestyn mymryn ar faintioli rhyw lefiathan a gollwyd ac a aeth â'r bachyn a darn o lein i'w ganlyn, wel, dydych chi'n gwneud dim drwg i neb. Beth bynnag, ym 1998, adeg Eisteddfod Genedlaethol Bro Ogwr, mi gafwyd her gan nifer o olffwyr dinas Caerdydd i gystadleuaeth golff yn Southerndown, ger Aberogwr. Cafwyd cymaint o hwyl, mi benderfynwyd sefydlu cystadleuaeth a fyddai'n agored i Gymry Cymraeg ledled Cymru. Mae Cystadleuaeth Golffwyr Gwalia yn dal i ffynnu â thimau o chwech o wahanol rannau o Gymru'n dod ynghyd i gystadlu am 'Dlws John Elfed' yn flynyddol. Trefnir y gystadleuaeth flynyddol gan Dafydd Hampson Jones. Wedi ymuno â ni i ymgiprys am y tlws mae: Tîm Glo Mân (Garnant), Tîm y Barcud (Aberystwyth), Ceibwrs (Môn ac Arfon), Lloi Llŷn (Pen Llŷn) a thimau o Wrecsam a'r Bala. Cynhaliwyd y gystadleuaeth ar amryw o gyrsiau golff gan gynnwys y Borth, Aberystwyth, Llanelwedd a Llandrindod. Enw ein tîm ni yw 'Tîm y Gambo' – gwŷr a merched Bro Ogwr, neu os ydych yn ffeministaidd, genod a meibion Bro Ogwr – ac yn sicr mi rydan ni'n cael llond trol o hwyl. Richie Thomas yw'r capten ac mae'n bencampwr ar gadw trefn ar griw digon annisgybledig.

Mae'r Coety'n parhau'n bentref gwirioneddol egnïol a chlòs. Mae yma eglwys, capel, tafarn a chastell – a hwnnw'n gastell Cymreig – a hefyd swyddfa bost sy'n siop a siop flodau. A dweud y gwir, mae'n gynllun o bentref perffaith. Sefydlwyd cymdeithas bentref flynyddoedd yn ôl sy'n parhau i drefnu gweithgareddau amrywiol a niferus drwy'r flwyddyn a chefais y fraint o fod yn llywydd arni am dros chwarter canrif. Fel y disgwyliech, mae yma *fête* flynyddol a gorchwyl Sheila a minnau yw beirniadu carnifal y plant. I ddweud y gwir tydi o ddim yn waith pleserus, oherwydd mae'n rhaid inni siomi pawb o'r bron i blesio un plentyn ac un teulu. Trefnir cinio blynyddol yn rhad ac am ddim i bob un sydd dros 65 oed sy'n byw yn y pentref ac mae'n wledd i'w gwerthfawrogi. Ar Ddydd Gŵyl San Steffan ceir cystadlaethau rhwng ieuenctid a phobl hŷn y pentref yn ymgiprys am dlws yn rhoddedig gan Sheila a minnau. Mae'r cystadlu'n ffyrnig ac egnïol a'r alwad yw 'Dim carcharorion!'

Mae'r castell ei hun yn gaffaeliad ac mi drefnir amryw o

weithgareddau sy'n ymwneud â'r lle – Corau yn y Castell, Jazz yn y Castell – a chaiff ei oleuo drwy dymor yr hydref a'r gaeaf. Yn ôl yr hanes, adeiladwyd y castell gwreiddiol gan Morgan Gam ond ddiwedd yr unfed ganrif ar ddeg roedd y Norman Syr Payn de Turberville yn ei chwenychu. Roedd gan Morgan ferch ryfeddol o hardd o'r enw Sybil ac un diwrnod, ac yntau dan fygythiad o warchae gan de Turberville, cerddodd Morgan o'i gastell i wersyll y gelyn yn Llangrallo, cleddyf yn un llaw a Sybil ar ei fraich. Dywedodd wrth de Turberville, 'Os wyt ti am hawlio Arglwyddiaeth Coety bydd raid iti ymladd amdani. Efallai y gwnei di ennill, efallai ddim. Ond mi roddaf gynnig arall iti: os priodi di fy merch, mi gei di etifeddu'r Arglwyddiaeth.' Cymerodd de Turberville un olwg ar Sybil a phenderfynodd y buasai hynny'n syniad ardderchog. (Caiff pob dyn ei fesmereiddio gan hogan dlos!) Ond dywedodd ei fod am waddol go lew i ddod gyda hi, sef milltir o aur. Cytunodd Morgan ac, yn ôl traddodiad, dyna darddiad yr enw 'Golden Mile' ar y darn syth o ffordd rhwng y Bont-faen a Phen-y-bont ar Ogwr.

'Y Pagan' oedd yr enw a roddwyd gan drigolion yr ardal ar de Tuberville, er y ceir awgrym fod ganddo rywfaint o gydymdeimlad â'r Cymry am ei fod, fel llawer o'r rhai ddaeth drosodd gyda Gwilym Goncwerwr, yn hanu o ardal ar y ffin rhwng Llydaw a Normandi. Mae'n debyg iddo fwrw ati i gryfhau'r castell gan godi muriau o gerrig. Parhaodd y castell yn nwylo'r de Turbervilles nes i'r olaf yn y llinach gwrywaidd farw ym 1394 ac i un o'r merched, Katherine de Turberville, briodi Syr Roger Berkerolles o Sain Tathan. Eu mab nhw oedd Syr Lawrence Berkerolles, ac yn ystod ei arglwyddiaeth o, ym 1404–05, bu'r castell dan warchae gan Owain Glyndŵr. Yn y diwedd bu raid i Berkerolles wneud apêl i'r Brenin am gymorth, ac anfonwyd mab y Brenin, y Tywysog Harri – Harri'r pumed maes o law – gyda byddin i gynorthwyo Berkerolles. Gwasgarodd byddin Owain, ac er mwyn diogelwch aeth byddin y Brenin â chyfoeth y castell yn ôl i Lundain gyda nhw. Ond roedd gwŷr Owain yn disgwyl amdanynt a chipiwyd yr aur a'r arian i gyd oddi arnynt. Roedd Owain wedi cymryd sawl castell yn ne Cymru a phwy a ŵyr, petai wedi cymryd Castell Coety, na fyddai hanes ein cenedl wedi bod yn dra gwahanol.

Ceir hanesyn lleol fod Owain Glyndŵr a chyfaill o gydymaith wedi ymweld â Chastell y Coety rywdro wedi'u gwisgo fel dau deithiwr, ac yn ôl arfer y cyfnod wedi cael llety yn y castell. Yn wir, roedd Syr Lawrence wedi mwynhau eu cwmni gymaint fel y pwysodd arnynt i aros yn hwy, ac felly bu. Soniodd Syr Lawrence wrthynt am y cnaf Owain Glyndŵr a oedd yn achosi cymaint o broblemau iddo, ond roedd yn hyderus y llwyddai i'w ddal cyn bo hir, a'i grogi. Wedi pedwar diwrnod a thair noson, ymddiheurodd Owain a dweud bod rhaid iddo ymadael a mynnodd Syr Lawrence ei hebrwng i ffin ei diroedd. Yna, wrth ymadael ac wrth roi ei law yn llaw Syr Lawrence, meddai Owain: 'Mae Owain Glyndŵr, yn gâr cywir, heb na digofaint na brad na thwyll yn ei galon, yn rhoi llaw yn llaw Syr Lawrence Berkerolles, ac yn diolch iddo am y croeso a'r caredigrwydd a'r syberwyd boneddigaidd a gafodd ef a'i gyfaill yn rhith gwas iddo, yn ei gastell, a chan addo ar lw, law yn llaw a llaw ar galon, na ddaw fyth ar feddwl iddo ddial yr hyn a feddyliodd Syr Lawrence Berkerolles ohono, ac nas goddefai i hynny fyw ar ei gof, nac ar wybod iddo hyd y bai yn ei allu ym meddwl ac ar gof nebun o'i geraint a'i gymhlaid.' Yna, aeth Owain a'i gyfaill ar eu ffordd. Syrthiodd Syr Lawrence yn fud gan syndod, 'a byth wedi hynny ni chafas efe ei oddeg ag ni chlywyd gair byth wedi hynny o'i ben'. Neu, o leiaf, fel yna yr adroddir yr hanes yn llawysgrifau Iolo Morganwg.

Un o'r digwyddiadau a gawn o bryd i'w gilydd yn y pentref yw ail-greu gwarchae Owain Glyndŵr, ond byddwn yn newid ychydig o'r hanes a bydd Owain yn cipio'r castell ac yn trechu Syr Lawrence Berkerolles. Am flynyddoedd chwaraewyd rhan Owain Glyndŵr gan yr anfarwol Ray Gravell a fyddai'n cymryd y cyfan o ddifrif calon gan ddangos ei holl frwdfrydedd nodweddiadol. Roedd gweld Grav yn ei arfwisg bwrpasol, a fenthyciwyd o Theatr Frenhinol Shakespeare yn Stratford, yn ddigon o ysbrydoliaeth.

Tua 350 o dai sydd i bentref Coety ar hyn o bryd, ond yn awr mae 1,500 o dai newydd yn cael eu sodro ar ochr orllewinol y pentref. Chwarae teg i'r datblygwr am roddi'r enw Parc Derwen – Y Pentre Newydd arno, ond mae yna Rodfa Turberville yno, hefyd; mae gwaed y Turbervilles yn dal i redeg yng ngwythiennau rhai o drigolion y fro o hyd.

Cefais y fraint a'r cyfle o fod yn gysylltiedig â nifer o fudiadau ac elusennau'r ardal ers ymddeol ac am wyth mlynedd bûm yn Llywydd Ymddiriedolaeth y Miners' Rest ym Mhorth-cawl, hen gartref yn cynnig cyfnodau byr i lowyr adfer eu hiechyd o ganlyniad i broblemau llwch yr ysgyfaint a damweiniau. Er gwaethaf yr enw, mae'r cartref hefyd yn darparu ar gyfer gweithwyr dur ac alcam. Sefydlwyd y Rest gan feddyg lleol a gafodd gyngor gan Florence Nightingale. Mae'r Rest yn dibynnu'n llwyr ar danysgrifwyr a chyfraniadau gwirfoddol a tydi hi ddim yn hawdd cael dau ben llinyn ynghyd o flwyddyn i flwyddyn.

Yn 2001 euthum ar daith gerdded noddedig o Flaenau Ffestiniog i Ben-y-bont ar Ogwr i godi arian at y Rest ac i apêl i brynu sganar MRI ar gyfer Ysbyty Tywysoges Cymru, Pen-y-bont. Fy nghydymaith ar y daith oedd Bryn Davies, cyn-swyddog un o'r undebau amaethwyr a chyn-gadeirydd yr awdurdod iechyd lleol. Roedd yn daith o 167 o filltiroedd a chyn cychwyn arni aethom mewn car i benderfynu pa ffordd i'w chymryd a ble i aros dros nos. Oherwydd clwy'r traed a'r genau oedd yn effeithio ar gefn gwlad ar y pryd roedd yn rhaid dilyn y priffyrdd. Ni chaniateid inni gerdded ar hyd unrhyw lwybrau a oedd yn croesi caeau. Mae cerdded ar ffordd â wyneb caled iddi dipyn mwy blinedig na cherdded ar dir a thywarchen. Un peth angenrheidiol oedd cael gwesty safonol bob nos, stafell yr un â bath, nid cawod – roedd angen socian yn hir mewn bath a chael jin a thonic cyn noswylio. Ni chawsom ein siomi gan 'run o'r gwestai lle arhosem.

Cawsom gais gan Faer Blaenau Ffestiniog i fynd â chyfarchion i Faer Pen-y-bont ac mi gyflwynwyd y cyfarchion yn ffurfiol inni cyn cychwyn. Byddem yn cychwyn am wyth bob bore, ac roedd gynnon ni gar a gyrrwr a fyddai'n cario dillad ac ati o le i le, a'n cyfarfod mewn cilfannau gyda brechdanau tua hanner dydd a rhywbeth arall amser te. Rwy'n cofio un gwesty lle cawsom stafelloedd gwych iawn a'r perchennog, wrth ein croesawu, yn dweud ei fod wedi darparu stafell addas 'for your man, in the attic!' Ar ein trydydd diwrnod, a ninnau'n cael brechdan yng ngerddi Plas Machynlleth, daeth dynes i siarad â ni, ac wedi inni egluro beth roedden ni'n ei wneud, rhoddodd yr holl arian a oedd ganddi yn ei phwrs i ni. Doedd y swm ddim yn fawr, pentwr gweddol o arian mân, ond dyna i chi garedigrwydd go iawn. A ninnau wedi ailgychwyn ar ein taith, dyma gar yn aros wrth ein hymyl. Y ddynes roddodd y pres i ni'n gynharach oedd yno. Roedd hi wedi mynd adre a dweud wrth ei gŵr beth a wnaeth, a hwnnw wedi dweud wrthi, 'Rhag dy gywilydd di, yn rhoi cyn lleied iddyn nhw!' Mi ddaeth hithau ar ein holau yn y car a rhoi £10 arall i ni!

Roedd Bryn wedi bod wrthi'n ceisio dysgu Cymraeg cyn hynny, ond heb lawer o lwyddiant. Felly penderfynwyd ein bod yn siarad Cymraeg yr holl ffordd ac rwy'n falch ofnadwy i ddweud, pan ddaeth Newyddion BBC Cymru ac S4C i gyfarfod â ni yn y gilfan ger Llanrhystud lle mae'r geiriau 'Cofiwch Dryweryn', gwnaeth Bryn ei gyfweliad yn gyfan gwbl drwy gyfrwng y Gymraeg iddyn nhw. Erbyn inni gyrraedd ein noson olaf oddi cartref, yn y Cawdor Arms yn Llandeilo, doedd y ddau ohonom ddim wedi eillio ers dechrau'r daith, a chyda'r ddau ohonom mewn capiau pêl-fas, mae'n debyg bod golwg bur hipïaidd arnom. Daeth Sheila a Cath, gwraig Bryn, i'n cyfarfod a chael cinio efo ni ar y noson olaf. Wnaeth Sheila ddim fy adnabod i. Y peth cyntaf a ddywedodd y ddwy oedd rhoi gorchymyn i'r ddau ohonom fynd i eillio cyn y byddent yn eistedd wrth yr un bwrdd â ni.

Pan gyrhaeddodd y ddau ohonom Ben-y-bont y noson wedyn roedd Côr Bro Ogwr yno i'n croesawu a rhyngom roeddem wedi codi £30,000 tuag at y ddau achos. A fwynheais fy hun? Do, yn fawr iawn, ac fel y dywedodd fy hen gyfaill annwyl, y diweddar Emrys Evans, a gerddodd gymaint at achosion da, 'Mae'n werth cerdded yn hamddenol trwy Gymru i'w gwerthfawrogi yn iawn.'

Soniais eisoes imi ddechrau chwarae golff yn drigain oed. Bûm yn aelod o dri chlwb golff ar un adeg, ond bellach dydw i ddim ond yn aelod yng nghlwb Porth-cawl ac yno y bydda i bob prynhawn Mercher. Ymhlith y Cymry eraill sy'n cael eu hudo gan y gêm mae Richie Thomas, Caron Jones, Meirion Jones, Lewis Evans a Dafydd Lewis, sylfaenydd Craftcentre Cymru, sy'n dal i chwarae er ei fod yn 81 oed. Mae yna un golffiwr ffyddlon yn ein plith sydd dros ei 90!

Rai blynyddoedd yn ôl aeth Sheila a minnau ar wyliau i Bortiwgal, a heb yn wybod iddi trefnais gwrs o hyfforddiant unigol ar ei chyfer yn ystod yr wythnos roedden ni yno. A dweud y gwir, roeddwn yn poeni braidd pan welais i'r bachgen golygus a oedd yn mynd i'w hyfforddi. Beth bynnag, mi wnaeth hi'n ardderchog ac mae ganddi dystysgrif sy'n brawf iddi gyrraedd safon dda – sy'n fwy nag sy gen i. Bellach mae hithau'n cael y pleser a'r mwynhad o chwarae golff gyda'i ffrindiau. Mae ein merch, Bethan, yn olffwraig frwd a bydd yn cael gwahoddiad i gystadlu bob blwyddyn yn y Bermuda Ladies Open – lle mae fy chwaer Carol, sy'n feddyg, yn byw. Mae ein hŵyr, Mathew, mab Bethan, hefyd yn chwaraewr ardderchog ac yn chwarae oddi ar handicap o bump. Mae o'n fy nghuro i'n rhacs bob tro – ond tydi hynny ddim yn anodd, fel y gall fy nghyfaill Lewis Evans gadarnhau gan ei fod yntau yn fy nghuro'n wythnosol. Ond fedar Lewis ddim dal samon!

Ydi, mae hela a saethu yn fy ngenynnau, rhywbeth a etifeddais oddi wrth fy nhad, mae'n debyg. Er, mi roddais y gorau i saethu am gyfnod yn y chwedegau a'r saithdegau cynnar. Pan oeddwn yn Ddirprwy Gyfarwyddwr Rheoli Aliwminiwm Môn roedd gan y cwmni dir a fferm wrth ymyl y gwaith. Roeddem am ddangos i ffermwyr yr ynys nad oedd unrhyw beryglon i ffermio na'r amgylchedd yn deillio o'r diwydiant. Roedd yna saethu ardderchog ar y tir – ffesantod, hwyaid gwyllt, petris – ac mi euthum allan gyda Meg, yr ast, un diwrnod a chael diwrnod ardderchog o saethu; ni fethais fawr o ergydion drwy'r dydd. Ond wrth lwytho'r adar marw i gefn y car y noson honno gwelais eu llygaid agored fel pe'n edrych yn gyhuddgar arna i a rhoddais y gorau iddi am flynyddoedd.

Sbel go dda wedi hynny, cefais wahoddiad i fynd yn gasglwr mewn helfa yn Sir Benfro a dychwelodd yr hen ysfa a'r wefr. Caf gyfle i fynd i saethu yn Aberbrân, ar gyrion Aberhonddu, a Llynlloedd ym Machynlleth, a chyfle i fwynhau cwmni o ffrindiau da a saethwyr ardderchog. Mae cael diwrnod o hela yn rhai o ardaloedd hyfrytaf ein gwlad gyda chriw o ffrindiau go iawn cystal ag unrhyw driniaeth feddygol i estyn oes dyn. Ffrindiau fel John Emyr Lloyd, gynt o Gorris, ond yn awr yn byw ym Mro Morgannwg. Y fo a'i fab yw perchnogion Cwmni Caws Caerffili. Cyfaill a saethwr arall yw Hugh Johnson, Cymro Cymraeg sy'n enedigol o Rydaman. Bu Hugh yn drafaeliwr bwydydd anifeiliaid a rhyw ddiwrnod mi ofynnodd ffermwr iddo a wyddai sut i drefnu allforio da byw i wledydd tramor. 'Na wn i,' meddai Hugh, 'ond mi wna i ffeindio mas i chi.' Felly y sefydlodd ei fusnes allforio anifeiliaid, a oedd yn cynnwys llogi awyrennau i'w gludo i bob rhan o'r byd. Bellach mae wedi ymddeol, yn byw yng Nghefncribwr, ond yn parhau i weithio fel ymgynghorydd allforio. Mae'n enghraifft ardderchog arall o Gymro Cymraeg a fentrodd, a lwyddodd ac a wnaeth gyfraniad arbennig i fasnach a ffermio dros gyfnod o ddeng mlynedd ar hugain. Ac wrth gwrs, mae cael cwmni un o'm ffrindiau gorau, Syr Roger Jones, wastad yn golygu diwrnod o hwyl arbennig. Mae Roger a minnau wedi crwydro'r byd i fwrw pluen ar ddŵr.

Rhaid sôn am y meddyg John Anthony. Braf cael meddyg teulu sy'n gyfaill personol yn ogystal â bod yn saethwr a physgotwr penigamp. Mae o fel crëyr glas ar lan y dŵr ac mae o wedi llwyddo i wneud rhywbeth na wnaed gan neb arall y gwn i amdano – a hynny ddwywaith. Gweld dyfrgi'n dod allan o'r afon â samwn yn ei geg, herio'r creadur a dwyn y samwn oddi arno. Dro arall fe'i gwelais yn pysgota oddi ar graig yn yr Alban ac yn bachu samwn, a'r samwn yn penderfynu mynd am yn ôl tua'r môr. Neidiodd John yn syth i'r dŵr a llwyddo i gael y pysgodyn i'r lan. Mae John a minnau ac un arall wedi prynu'r hawl i bysgota darn o afon Ogwr. Aeth John i lawr yna un diwrnod a chanfod dyn dieithr yn pysgota ar ein darn ni o'r afon. Aeth ato a dweud wrtho'n gwrtais nad oedd hawl ganddo i fod yno a gofyn iddo fynd. Gwrthododd hwnnw, a gofynnodd John iddo unwaith eto am adael ac os na wnâi y byddai'n mynd â'i offer oddi arno ac yn hysbysu'r heddlu. Gwrthododd y dyn am yr eilwaith a thrawodd John yn ei wyneb â'i ddwrn. Ymateb John oedd rhoi dyrnod yn ôl iddo nes ei fod ar wastad ei gefn, yna eistedd ar ei ben – mae o dros ddeunaw stôn – a ffonio'r heddlu gyda'i ffôn symudol. Cafodd y dieithryn ddirwy, cyfnod o garchar a cholli'i offer. Dyn rhadlon, braf yw John Anthony, er nad yw'n un i ddadlau ag o.

Maen nhw'n griw difyr a chaf bleser mawr yn eu cwmni. Mae yna rai sy'n dadlau bod hela'n arfer gwarthus a chreulon. Ond y gwir amdani yw bod hela yng ngenynnau rhai ohonom. Mae yna ddadl arall, wrth gwrs: pe na bai hela a helwyr fyddai llawer iawn o'r adar hardd hyn ddim yn cael eu geni. Mae'r ffermydd sy'n magu'r adar hyn ar gyfer y saethwyr yn gwneud cyfraniad a chymwynas fawr i sicrhau eu parhad ac mae'n ffurf dda o arallgyfeirio i'r ffermwr. Mae byd natur yn gyffredinol yn ffynnu pan geir gofalaeth amgylcheddol o'r tir ac mae'r ffesantod eu hunain yn byw bywyd tipyn mwy diogel na phetaent yn byw yn y gwyllt. Cofier bod 60 y cant ohonynt yn marw o henaint.

Soniais droeon am fy hoffter o bysgota ac mae gen i

gyfeillion mynwesol yn y frawdoliaeth honno o hyd – bechgyn fel Tony Bevan, cipar o gyffiniau Aberystwyth, a'r rhadlon Emyr Lewis o Lanbryn-mair, cipar ar afon Dyfi, a'r darllenwr afon gorau a gyfarfûm erioed. Pleser o'r mwyaf fu cael pysgota gyda nhw. A rhaid imi sôn am yr anfarwol Morgan John Morgan (Moc John) o Dregaron. Dyna bysgotwr. Rwy'n cofio'r ddau ohonom yn pysgota ger Pont Goyan, Llanddewibrefi, flynyddoedd mawr yn ôl. Roedd y brithyll yn bwydo, ond doedd y naill na'r llall ohonom yn cael bachiad. Yna dyma Moc yn dal un o'r pryfaid roedd y pysgod yn amlwg yn bwydo arnynt ar gledr ei law, edrych arno'n ofalus, ac yn y man a'r lle yn cawio pluen yr un fath â'r pryfyn. Bydd pob pysgotwr y gwn i amdano'n defnyddio feis i glymu pluen, ond nid pysgotwr arferol yw Moc. Ac am weddill y diwrnod, roedd y pysgod yn neidio am bluen Moc – a minnau'n mynd adre'n waglaw. Rwy'n cofio Moc, pan ges fy anrhydeddu â'r CBE, yn anfon gair i'm llongyfarch gan ddweud ei fod yn tybio bod y llythrennau'n golygu Castiwr Byd Enwog! Nododd rhywun arall imi gael yr anrhydedd oherwydd Cyfraniad Bobl Eraill – ac efallai fod hynny'n agosach at y gwir!

# Rhai anrhydeddau

YM 1987 DERBYNIAIS lythyr yn dweud bod fy enw wedi'i roi gerbron am CBE i gydnabod fy nghyfraniad i ddiwydiant yng Nghymru, ac yn gofyn, pe cynigid yr anrhydedd imi, a fuaswn yn derbyn. Bûm yn ystyried yn ofalus. Petai rhyw wlad arall yn cynnig anrhydedd cyffelyb imi am fy nghyfraniad i ryw agwedd o fywyd Cymru, fuaswn i ddim yn meddwl ddwywaith. Ac wedi'r cwbl, onid oeddwn yn gyrnol yn Kentucky? Penderfynais y buaswn yn derbyn yr anrhydedd pe cawn y cynnig. A maes o law daeth y CBE.

Bu colegau a phrifysgolion Cymru yn hael iawn eu hanrhydeddau i mi hefyd. Cefais Ddoethuriaeth yn y Cyfreithiau gan Brifysgol Cymru a Doethuriaeth gan Brifysgol Morgannwg, sy'n gysur am y ffrae a gefais gyda'r Athro M. G. Say a'm hamddifadodd o'r radd honno ym Mhrifysgol Heriot-Watt. Rwy'n Gymrawd o Goleg y Brifysgol, Aberystwyth, o Brifysgol Glyndŵr ac o Brifysgol y Drindod Dewi Sant. Rhan wreiddiol o Brifysgol Glyndŵr, wrth gwrs, oedd hen Goleg Technoleg Sir Ddinbych lle bûm yn fyfyriwr am bedair blynedd ac yn Llywydd y Myfyrwyr am ddwy flynedd. Rhoddodd hynny bleser arbennig imi. Bûm, hefyd, yn Ddirprwy Arglwydd Raglaw Morgannwg Ganol er 1990. Ond yn ddi-os, yr anrhydedd mwyaf oll oedd cael fy urddo'n aelod o'r Orsedd â'r Wisg Wen yn Eisteddfod Genedlaethol Castell-nedd 1994. Rwy'n falch o'r anrhydeddau hyn oherwydd maent yn gydnabyddiaeth gan eraill o'r hyn y ceisiais ei wneud dros Gymru ar hyd y blynyddoedd. Gwn imi fod dan ystyriaeth am o leiaf un anrhydedd uchel iawn arall, ond gwrthwynebwyd yr enwebiad gan Aelod Seneddol Llafur blaenllaw, a chan mai Llafur oedd yn llywodraethu dyna ben ar y stori honno. Petai waeth am hynny.

Un gymdeithas yr wyf yn falch iawn o fod yn gysylltiedig â hi hefyd yw Cwlwm Busnes Caerdydd. Cefais y fraint o fod yn Llywydd y gymdeithas gan ddilyn y diweddar Emrys Evans o Fanc y Midland. Drwy wahoddiad yn unig y mae dod yn aelod ohoni ac mae'n cynnwys pobl o bob adran o fyd busnes, cyfreithwyr, cyfrifwyr, pobl o'r Cynulliad a'r CBI, ac yn y blaen. Cyfle ydyw i rwydweithio ac mae rhwydweithio'n rhan bwysig o fywyd byd busnes na ddylid ei hesgeuluso yn y byd sydd ohoni.

# Cicio nyth cacwn

LLWYDDAIS YN YSTOD fy mywyd, weithiau'n fwriadol, dro arall yn anfwriadol, i roi cic i sawl nyth cacwn. Un o'r troeon hynny oedd mewn erthygl a luniais i'r cylchgrawn *Barn* ac a gyhoeddwyd yn 2001. Roedd clwy'r traed a'r genau yn anrheithio'r Gymru wledig a medrwn weld y byddai'n achosi niwed mawr i fywyd ac economi cefn gwlad ac yn debygol o'u newid am byth. Yn yr erthygl i *Barn* dywedais fod yna glwy'r traed a'r genau arall oedd yn newid natur a diwylliant y Gymru wledig – sef y llif o fewnddyfodiaid, pobl na fedrent siarad yr iaith Gymraeg, i'r ardaloedd hynny. Roeddent, ac maent, yn dod i Gymru, gosod eu traed ar ein daear ac mae eu hiaith a'u diwylliant Eingl-Americanaidd yn trawsnewid a pheryglu'n diwylliant a'n cymdeithas ni mewn ardaloedd o Gymru a arferai gael eu hystyried yn gadarnleoedd yr iaith a'r diwylliant Cymreig.

Ar y pryd, roedd papur â chylchrediad sylweddol o'r enw y *Welsh Mirror* – sef rhifyn ar gyfer Cymru o'r *Daily Mirror* a oedd yn elyniaethus tuag at bob agwedd o'r bywyd a'r diwylliant Cymraeg a Chymreig. Da dweud ei fod bellach wedi mynd i ddifancoll. Gwnaeth y papur fôr a mynydd o'r erthygl, a'i chyfieithu, neu ei chamgyfieithu i fod yn fwy cywir. Honnwyd fod fy erthygl yn hiliol a'm bod yn galw'r Saeson yn glwy'r traed a'r genau. Yr hyn a sgrifennais, mewn gwirionedd, oedd bod dylanwad y mewnddyfodiaid yn newid natur cefn gwlad Cymru yn union fel roedd clwy'r traed a'r genau'n debygol o'i wneud. Fel sy'n digwydd yn llawer rhy fynych, câi rhai gwleidyddion, gan ddibynnu ar y cyfieithiad Saesneg carbwl o'r erthygl, hwyl fawr yn tynnu sylw atyn nhw'u hunain gan fy ngalw'n hiliol a chyhuddiadau tebyg. Y gwir oedd, roeddwn wedi tynnu sylw at broblem ddifrifol iawn sy'n dal i fodoli.

Diddorol bod rhai Gweinidogion y Goron yn San Steffan yn poeni am yr iaith Saesneg yn Lloegr. Fel y dywedodd Dafydd Morgan Lewis, Ysgrifennydd Cymdeithas yr Iaith Gymraeg ar y pryd, roedd angen i wleidyddion yng Nghymru fynd i'r afael â'r broblem yn hytrach na chwarae'r cerdyn hiliaeth fel modd i'w osgoi. Cysylltodd amryw â'r Comisiwn Cydraddoldeb Hiliol, gan gynnwys y newyddiadurwr a arferai fyw ym Mrynsiencyn, Ian Skidmore, a wnaeth gŵyn swyddogol amdanaf. Gwrthododd y Comisiwn Cydraddoldeb Hiliol fynd â'r mater ymhellach. Ond bu'r helynt yn fêl ar fysedd rhai gwleidyddion a phobl elyniaethus i'r iaith am rai misoedd. Cofiaf y bu'n achos peth pryder i Simon Brooks, golygydd *Barn* ar y pryd, a oedd yn gofidio y byddai'r helynt yn awgrymu bod ei gylchgrawn o'n hiliol hefyd. Diddorol gweld bod Simon yn gwneud astudiaeth o agweddau hiliol yng Nghymru, gan edrych ar berthynas y Cymry â'r Romani. Wn i ddim ai helynt fy erthygl i ysgogodd ei ddiddordeb!

Y gwir yw bod nifer o'r newydd-ddyfodiaid o Loegr yn parhau i ddod i Gymru oherwydd eu bod yn tybio bod eu diwylliant a'u ffordd o fyw dan warchae oherwydd mewnlifiad o bobl Asiaidd o rannau eraill o'r byd. Dydyn nhw'n meddwl dim am yr effaith mae eu dyfodiad nhw'n ei chael ar gymunedau Cymraeg eu hiaith. Gan fod Cymry Cymraeg yn ddwyieithog, gellir deall pam nad yw'r newydd-ddyfodiaid hyn yn ymwybodol o'r problemau maen nhw'n eu hachosi, hyd yn oed os yw eu diffyg sensitifrwydd yn anodd ei ddirnad. O gofio'r ganran ryfeddol o uchel o bobl a anwyd y tu allan i Gymru sy'n byw mewn siroedd Cymraeg eu hiaith, fel Ceredigion, gallwn weld maint y broblem a'r perygl sy'n wynebu'r iaith. Yn ogystal â hynny, fel y dywedodd Alwyn Roberts mewn darlith yn yr Eisteddfod Genedlaethol un tro, mae'r sefyllfa'n anochel yn mynd i olygu y bydd mwy o briodi rhwng Cymry Cymraeg a rhai nad ydynt yn medru'r iaith, gan leihau ymhellach nifer y teuluoedd cwbl Gymraeg eu hiaith. Dyma broblem i Meri Huws, y Comisiynydd Iaith, ei hystyried.

Wrth gwrs, mae rhai mewnddyfodiaid sydd wedi ymsefydlu yn y cymunedau Cymraeg eu hiaith ac wedi dysgu'r iaith yn ardderchog gan wneud cyfraniad aruthrol i'r gymdeithas, y diwylliant a'r ffordd o fyw. Gwn am un a ddysgodd Gymraeg sy'n awr yn cynnal dosbarthiadau Cymraeg ei hunan ac a ymunodd â dosbarth cynganeddion gan nyddu englyn cystal ag unrhyw un ohonom ni. Gwn am un arall a ddaeth o Loegr yn ei harddegau ac a fu'n olygydd papur bro yn un o'n hardaloedd Cymreiciaf am flynyddoedd. Eithriadau ydyn nhw, gwaetha'r modd. Ond eithriadau, hwyrach, sy'n dangos be sy'n bosib.

Er hynny, bu achlysuron a wnaeth imi deimlo weithiau ein bod yn byw mewn gwlad ryfedd iawn. Cofiaf yr helynt mewn ffatri fach yn Nhanygrisiau ym 1965 lle gwaharddodd y rheolwr, Sais o'r enw Brewer Spinks, ei weithwyr, a oedd yn Gymry Cymraeg lleol bob un, rhag siarad Cymraeg yn y gweithle. Cafwyd enghreifftiau wedi hynny, gan gynnwys achos yn bur ddiweddar o staff y gegin mewn gwesty yn Sir Fôn yn cael eu gwahardd rhag siarad Cymraeg. Cofiaf fynd efo Eleri Carrog o'r mudiad Cefn i gwrdd Trevor Phillips, Cadeirydd y Cyngor Cydraddoldeb Hiliol yn Llundain, i drafod achos merch o'r Gogledd a aeth i drafferth yn y gweithle am ei bod yn mynnu siarad ei hiaith ei hun yn ei gwlad ei hun. Roedd rhywbeth yn chwithig yn y sefyllfa honno. Cofiaf Jack Straw, pan oedd yn Ysgrifennydd Cartref, yn cwyno nad oedd mwy o blismyn ethnig yn rhengoedd Heddlu Gogledd Cymru a rhywun yn cynnig y sylw y buasai hynny'n braf iawn, ond onid oedd yn bwysicach cael plismon a oedd yn siarad Cymraeg ym Mhorthmadog? Buom yn dawel ac yn daeog yn llawer rhy hir.

# PENNOD 19

# Yr hyn sy'n bwysig – teulu a chyfeillion

WRTH HEL ATGOFION fel hyn mae rhywun yn dechrau meddwl beth sydd wedi bod yn bwysig yn yr holl siwrnai a pha ran a chwaraewyd gan lwc. Bu cael iechyd da, fwy neu lai, drwy 'mywyd hyd yma yn sicr yn bwysig. Hebddo, yn ddi-os, fuaswn i ddim wedi gallu gwneud yr hyn y ces i'r fraint a'r pleser o'i wneud.

Er mor bwysig oedd cael iechyd da, heb os nac oni bai, pobl fu'n bwysig i mi dros y blynyddoedd. Ac mor lwcus rydw i wedi bod efo'r bobl a fu, ac sydd, yn rhan o 'mywyd i. Mam a Nhad, wrth gwrs, a'u cariad hwy a osododd sylfaen moesoldeb a pharch ynof. Y ddau yn eu gwahanol ffyrdd yn deffro ymwybyddiaeth ynof o gyfrifoldeb a dyletswydd ac yn rhoi'r arweiniad a'r gefnogaeth sydd mor bwysig wrth i rywun dyfu allan o blentyndod i fod yn llanc ifanc. Mawr yw fy nyled i'r ddau. I Dafydd, fy mrawd, a fu mor ofalus ohonof yn fy nyddiau cynnar ac yn gyfaill da gydol fy oes, ac i Carol am ei chyfeillgarwch.

Y lwc fwyaf ges i yn fy mywyd oedd cyfarfod Sheila, fy ngwraig. I'r Urdd a'r 'Steddfod Genedlaethol mae'r diolch, a hefyd efallai i'r Awyrlu a'r prinder dŵr yn Padgate, y soniais amdano eisoes. Wrth gwrs, mae pob gŵr yn meddwl mai ei wraig o yw'r dlysaf a'r anwylaf yn y byd, ond yn fy achos i mae'n digwydd bod yn hollol wir! Yn fy myw, alla i ddim meddwl pam y cytunodd hi i 'mhriodi i, ond diolch i'r drefn, mi wnaeth. Hi sydd wedi bod, ac sy'n dal i fod, yn angor y teulu. Mae Bethan a Delyth, ein merched, yn meddwl y byd ohoni ac mae'r wyrion a'r wyresau – Lisa, Lowri, Mathew a Sean – yn ei hanner addoli. Mi wn y bydd ein gor-wyrion, Gruffydd Aled ac Arthur Wyn, hefyd, yn cael pleser di-ben-draw yn ei chwmni.

Bu Sheila am gyfnod yng Ngholeg y Brifysgol, Aberystwyth, ac yna yng Ngholeg Hyfforddi Athrawon Cartrefle, Wrecsam, ac yna'n dysgu yn ardal Limehouse yn nwyrain Llundain. Mae'r storïau sydd ganddi o'r profiad hwnnw o ddysgu yn Llundain ym mhumdegau'r ganrif ddiwethaf yn ddigon i ddychryn dyn. Ymhen amser mi ddychwelodd i Gymru 'rôl cael swydd athrawes yng Nghastell-nedd. Ac yno roedd hi pan oeddwn i yn yr Awyrlu yng Nghaerdydd. Roedd gen i hen Austin 'Nippy' Seven a enwais yn 'Siani' ac yn hwnnw y byddwn yn teithio'n wythnosol o Gaerdydd i Gastell-nedd ar ffordd yr A48, oedd yn golygu taith oddeutu dwy awr go dda. Doedd yr M4 ddim wedi'i hadeiladu y pryd hwnnw. Dyna enghraifft arall o'r lwc ryfeddol sydd wedi bod yn rhan o 'mywyd i. Yn hawdd y gallaswn fod wedi cael fy nanfon i unrhyw un o orsafoedd yr Awyrlu drwy'r byd ond i Sgwadron 614 a Fighter Control Unit 3614 ar gyrion Caerdydd y deuthum. Weithiau rwy'n meddwl bod bywyd dyn wedi'i ragdrefnu i raddau helaeth.

Ar 31 Gorffennaf 1957 mi briododd Sheila a minnau yng Nghapel y Bedyddwyr, Bethania, Castell-nedd, ac wrth imi sgrifennu hyn o eiriau rydym o fewn pythefnos i ddathlu hanner cant a phump o flynyddoedd o briodas – a lle'r aeth y rheini deudwch? Mi fyddaf weithiau, wrth ei chyflwyno i ddieithriaid, yn cyfeirio ati fel fy ngwraig gyntaf! Ond mae Sheila wedi hen arfer efo'r hiwmor od sydd gen i. Faswn i'n newid dim o'r holl flynyddoedd a gawsom efo'n gilydd.

Fel roedd y merched yn tyfu, ac yn enwedig fel roeddent yn cyrraedd eu harddegau, mi ddatblygais i fod yn oramddiffynnol ohonynt. Yn wir, mi rown i'n fwy fel tad yn Oes Victoria na thad yn saithdegau'r ganrif ddiwethaf. Pan fyddai rhyw hogyn neu'i gilydd, hirwalltog, blêr ei olwg, yn galw yn y tŷ ac yn methu edrych rhywun ym myw ei lygad ac yn rhyw fyngial gofyn 'Ydy Bethan i mewn?' atebwn innau 'Ydy' a chau'r drws yn glep yn ei wyneb. Rown i wedi ateb ei gwestiwn on'd oeddwn? Sheila ddeuai i achub y sefyllfa bob tro, diolch i'r drefn. Tydi hi ddim yn hawdd bod yn rhiant.

Erbyn hyn mae'r ddwy yn briod efo plant eu hunain ac mae Sheila a minnau'n hynod falch ohonynt. Mae Bethan yn briod â David, sy'n Albanwr, a Delyth yn briod â Ray, sy'n Wyddel. Mae 'na stori yn y teulu, petasai'r naill neu'r llall wedi priodi Sais, yna ni fuasent yn rhan o'r ewyllys. Tydi hynny ddim yn wir, wrth gwrs, ond mae o'n destun sbort (ar fy mhen i!) yn aml. Ni allai Sheila na minnau ddymuno gwell meibion yng nghyfraith ac ry'n ni'n hynod falch ohonynt.

Mae Bethan yn ddirprwy bennaeth ysgol gynradd yn Sir Benfro ac mae ganddi hi a'i gŵr ddau o blant, Lisa, sydd hefyd yn athrawes, a Mathew sy'n gweithio i gwmni o beirianwyr sifil ym Mhenfro. Erbyn hyn mae gan Lisa a'i gŵr ddau o feibion, Gruffydd Aled ac Arthur Wyn, ac mi rydw i'n edrych ymlaen i ddysgu'r ddau sut i 'sgota. Er bod gan Mathew rywfaint o ddiddordeb mewn pysgota, golff yw ei fyd o ac mae'n hynod o dda efo handicap o bump ac yn rhoi crasfa imi bob tro yr awn am rownd. Mae Lisa ar y llaw arall yn bysgotwraig dda iawn a phan ddaeth Dai Jones, Llanilar, i wneud rhaglen *Cefn Gwlad* amdana i tua deunaw mlynedd yn ôl a ninnau fel teulu wedi mynd i bysgota ar lyn ym Mhont-ar-sais, pwy ddaliodd y pysgodyn mwyaf o flaen y camera ond Lisa a hithau yn ddim ond wyth oed! Mae Mathew wedi ailgydio mewn pysgota yn ddiweddar, a phan aeth Sheila a minnau am drip pysgota i'r Alban efo Sean a Mathew mi ddaliodd Mathew samon 15 pwys.

Graddio mewn Daearyddiaeth yn Aberystwyth wnaeth Delyth, ein merch iau, a bu'n gweithio yn y byd cysylltiadau cyhoeddus yng Nghaerffili a'r Rhondda cyn ymuno â staff Amgueddfa Werin Sain Ffagan. Yna, mi brynodd Siop yr Hen Bont, siop lyfrau ym Mhen-y-bont ar Ogwr, a rhedeg honno am ddeng mlynedd cyn mynd i ddarlithio yn y Gymraeg. Mae gan Delyth a'i gŵr, Ray, ddau o blant hefyd, Lowri sydd newydd raddio mewn Daearyddiaeth yn Aberystwyth – y bedwaredd genhedlaeth o'r teulu i astudio Daearyddiaeth yn Aberystwyth – a Sean sydd ar ei flwyddyn gyntaf ym Mhrifysgol Abertawe. Mae Sean yn bysgotwr penigamp a does dim yn rhoi mwy o bleser imi na phan mae o'n dal eog neu sewin ar afon Ogwr, neu ar afon Nith yn yr Alban.

Mae Sheila a minnau wedi bod yn rhyfeddol o lwcus efo'r plant, eu plant hwythau a'r gor-wyrion ac mi rydan ni'n hynod falch ohonynt. Ac yn ddi-os i mi, nhw, y teulu sydd bwysica yn fy mywyd ac mae Sheila a minnau wedi cael, ac yn dal i gael, pleser a bendith yn eu cwmni.

Ac yna y cyfeillion agos, lle y gŵyr rhywun os oes problem, does ond angen codi'r ffôn ac mae help a chysur ar gael ar unwaith. Cyfeiriais at nifer fawr ohonynt eisoes yn y gyfrol – cyfeillion mae rhywun yn rhannu dyddiau da efo nhw. Bu Sheila a minnau ar wyliau flwyddyn ar ôl blwyddyn efo Eddie a Martha Rea, ac os gellwch dreulio pythefnos neu dair wythnos yng nghwmni'ch gilydd heb i ryw grachen godi, yna mi wyddoch eich bod yng nghwmni ffrindiau da. Mae'r un peth yn wir am Richie a Jean Thomas – pobl y buasech yn fodlon iawn cael eich gadael ar ynys efo nhw yn dilyn llongddrylliad. Dyna linyn mesur cyfeillion da.

Am flynyddoedd arferai nifer ohonom gyfarfod am ginio yn yr Eisteddfod Genedlaethol a bob chwarter hefyd. Bellach mae sawl un wedi'n gadael – yn eu plith Gwilym Humphreys ac Eddie Rea. Y gweddill ffyddlon sydd ar ôl, bellach, yw Lewis a Siân Evans, Hugh a Beryl Thomas, Emyr a Myra Jenkins a Sheila a minnau.

O edrych yn ôl dros y blynyddoedd mae yna lawer digwyddiad a ymddangosai unwaith yn dyngedfennol o bwysig, ond sydd i'w weld yng ngoleuni amser yn bethau gweddol ddibwys ym mywyd dyn. Ond mae 'na rai pethau sy'n aros yn hollbwysig, dybia i – teulu a chyfeillion yw'r rheini.

# PENNOD 20

# Cerdd neu ddwy

DROS Y BLYNYDDOEDD bu nifer o'n beirdd amlycaf yn hynod garedig yn cyflwyno cerdd, englyn neu gywydd imi ar achlysuron arbennig. Hwyrach mai fy hoff gerdd yw'r soned a gyflwynodd Euryn Ogwen imi ar fy ymddeoliad o Gadair Bwrdd yr Iaith ym 1993. Mae'n crisialu fy holl deimladau a'm cariad tuag at Gymru, yr iaith a'r diwylliant ar ddiwedd pennod digon anodd a phoenus yn fy hanes. Pan ofynnwyd imi ddewis fy hoff gerdd yn yr iaith Gymraeg ar gyfer blodeugerdd flynyddoedd yn ôl, y soned hon a ddewisais. Cyfeiriais eisoes at awdl ddoniol 'Lleng' a ddaeth yn agos iawn at gipio Cadair Eisteddfod Genedlaethol Cwm Rhymni 1990, a dyfynnais ran ohoni. Bu amryw o rai eraill, ac mae fy ngwerthfawrogiad ohonynt i gyd yn ddiffuant, a thu hwnt i'r hyn y medraf ei fynegi mewn geiriau. Diolch, hogia.

*I JEJ*

Pan fyddi'n troi at lan rhyw afon dawel
neu rwyfo'r cwch cyn lluchio'r lein i'r dŵr,
pan glywi sŵn ei chwynfan ar yr awel
a'r dail yn troi a bygwth storm, rwy'n siŵr
y byddi dithau'n diawlio'i phresenoldeb –
dyheu am beidio'i chario ar dy gefn.
Ni'th ddeil yn llonydd byth. Hyd dragwyddoldeb
mi fydd yn hongian arnat – dyna'r drefn.
Ond wedi bachu'r sgodyn a'r ymrafael,
wrth dynnu'r anwadalwch byw i'r lan,
mi deimli bwysau'r lludded yn dy adael
a balchder buddugoliaeth fydd dy ran.

Nyddwyd edau'n hanfod mewn oes o'r blaen
i weu y rhwyd sy'n gallu dal y straen.

*Euryn Ogwen*

*I John Elfed Jones*
*(ar ei ymddeoliad*
*yn Llywydd Coleg Llambed)*

Am fod ynot bysgotwr
Hirben sy'n darllen y dŵr
Llygadaist, astudiaist ti
Hynafiaeth dyffryn Teifi
Gan ganfod plas urddasol,
Yn gaer o ddysg ar y ddôl.

Gwelaist ti y Deifi deg
Lun ei cheulan a'i choleg
A'r holl bysgod a godwyd
I dir y llan o'i dŵr llwyd;
Hen afon ddofn, ddofn oedd hi,
Afon Duw, afon Dewi.

O weld llecyn dymunol
Mi â dynion yno'n ôl,
I'r man brafiaf ger afon
I'r lletty hael gerllaw ton,
Y bwrw Sul yn berswâd,
Y neuaddau'n wahoddiad.

Ar weithgor neu bwyllgorau
Abl oet i gwblhau
Y dasg o lanw'r fasged,
Ac ar dro, ger dŵr a red
Eto i'r oed, fel tae o raid
Yr hogyn dal eogiaid.

201

Wyt ŵr pluen a genwair
A gŵr sydd yn glanio'r gair,
Y praffaf, mwyaf ym mysg
Llywyddion pyllau addysg
Am fod ynot bysgotwr
Hirben sy'n darllen y dŵr.

*Idris Reynolds*

*Y Bon. John Elfed Jones*

Hwn yw brenin ffraethineb, – a hyder
   yn lledu ei wyneb,
    a'i wên hoff yn ail i neb,
    a'i eiriau sy'n ddihareb.

Un anfarwol o Feirion, – a hogyn
   o lygad y ffynnon,
   un dihafal ei galon,
   ac mor hael i'r Gymru hon.

Oherwydd grym ei eiriau, – oherwydd
   ei her a'i safiadau,
   yn nannedd yr elfennau,
   yr iaith sydd eto'n parhau.

O un awr braf i awr brudd – yna'n ôl
   yw ein hynt dragywydd;
   ond er hiraeth, daeth y dydd
   i fwynhau'r elfen newydd.

Tra erys tir Eryri, – tra llynnoedd,
   tra llanw yn torri,
   fan hyn, mae'n hatgofion ni
   amdanoch, yn ymdonni.

*Meirion MacIntyre Huws*

*Ar Ymddeoliad John Elfed*

I'w deilyngdod cyfodwch, ac i'w lwydd
  Mewn dŵr glân cyd-yfwch.
I gawr a'i was'naethgarwch
Mae Cymru'n sychu'i Swch.

Dic Jones

*Ffarwél*

Rhaid dweud ffarwél wrth Elfed, – a'n heriodd
  A'n harwain cyn ddoethed,
  Wedi oes o ymdrech dwed:
  'Ciliaf o'm gorchwyl caled.'

Cymro braf yn llawn afiaith – fu efe,
  A'i farn yn llawn gobaith,
  Rhannodd yn hael i'r heniaith,
  Rhoddai rym i fwrdd yr iaith.

Gŵr heulog o reolwr, – a llywydd
  Llawen i bob gweithiwr,
  Er y cwyno a'r cynnwr,
  Cawr o ddyn yw dyn y dŵr.

Tilsli

*Ym Mhont-ar-sais mentrais i*

Bore llwyd o Ebrill oedd
a'r llwyni'n un â'r llynnoedd,
yn dywyll ac yn dawel,
a hen ofn o'm mewn yn hel;
yr hen fraw a ddaw o ddŵr
yn 'sgytwad i bob 'sgotwr:
ofni awr gadael fan hyn
a gadael heb bysgodyn!

Wedi oes o chwipio'r don
yn gyhyrog o wirion,
heb blwc er bod cant o'm plu
eisoes wedi anwesu
y dŵr, a brigau'r deri,
blin fel cacwn oeddwn i;
llipryn yn dal gwialen,
a'i ffydd cyn freued a'i phen.

Yna daeth ar fin y dŵr
un o Goety, pysgotwr
heb ei ail, y gorau'n bod,
a thwyllwr holl frithyllod
y byd. Roedd o'n hwb â'i wên –
anogaeth mewn G-Wagen!
A meddai'n ei lais meddal
'Hwda hon os 'ti isio dal.'

A da oedd cyngor y dyn!
Newidiais bluen wedyn,
a phan aeth fy nimffyn i
i enau bwystfil heini,
es yn benwan mewn panic:
yn y dŵr roedd Moby Dick!
Anferth o seithliw'r enfys,
O'r wefr! Mi dynnais fy nghrys!

Oriau yn ddiweddarach
yn y stremp ac wedi strach,
do, glaniwyd y gylionwr,
a daeth y bwystfil o'r dŵr
yn dawel, gan droi dwyawr
yn y man yn ddiwrnod mawr.
Yn ddi-au yr own i'n *ddyn*
yn gadael â physgodyn!

Bore llwyd o Ebrill oedd
a'r llwyni'n un â'r llynnoedd
yn dywyll ac yn dawel
a hen ofn o'm mewn yn hel,

ond a'm pluen eleni
ym Mhont-ar-sais mentrais i,
a myn diawch, mewn cwmni da
daliais, daliais hyd wala!

*Mei Mac*

# Mynegai

## C

## Rh

Rhaeadr Gwy 98
Rheidol, Prosiect Dyfrdrydan 44,
47–8, 52, 58, 162
Rhondda 166, 171, 198
Rhoscolyn, Ysgol Gynradd 62
Rhosllannerchrugog 28, 97
Capel Mawr 28
Rhuthun 89, 92
Rhŵs, Y (maes awyr) 124
Rhydaman 43, 59, 188
Rhyd-sarn 8, 9, 10, 13, 17, 26, 28
'Capal Bach' 180
Rhydychen 36, 37, 46, 95, 148, 150
Rhyddfrydwyr Democrataidd 46,
116, 166
Rhŷs, Syr John 46, 52

## S

S4C 136, 144, 145, 186
Saesneg 15, 19, 50, 55, 80, 81, 89,
121, 136, 141, 162, 165, 194
Saeson 9, 68, 193
saethu 13, 14, 30, 41, 87, 131, 187–8
Saffron Walden 37
Sain Ffagan gw. Amgueddfa Werin
Sain Ffagan
Sain Tathan 181, 183
Sainsbury 171
St Florence, Ysgol 45
Sami 55
Samuel, Alwyn 44, 92
Santiago (Chile) 132
Santiago de Compostela 124
Sarhau'r Senedd 107–8
SAUR 123
Say, yr Athro M. G. 31–2, 191
Sbaen 19, 59, 123, 124
Seceders 32
Secretariat (ceffyl) 67
Sefydliad y Merched 168
Seiont Manor 121

Seiri Rhyddion 165
Seiriol (sant) 68, 96
Seland Newydd 64
Senedd San Steffan 129, 156, 163,
164
Senni, Dyffryn 112
Shackleton, Arglwydd Eddie 61–2,
130
Shackleton, Syr Ernest 61
Shand, Jimmy, recordiau 93
Singh, Ray 166–7
Sioe Frenhinol Cymru 103
*Sir Galahad* 132
Skansen 55
Skidmore, Ian 194
Slater, Bill 51
Slofenia 90
*Sommer Stuga* 55
Southerndown 182
Spencer, Diana 81
Spinks, Brewer 195
Spratling, Ian 167
Stephens, Elan Closs 134, 137
Stephens, Eric 60
Stephens, Stephen 29
Stevens, Connie 131
Stewart, Syr Jackie 172
'Stiw' 26
Stockholm 55, 92
Straw, Jack 195
streic y glowyr 70
Suez 39
Swch (Rhyd-sarn) 8, 9, 11, 13–16, 18,
25–6, 97, 180
Swedeg 53, 171
Sweden 43, 53, 54, 55, 91, 170, 171,
173
Swyddfa Bost 46, 52, 77–8, 149, 182
Swyddfa Gymreig, Y 19, 73, 74, 77,
79, 81, 82, 84, 86, 104, 105,
106, 110, 115, 127, 136, 137,
140, 141, 164, 165
Sybil ferch Morgan Gam 183

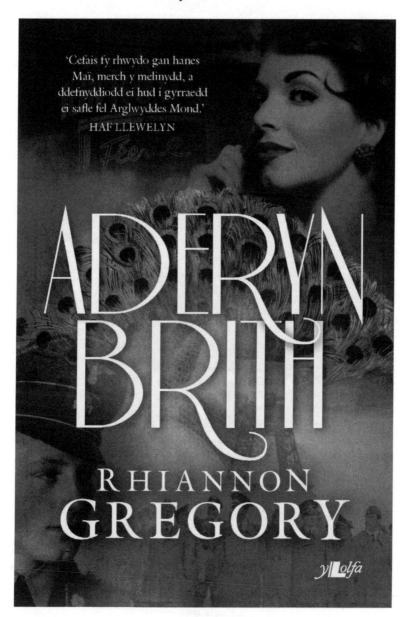

'Cefais fy rhwydo gan hanes Maï, merch y melinydd, a ddefnyddiodd ei hud i gyrraedd ei safle fel Arglwyddes Mond.'

HAF LLEWELYN

# ADERYN BRITH

## RHIANNON GREGORY

yLolfa

£8.95

# Aeryn
# Llangwm

## Moch Bach
## mewn
## Basged Ddillad

£7.95

hunangofiant Meic Stephens cofnodion

£9.95

Am restr gyflawn o lyfrau'r Lolfa, mynnwch
gopi am ddim o'n catalog
neu hwyliwch i mewn i'n gwefan

**www.ylolfa.com**

lle gallwch archebu llyfrau ar-lein.

TALYBONT CEREDIGION CYMRU SY24 5HE
*ebost* ylolfa@ylolfa.com
*gwefan* www.ylolfa.com
*ffôn* 01970 832 304
*ffacs* 832 782